KB093119

차세대 기관 시스템까지 총망라한

# 내연기관

주관집필 ◆ 김관권

편성 및 교열 ◆ 조성철, 최두석, 최선순

# 머리말

내연기관은 열에너지를 이용한 동력원으로서 기술의 급속한 진보발전과 산업사회의 변화에 대응하여 전자기술과 신 재료가 채택되어 눈부신 기술의 진보가 이루어지고 있습니다.

과거부터 현재까지 우수한 경제성뿐만 아니라 큰 동력을 제어하기 쉬우므로, 21세기에도 비약적으로 신장될 것으로 전망되고 있으나 사회 환경과의 조화를 강하게 요구하고 있어 해결해야 할 과제도 많으며, 특히 지구환경문제로 대두된 자동차의 환경문제가 세계 180여 개국이 기후변화 협약 등 국제적인 협약과 규제로 강화되는 것은 내연기관 기술 영역의 패러다임에 관한 일대 전환을 예고하는 것이어서 그 귀추가 주목되며, 배출가스기준이나 저공해자동차의 판매의무를 위해 연비절감, 배출가스 저감장치, 기관의 전자제어, 대체에너지 기관 개발, 신소재와 신물질의 개발 등이 활발히 이루어지고 있는 추세입니다.

*본 서는 이러한 내용을 각 장별로 구분하여 쉽게 진행할 수 있도록*

- *1장~4장까지는* ***총론****과* ***내연기관의 열역학 및 성능*** *그리고* ***연료****에 대하여 집필하였고,*
- *5장과 6장은* ***가솔린기관과 디젤기관의 연소 및 작동원리****에 대하여 집필하였으며,*
- *7장은* ***기본 구성품과 기능****에 대하여,*
- *8장은 기관의 성능에 크게 영향을 미치는* ***흡기 및 배기장치****,*
- *9장과 10장은* ***윤활과 냉각장치****, 그리고 11장은* ***배출가스****에 대하여 집필하였으며,*
- *끝으로 부록에는 내연기관에 사용되는* ***SI 단위****에 대하여 수록하였습니다.*

이러한 본 서를 통하여 자동차용 내연기관을 공부하는 공학도가 미래의 자동차 공업 산업 현장에서 중추적인 역할을 담당하는 기술자가 되기를 바라며, 체계적으로 집필하려고 노력하였으나 전자제어기관 등 지면상 다루지 못한 부분은 다음 기회에 집필토록 하겠으며, 혹시 오류가 있다면 여러분들의 기탄없는 조언과 선배 제현의 지도편달을 부탁드릴 뿐입니다.

끝으로 이 책이 발간되기까지 바쁘신 중에도 아랑곳하지 않으며, 도와주시고 노력하여 주신 여러분들께 이 지면을 통하여 마음으로 고마움을 대신하며, 도서출판 골든벨 김범준 사장님과 임·직원 여러분께 고마움을 표하는 바입니다.

지은이

# 차 례

## PART 1. 내연기관 총론


1. 원동기 15

2. 열기관 15

- 외연기관 ······16
- 내연기관 ······17

3. 내연기관의 역사 18

4. 내연기관의 분류 19

- 열을 동력으로 변환하는 방법에 따른 분류 ······19
- 운동방식에 따른 분류 ······20
- 작동 사이클에 따른 분류 ······21
- 열역학적 사이클에 따른 분류 ······21
- 점화방식에 따른 분류 ······22
- 사용연료에 따른 분류 ······22
- 연료공급 방식에 따른 분류 ······23
- 혼합기 형성방식에 따른 분류 ······23
- 출력의 조정방법에 따른 분류 ······24
- 연소실 형상에 따른 분류 ······24
- 흡기 압력에 따른 분류 ······25
- 실린더 배치 방식에 따른 분류 ······25
- 냉각 방식에 따른 분류 ······26
- 실린더 안지름-행정비에 따른 분류 ······27

5. 내연기관의 구조 및 작동 28

- 4행정 사이클 가솔린 기관의 작동 ······28
- 4행정 사이클 디젤 기관의 작동 ······29
- 가솔린 기관에 대한 디젤 기관의 비교 ······30
- 2행정 사이클 기관의 작동 ······31
- 2행정 기관과 4행정 기관의 비교 ······36

6. 자동차용 기관의 필요한 성능 37

# PART 2. 내연기관의 열역학


## 1. 내연기관의 열역학적 사이클 41

- 정적사이클 ········42
- 정압사이클 ········45
- 복합 사이클 ········48

## 2. 사이클 열효율의 비교 50

- 압축비가 같은 경우 ········50
- 최고압력과 출력이 같은 경우 ········52

## 3. 연료공기사이클과 실제의 사이클 53

- 이론공기사이클과 실제의 사이클의 다른점 ········53
- 연료공기사이클 ········53
- 실제의 사이클 ········55
- 각 사이클의 비교 ········57

# PART 3. 내연기관의 성능


## 1. 내연기관의 기본용어(KSB0115에 규정) 63

- 상사점(TDC) / 하사점(BDC) ········63
- 행 정(S) ········63
- 간극체적Vc), 연소실체적 ········64
- 행정체적 / 실린더 체적(V) ········65
- 총체적 / 압축비 ········65
- 행정/직경비와 출력 ········66

## 2. 출력과 일 67

- 회전력 ········67
- 이론일, 도시일, 정미일 ········68
- 평균 유효압력 ········69
- 일률(출력) ········70
- 마력 (Power) ········71

3. 열 효율 73

4. 선도계수와 기계효율 75

5. 연료 소비율 76

6. 체적효율과 충전효율 76

7. 소기 효율 78


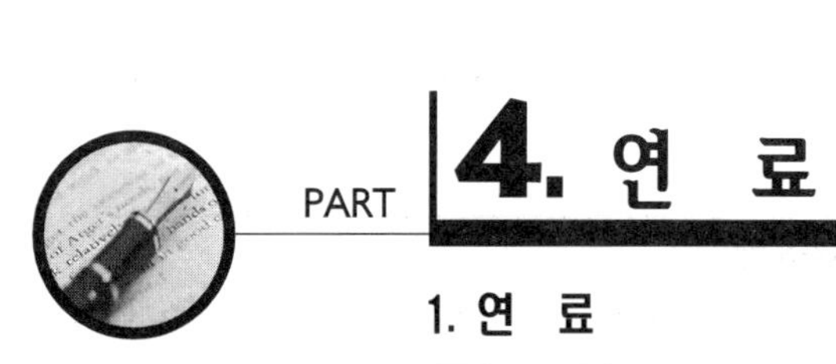

PART

# 4. 연 료


1. 연 료 81

2. 원유의 정제 82

3. 석유계 연료 83
- 파라핀계 ······ 84
- 올레핀계 / 나프텐계 / 방향족계 ······ 85

4. 석유계 액체연료의 성질 86

5. 가솔린 기관용 연료 90
- 가솔린 기관 연료의 구비 조건 / 기화성 ······ 90
- 내노크성 ······ 91
- 휘발유의 첨가제 ······ 92

6. 디젤기관용 연료(경유) 93

7. 기체 연료 95
- 석유계 가스(LPG) ······ 95
- 천연가스 ······ 97

8. 대체 연료 98
- 메탄올 ······ 98
- 에탄올 ······ 99
- 유자씨 오일 / 수소 ······ 100

9. 연소의 기초 100

● 연소반응과 발열량 ······100
● 혼합비 ······102

10. 이론 연소 온도 104

11 열 발생률 107

PART **5. 가솔린 기관**

1. 가솔린 기관 111

2. 4행정 사이클 기관의 작동원리 112
● 흡기 행정 / 압축 행정 ······112
● 동력 행정 / 배기 행정 ······113
● 점화 시기 ······113

3. 가솔린기관의 연소 114
● 정상연소 ······115
● 연소 온도 / 열분해 ······117
● 연소속도 ······118
● 이상연소 ······119
● 공연비, 회전속도와 연소속도 ······121
● 소염층 ······123

4. 혼합기의 형성 123
● 기화기 ······123
● 연료분사 ······126
● 희박연소 ······128

5. 점화장치 128

6. 노크의 대책 131
● 기관에 있어서의 대책 ······131
● 연료에 의한 대책 ······133

7. 가솔린기관의 연소실 형상과 밸브배치 133

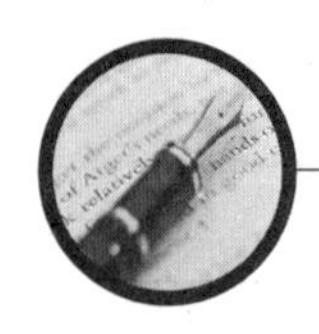

PART

# 6. 디젤기관


1. 디젤기관 139

2. 디젤기관의 연소 139
- 디젤기관의 연소 ……139
- 디젤노크 ……142

3. 디젤 기관의 연소실 143
- 직접 분사식 연소실 ……144
- 부실식 연소실 ……146

4. 디젤 기관의 연료공급 151
- 연료공급의 필요조건 / 연료 공급장치 ……151

5. 디젤 연료 분사장치의 최근개발동향 161

PART

# 7. 내연기관의 기본구성부품과 기능


1. 실린더 헤드 166
- OHV(I-Type) 연소실 ……167
- L - 헤드형 연소실 / F - head형 연소실 ……168
- 디젤 기관의 연소실 ……169

2. 헤드 가스켓 169

3. 실린더 및 실린더 블록 170
- 건식 라이너 / 습식 라이너 ……171

4. 피스톤 172
- 피스톤 열팽창의 보완책 ……173
- 피스톤의 재질 / 피스톤의 종류 ……174
- Piston Head 모양에 따른 분류 ……175

5. 피스톤 링 176

6. 피스톤 핀 177

7. 커넥팅 로드 178

8. 크랭크축 178
- 크랭크축의 형식과 점화순서 180
- 평형추 / 토셔널 바이브레이션 댐퍼 181
- 플라이 휠 182

9. 기관 베어링 183
- 베어링의 필요조건 / 베어링의 재질 184
- 베어링의 종류 / 기관 베어링의 구조 185

PART **8.** 흡기 및 배기장치

1. 기관의 흡 · 배기 189

2. 흡기장치 190
- 흡기장치 구성부품 191
- 공기 여과기 192
- 공기 여과지 / 흡기 소음 / 흡기 맥동음 193
- 서지 탱크 / 흡기 다기관 193
- 흡기포트 / 가변 흡기 장치 194

3. 밸브 타이밍 196
- 흡기밸브의 열림 / 흡기밸브의 닫힘 198
- 배기밸브의 열림 / 배기밸브의 닫힘 199

4. 가변밸브 타이밍(VVT) 199

5. 압축성의 영향 202

6. 밸브 작동계의 응답성 204

7. 작동가스의 관성력 204

8. 밸브 기구 206
- 밸브(Valve) 206
- 밸브 기구 208

● 캠축 ······212

9. 과급장치 213
● 슈퍼 차저 ······213
● 터보 차저 ······215
● 과급기 부착 기관의 사이클 ······222

10. 배기 장치 223

11. 소음기 225
● 원통형 소음기 ······226
● 차단판식 소음기 / 이젝터식 소음기 ······227
● 이중모드 머플러 ······228

PART **9. 윤활장치**

1. 윤활의 형태 233
● 액체윤활 / 경계윤활 ······234
● 고체윤활, 극압윤활 / 마멸 ······235

2. 윤활 장치 236
● 기관의 윤활 회로 ······236
● 윤활방식 ······237
● 압송식 윤활 장치 ······238

3. 윤활유 246
● 기관 오일에 요구되는 특성 ······247
● 윤활유의 첨가제 ······248
● 첨가제의 요구특성 ······249

4. 윤활제의 성상 249
● 윤활제의 분류 ······252
● SAE 분류 ······253
● API 분류 ······254

5. 기관 오일 소모 257
● 블로우 업 되는 오일소모 / 블로우 다운 되는 오일소모 ······257

● 블로우 아웃 되는 오일소모 ········ 257

6. 밀봉장치 258
● 실 / O Ring / Oil Seal ········ 258
● Packing / Gasket / Oil Slinger ········ 259

PART 10. 냉각장치

1. 기관의 냉각 263
2. 냉각 방식 265
3. 냉각 이론 266
4. 냉각 손실 270
5. 수냉식 냉각장치 271
● 물재킷 / 물펌프 ········ 272
● 방열기 ········ 273
● 냉각수온 조절 장치 ········ 275

6. 냉각수와 부동액 279
7. 냉각 팬 281
● 유체 커플링식 ········ 281
● 팬 클러치식 ········ 283
● 전동 팬 ········ 284

8. 공냉식 냉각장치 289

PART 11. 배출가스의 대기오염과 대책

1. 배기가스의 공해성 293
● 배기가스 성분과 환경 오염물질 ········ 293
● 배출가스가 환경과 인체에 대한 영향 ········ 294

**2. 배기가스 규제** 297
● 미국의 배기가스 규제 ······298
● 우리나라의 배기가스규제 ······301

**3. 배기가스의 생성** 307
● 공연비의 영향 ······308
● 점화시기의 영향 / 부하 및 회전속도의 영향 ······310
● 압축비 영향 / 대기조건의 영향 / 연료조성의 영향 ······311

**4. 가솔린기관의 배기가스 대책** 312
● 기관에 있어서의 배기가스 대책 ······312
● 기관본체의 배기가스 저감 ······314
● 연료제어 개선 / 기관 외에서의 배기가스 처리 ······315

**5. 디젤기관의 배기가스** 321
● 기관에 있어서의 대책 ······322
● 기관 외에서의 배기가스 처리 ······323

## PART 12. 부록 - SI단위

**1. 일에 관한 단위** 327

**2. 열에 관한 단위** 327
● 열에 관한 용어 및 온도의 정의 ······327
● 열에 관한 단위 환산상의 유의 사항 ······328

**3. SI 주요 물리량의 단위** 331
● 밀도, 비질량 / 비중량 / 비체적 ······331
● 비중 / 힘 ······331
● 압력 / 일, 에너지, 열량 / 일률, 동력 ······332

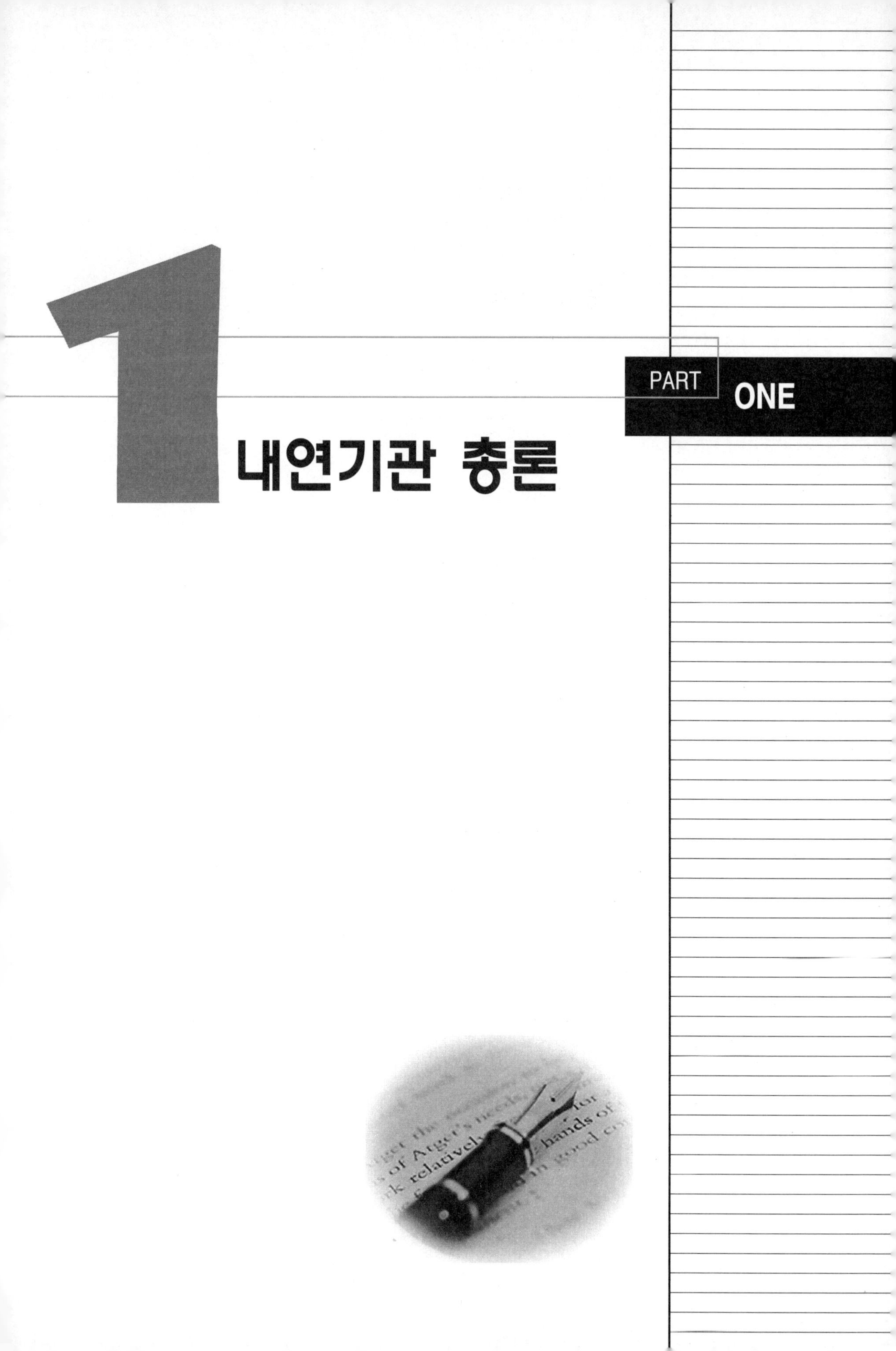

PART ONE

# 1 내연기관 총론

## 01 원동기

자동차나 항공기, 선박 등의 기관과 같이 여러 형태의 연료를 이용하여 우리가 필요로 하는 동력을 발생시키는 기계를 총칭하여 원동기(原動機 ; Prime Mover)라고 하며 이러한 원동기는 에너지를 사용하는 방법에 따라 다음과 같이 분류할 수 있다.

① **풍력 원동기** : 바람의 힘으로 풍차를 돌려 기계적인 동력을 발생시키는 원동기

② **수력 원동기** : 물의 낙차나 흐름으로 수차를 돌려 동력을 발생시키는 원동기

③ **열기관** : 석유계 정유, 석탄, 가스 등의 연소열로 기계적인 동력을 발생시키는 원동기

④ **원자력 원동기** : 원자핵의 분열이나 융합시 발생하는 에너지를 이용한 원동기

## 02 열기관(熱機關 : Heat Engine)

열기관이란 연료의 화학적인 열에너지를 출력축이 회전하는 기계적 일로 변환하는 장치이다. 각종 열기관 내에서 작동 가스는 그 열기관 고유의 열역학적 사이클을 행하지만, 어느 사이클에서나 작동 가스는 고열원에서 열에너지를 받아 팽창하면서 열에너지의 일부를 기계적 일로 변환시켜 이용하고, 나머지의 일로 변환되지 않은 열에너지는 저 열원으로 방출해서 처음 상태로 되돌리는 사이클을 반복한다.

열기관은 열의 순환방식에 의해 개방사이클(Open Cycle)과 밀폐 사이클(Closed Cycle)로 나눌 수 있다.

개방(開放)사이클은 1 사이클을 완료한 작동가스를 버리고 새로운 작동가스를 공급받는 방식이며, 밀폐사이클은 열교환기를 사용하여 저 열원으로의 열방출을 회수하여 반복해서 사용하는 방식이다. 즉, 개방사이클은 증기 기관, 가솔린 기관, 디젤 기관, 가스터빈 등 팽창 후의 작동가스를 저열원인 대기로 방출해서 1사이클을 끝내며, 밀폐(密閉)사이클은 일을 발생시킨 후의 작동가스를 열교환기를 통해 열에너지를 저 열원으로 방열한 후 되풀이 하여 사용하는 방식이다.

열기관은 에너지원으로부터 작동가스의 가열위치에 따라 외연기관과 내연기관으로 나누어진다.

## 외연기관(External Combustion Engine)

외연기관은 내연기관보다 먼저 발명되어 18세기 산업혁명에 크게 공헌한 원동기로, 보일러(Boiler)를 이용하여 기관의 외부에서 연료를 연소시킨 열로 물을 가열해서 증기(Steam)를 발생시키고 이 증기의 힘을 터빈이나 피스톤에 작동시켜 기계적인 동력으로 변환시키는 기관이다. 즉, 외연기관에서는 연소로나 원자로 등에서 발생한 열을 열교환기를 통해 작동가스로 열이 전달되므로 연소되는 가스와 작동가스는 별개이다.

즉, Heat Energy와 Power의 발생장치가 따로 분리되어 있으며, 사용연료의 범위가 넓고(고체, 액체, 기체), 연소(Combustion)가 연속적으로 이루어지며, 연소실 체적(Combustion Chamber Volume)이 크고 충분한 공기공급으로 불완전 연소에 따른 연료의 손실이 없다

그러나 열효율이 낮고, 출력에 비해 체적이 크며, 순간적인 시동의 어려움 등 문제점이 있어 자동차용으로는 사용하기 어렵다.

외연기관의 종류에는 증기기관(Steam Engine), 증기터빈(Steam Turbine), 스털링기관(Sterling Engine)이 있다.

##  내연기관(Internal Combustion Engine)

외연기관은 연료의 연소에 의하여 발생한 연소가스와 작동 가스가 별개의 것이나, 내연기관은 연소실내의 연료 자체가 연소되는 고 열원이며 작동가스로의 역할을 한다. 따라서 연소는 기관 자체 내에서 일어나며 외연기관처럼 열을 전달하기 위한 시간 지연이나 손실이 적고 재생 가스터빈 이외에는 열교환기가 필요하지 않기 때문에 소형, 경량으로 만들 수 있다. 그러나 연소 생성물이 작동가스이기 때문에 고도로 정제된 액체 또는 기체의 연료를 사용하여야 한다.

※ 표1-1 작동가스의 가열방법, 에너지변환 방법에 의한 분류 ※

| 기 | 관 | 종 류 | 주요 용도 |
|---|---|---|---|
| 외연기관 | 체적형 | 증기기관 | 증기기관차용 |
| | | 스털링기관 | 발전용(연구중) |
| | 속도형 | 증기 터빈 | 발전용, 대형 선박용 |
| | | 밀폐사이클 가스터빈 | 선박용, 발전용(연구중) |
| 내연기관 | 체적형 | 불꽃점화기관 | 자동차용, 선박용, 범용, 소형항공기용 |
| | | 압축착화기관 | 자동차용, 선박용, 범용, 기관차용, 발전용 |
| | | 가스 기관 | 자동차용, 발전용, 범용 |
| | 속도형 | 가스 터빈 | 발전용, 선박용, 항공기용 |
| | | 제트기관 | 항공기용 |
| | | 로켓 | 우주용 |

간헐적 연소를 하므로 시간의 제약(수ms ~ 수십ms)을 받으며 외연기관에 비교한 내연기관의 장·단점은 다음과 같다.

### (1) 장 점

① 연료소비율이 적고, 열효율이 높다.

② 단위질량당의 출력이 크다.

③ 부하(負荷)변동에 순응하는 출력을 얻을 수 있다.

④ 기관의 시동, 정지 및 속도 조정이 쉬우며 정지 후 연료손실이 없다.

⑤ 시동 후 전부하 도달시간이 짧다.

⑥ 출력에 비해 소형경량으로 제작할 수 있어 운반성이 좋다.

### (2) 단 점

① 진동, 소음이 크다.

② 자기기동(Self Starting)이 불가능 하다.

③ 체적형인 경우 피스톤에 의한 진동이 있다.

④ 저속운전이 어렵고, 관성질량이 큰 플라이 휠이 필요하다.

⑤ 윤활 및 냉각에 주의해야 한다.

⑥ 저질 연료의 사용이 어렵다.

⑦ CO, NOx 나 HC 등의 유해물질이 배출된다.

## 03 내연기관의 역사

역사상 최초로 실린더 내에서 연소를 행한 기관은 1860년에 르노아(Lenoir)가 발명한 복동형, 무압축, 불꽃점화, 2행정 크로스 헤드형의 가스기관이었다. 이 기관은 열효율이 10%도 되지 않았으나 운전이 정숙해서 수백대 판매되어 상업적으로 성공이었다.

이후 오토(Otto)와 랑겐(Langen)은 바산티(Barsanti)와 마테우세(Matteucei)가 1857년에 발명한 프리 피스톤, 가스기관을 1867년에 실용화했다. 점화전에 혼합기가 압축되므로 열효율은 약 8% 정도였다.

이 무렵 미국에서는 브레이톤(Brayton)이 증기기관과 같이 조용한 내연기관을 목표로 해서 1874년에 정압 연소기관을 제작했다. 그러나 열효율이 6%정도로 낮고, 점화장치의 내구성에 문제가 있어 생산에는 이르지 못했다.

오토의 프리 피스톤 기관에서 사용된 토치 점화장치의 발명자인 바네트(Barnett)는 1838년, 연소 전에 혼합기를 압축할 것을 제창했으나, 1862년에 보드로샤(Beau De Rochas)는 논문에서 내연기관의 효율 향상에 필요한 4조건을 들어, 이것을 실현시키기 위한 작동법을 제안했고 이것이 현재의 4행정 사이클 기관의 작동이다. 1876년에 오토는 결과적으로 보드로샤가 제창한 4행정기관을 실용적인 것으로 만든 것이 토치 점화 크랭크 피스톤형 수냉 가스기관이다. 프리 피스톤 기관에 비하면 약 2배(14%)의 열효율, 소형, 정숙, 취급, 간편 등 모든 점에서 우수했다.

클라크(Clerk)는 2행정 가스기관을 발명해서 1881년에 발표했다. 매 회전 연소하므로 오토기관보다 정숙하고 고출력이 가능하며, 열효율은 대등했다.

1891년에는 데이(Day)가 크랭크 케이스를 밀봉해서 소기펌프로 하는 크랭크 케이스 소기형 2행정 가스기관을 발명했다. 오토와 함께 일하던 다임러(Daimler)는 독립해서, 1883년에 가솔린을 연료로 하는 오토기관의 개발에 성공했다. 표면 기화기, 흡기 자동밸브, 배기 포핏 밸브, 열관식 점화, 단기통 직립 수냉기관이며, 출력의 조절은 배기밸브의 닫힘 시기를 바꾸어 행하였다. 이 시기에 벤츠(Benz)도 불꽃점화, 단기통 수냉 4행정 가솔린기관의 개발을 이루고 1886년에 삼륜차를 발표했다. 이것이 세계에서 최초의 자동차이다.

디젤(Diesel)은 1893년에 압축착화 기관의 특허권을 얻었고 아우그스브르그 기관 회사(현재의 MAN)에서 1897년 상품화에 성공했다.

최초의 기관은 4행정 사이드 밸브형, 공기분사식 수냉 단기통 기관이었다. 열효율이 높은 것과 디젤연료의 안전성 때문에 각 방면으로 급속히 이용이 증대되었다.

한편, 가스터빈은 1791년에는 바바(영국)가 가스터빈의 원형을 고안하고 1872년에 이르러 스토로체(독일)가 실용성을 띤 가스터빈의 제작에 성공했다. 그 후 1938년에 브라운 보베리사(스위스)가 발전용 가스 터빈을 완성해서 실용화의 길을 열었다. 이러한 가스터빈은 분사추진기관으로 개발되어 1937년에는 제트기관이 발명되고 1939년에 독일의 하인켈이 처음으로 제트기관에 의한 비행에 성공했다.

## 04 내연기관의 분류

### 1 열을 동력으로 변환하는 방법에 따른 분류

#### (1) 체적형(왕복형 ; Reciprocating Piston Engine)기관

체적형은 피스톤 왕복기관과 같이 일정량의 작동가스를 연소실 안에서 폭발·팽창시켜 그 압력으로 동력을 발생시키는 것으로, 간헐적인 작동가스의 정압(靜壓)을 이용하는 것으로 피스톤의 왕복운동에 의한 관성질량 손실이 있으나, 작동가스의 최고온도를 높게 할 수 있으므로 열효율이 높고 작동가스의 단위질량당 출력이 크다.

### (2) 속도형(유동형 ; Turbo Machine Engine)기관

속도형은 가스터빈과 같이 공기를 연속적으로 흡입하고 여기에 버너로 열에너지를 주어 운동에너지로 변환된 고속의 작동가스로 터빈을 구동시키는 것이며, 동압(動壓)에 의해 토크를 발생시킨다. 따라서 대량의 작동가스를 처리할 수 있으므로, 기관의 체적, 질량당의 출력이 커 점보 제트기와 같은 항공기의 출현이 가능하다.

## 2 운동방식에 따른 분류

### (1) 왕복형 기관(Reciprocating Engine)

피스톤의 왕복운동에 의해서 실린더 체적을 변화시킨다. 즉, 작동가스의 폭발압력을 피스톤의 직선 왕복운동으로 받아서 크랭크축의 회전 출력을 발생시키는 기관으로 4행정기관과 2행정기관이 있으며 현재 대부분의 자동차용 기관이 이에 속한다.

### (2) 회전형 기관

작동가스의 폭발압력을 편심로터(로터리 기관)나 임펠러(Impeller ; 가스터빈)로 받아서 출력축의 회전력을 발생시키는 기관이다.

① **로터리 기관**(Rotary Engine, Wankel Engine) : 로터의 회전운동으로 연소실의 체적 변화를 일으켜 동력을 발생시키는 기관이며, 작동은 4행정기관과 동일하다.

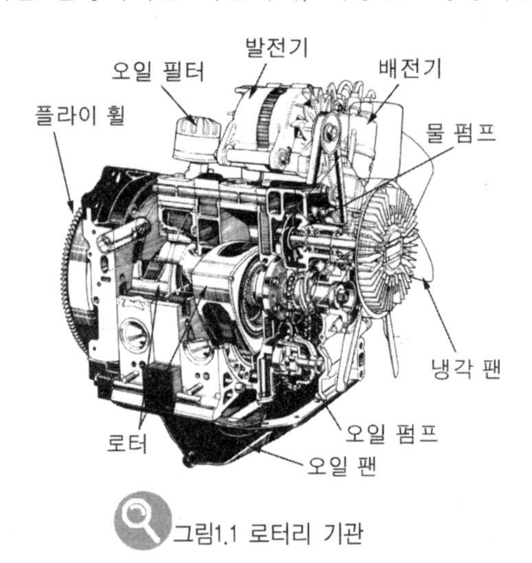


그림1.1 로터리 기관

② 가스터빈(Gas Turbin) : 압축기(Compressor), 연소실(Combustion Chamber), 터빈(Turbin), 열교환기(Regenerator) 등으로 구성되어 있으며, 열 팽창에 의한 작동 유체의 유동을 이행하는 속도형 기관으로서 연소에 의해 생성된 작동 유체를 터빈의 날개(Vane)에 작동시켜 직접 출력축(터빈 축)을 회전시키게 되어 있다.

③ 추진형 기관 : 작동가스의 폭발압력을 외부로 고속 분출시키고 그 반동(反動)을 출력으로 이용하는 방식으로 제트기관이나, 로켓기관 등이 있다.

## 3 작동 사이클에 따른 분류

### (1) 2행정 사이클 기관(2 Stroke Cycle Engine)

크랭크축이 1회전하는 동안 피스톤이 상승·하강의 2개 행정으로 1사이클을 완료하는 기관이다. 극히 작은 기관부터 대형 기관까지 여러 분야에서 많이 사용되고 있다. 예를 들면, 극소 모형 비행기, 소형 범용 패밀리 바이크, 소방펌프, 모터 크로스, 오토바이, 스노모빌의 기관과 대형선박용 기관 등에서 사용되고 있다.

### (2) 4행정 사이클 기관(4 Stroke Cycle Engine)

크랭크축이 2회전하는 동안 피스톤이 2번 상승, 하강의 총 4개 행정으로 1사이클을 완료하는 기관이다. 자동차, 건설기계용 기관, 소· 중형 선박용 고속디젤 등의 분야에서 많이 사용되고 있다.

## 4 열역학적 사이클에 따른 분류

### (1) 정적 연소기관(Otto Cycle Engine)

연소가 일정한 체적하에서 발생하는 기관으로 균질 혼합기의 불꽃 점화기관, 성층급기의 불꽃 점화기관(GDI) 등이 있으며, 가솔린 기관 및 LPG 기관의 기본 사이클이다.

### (2) 정압 연소기관(Diesel Cycle Engine)

연소가 일정한 압력하에서 발생하는 정압 사이클(디젤 사이클) 기관으로 저속 디젤기관의 기본 사이클이며, 과거에는 브레이톤 기관이 있었다.

디젤이 발명한 공기분사식 디젤기관은 정압 사이클에 가까웠으나 현재로서는 연료분사펌프가 무기분사식으로 되어 있으므로 정압 사이클은 존재하지 않는다.

### (3) 복합 연소기관(Sabathe Cycle Engine)

현재의 디젤기관은 정적연소와 정압연소가 조합된 복합 연소기관이며, 고속 디젤기관의 기본 사이클이다.

## 점화방식에 따른 분류

### (1) 전기불꽃 점화기관(Electric Spark Ignition Engine)

점화 플러그로 압축 혼합기에 전기불꽃을 가함으로 폭발 연소시키는 방식이며, 가솔린, LPG, 로터리 기관 등이 이에 속한다.

### (2) 연료분사 전기불꽃 점화기관

전기점화와 압축착화의 중간적인 점화방식으로 헷셀만(Hesselman) 기관이 있으며, 공기만을 흡입한 후 점화 직전에 고압의 연료를 분사하는 가솔린 직접분사식(GDI) 기관이 있다.

### (3) 압축 착화기관(Compression Ignition Engine)

공기만을 압축하면 고온이 되며, 여기에 노즐을 통하여 고압의 연료를 안개모양으로 분사시켜 자기 착화시키는 방식이며, 디젤기관이 이에 속한다.

### (4) 소구 점화기관(Hotbulb Ignition Engine)

기본 작동은 디젤기관과 같으나 디젤기관보다는 분사압력이 낮다. 또, 시동 시에 실린더 헤드에 있는 소구(Hot Bulb)를 적열시켜 착화하는 방식으로 세미 디젤(Semi Disel) 기관이라고도 한다.

## 사용연료에 따른 분류

### (1) 가솔린 기관

가솔린, 알코올 등과 같이 휘발성이 큰 연료를 사용하는 전기불꽃 점화기관이다.

### (2) 디젤 기관

경유를 압축 착화시켜 가동되는 기관으로 열효율이 높으며, 큰 출력을 얻을 수 있기 때문에 현재 많이 사용되고 있다.

### (3) 가스 기관

LPG, 천연가스, 목탄가스 등의 가스 상태의 연료를 연소시키는 전기불꽃 점화기관이다.

### (4) 복합연료 기관

두 종류 또는 그 이상의 연료를 적절히 혼합 또는 분리하여 사용하는 기관이다. 가솔린 기관용으로는 가소홀(가솔린 90%, 알코올 10%)을 사용하거나, 대형의 압축착화 기관은 메탄올과 경유를 혼합하여 사용한다.

## 연료공급 방식에 따른 분류

### (1) 기화기식 기관

벤추리 관을 설치한 기화기에 의해 공기와 연료를 혼합하여 공급하는 기관이다.

### (2) 분사식 기관

펌프와 노즐을 통해 연료를 공급하는 방식이다.

## 혼합기 형성방식에 따른 분류

### (1) 균질 혼합기

불꽃점화기관에서는 기화기 등에 의해 실린더 외부에서 혼합기가 형성되므로 혼합기중의 연료농도는 장소에 관계없이 거의 균일하다. 연소는 불꽃점화에 의한 화염전파 이기 때문에 특정의 공연비 범위 외에는 연소되지 않는다. 실린더가 커지면 화염전파에 시간이 걸리기 때문에 연소의 종결이 늦어지게 되어 이상연소인 노크가 발생하기 쉽게 된다. 기화기 방식 등과 같은 일반기관에 적용된다.

### (2) 불균질 혼합기

디젤기관에서는 고온의 공기중에 연료를 분사해서 혼합기를 형성하기 때문에 실린더내의 장소, 시간에 따라 공연비가 달라진다. 가연범위에 들어간 혼합기에 자연발화에 의해 연소가 시작된다. 화염전파가 아니므로 불꽃노크는 생기지 않는다. 연소 초기엔 예혼합 연소이지만, 대부분 확산 연소이다. 연료입자를 실린더 내에 적당히 분산시키므로 연소에 요하는 시간은 실린더의 크기에 영향을 받지 않는다.

### (3) 성층 급기

층상 급기라고도 부르며 희박 혼합기에 대응한 부분적으로 농후한 혼합기(가연 혼합기) 지역을 만들어 점화시키며, 연료 소비율의 향상과 배기 유해성분을 감소시킬 수 있다. 불꽃점화기관으로 혼합기의 연료농도를 점화플러그 중심으로 가까이에는 농후, 먼 곳은 희박으로 한다.

## 출력의 조정방법에 따른 분류

### (1) 흡입공기량에 의한 조정

4행정 가솔린 기관은 실린더에 흡입되는 혼합기량으로 출력을 조정한다.

그 방법으로서 스로틀 밸브 열림량을 가감해서 혼합기량을 조절한다. 공기와 가솔린의 질량 비인 공연비는 가연범위에서 거의 일정하게 유지한다.

### (2) 연료분사량에 의한 조정(공연비의 조절)

4행정, 2행정 디젤기관에서는 실린더에 공급하는 공기량이 항상 거의 일정하며, 연료분사량으로 출력을 조절한다. 요구되는 출력에 의해 총합적인 공연비가 대폭으로 변화한다.

### (3) 혼합기 조성에 의한 조정(신기와 잔류가스 농도의 조절)

2행정 가솔린 기관이라도 출력의 제어 때문에 흡입 공기량을 조절하는 것은 4행정 가솔린 기관과 같지만, 팽창행정 말기의 실린더 체적이 거의 최대가 되는 시기에 소기포트가 열리고, 이때에 배기포트도 열려있기 때문에 실린더 내에는 대기압의 연소가스(잔류가스)가 남아있다. 따라서 새로운 혼합기인 소기량(흡입공기량)이 많을 때에는 혼합기중의 잔류가스 농도가 감소하고 소기량이 작으면 잔류가스가 증가한다. 즉, 2행정 가솔린 기관에서는 혼합기 중의 신기와 잔류가스의 농도를 바꾸어서 출력을 조절한다.

## 10 연소실 형상에 따른 분류

### (1) I 헤드형 기관

실린더 헤드에 흡·배기밸브가 모두 설치된 방식의 기관이다.

### (2) L 헤드형 기관

실린더 블록에 흡·배기밸브가 열로 설치된 방식의 기관이다.

### (3) F 헤드형 기관

흡기 밸브는 실린더 헤드에 배기 밸브는 실린더 블록에 설치한 방식의 기관이다.

### (4) T 헤드형

흡·배기밸브가 실린더 블록을 중심으로 양쪽에 나란히 설치된 방식의 기관이다.

## 11 흡기 압력에 따른 분류

### (1) 자연 흡입 기관

피스톤의 하강행정에 의해 발생하는 진공(負壓)으로 공기 또는 혼합기를 흡입하는 기관으로 일반적인 기관이 이에 속한다.

### (2) 과급 기관

흡입계통 중에 과급장치를 설치하여 압축상태의 공기를 흡입하는 기관이다.

### (3) 크랭크 실 압축 기관

기관의 크랭크 실에서 흡입공기를 압축하는 방식이며, 주로 2행정 사이클 기관에서 사용된다.

## 12 실린더 배치 방식에 따른 분류

### (1) 단기통 기관

1개의 실린더로 만들어진 기관이다.

### (2) 직렬형 기관

실린더가 일직선상에 배치된 방식으로 4기통 기관이 가장 일반적이다.

### (3) V형 기관

두개의 실린더가 일정한 각도로 하나의 크랭크축에 배열되어있다. 이 각도는 보통 60°와 90°가 일반적이다.

### (4) W형 기관

3개의 실린더가 하나의 크랭크축에 배열되어 있는 방식으로 경주용 자동차 등에서 사용된다.

### (5) 대향 실린더형 기관

플랫 기관이라고도 하며, 2개의 실린더가 크랭크축을 중심으로 서로 반대 방향의 대칭으로 배열되어 있다.

### (6) 대향 피스톤 기관

연소실을 중심으로 2개의 피스톤이 마주보고 있는 기관이다. 한번의 연소로 동시에 2개의 피스톤 동력행정이 발생한다.

### (7) 성형 기관

하나의 크랭크축을 중심으로 원형 방사면에 실린더를 배치한 방식이다.

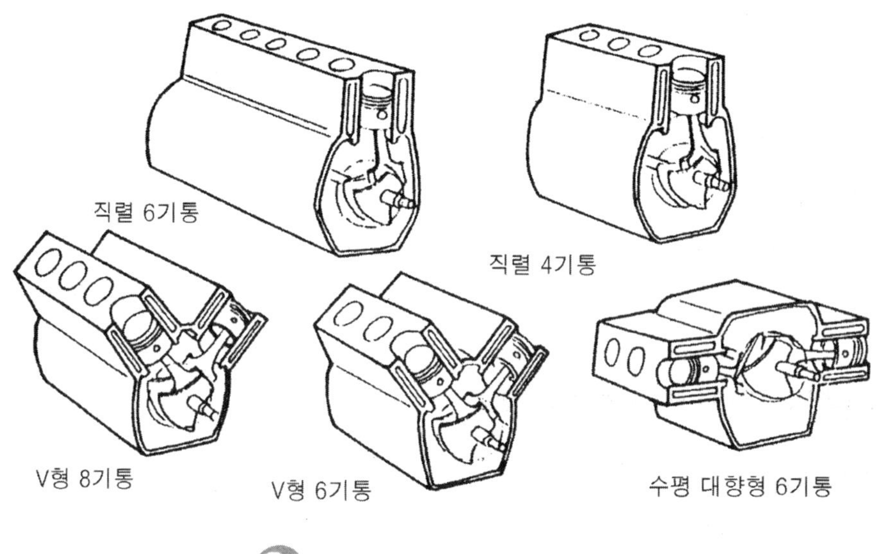


그림1.2 실린더 배치에 의한 분류

## 13 냉각 방식에 따른 분류

### (1) 공냉식

냉각핀(Fin)을 실린더 주위에 설치하고 대기로 냉각시키는 기관이다.

### (2) 수냉식

물재킷을 실린더 주위에 설치하고 방열기로 냉각수를 순환시켜 방열하는 기관이다.

### (3) 증발 냉각식

액체의 증발 잠열(潛熱)을 이용하여 냉각하는 방식이며 석유기관 등에서 사용된다.

### (4) 특수 액체 냉각식

특수 액체를 사용하여 특정의 냉각효율을 얻을 수 있는 방식이다.

##  실린더 안지름-행정비에 따른 분류

### (1) 장행정 기관(Under Square Engine)

실린더 안지름보다 피스톤 행정이 큰 형식의 기관이다.

### (2) 정방형 기관(Square Engine)

실린더 안지름과 피스톤 행정의 크기가 같은 형식의 기관이다.

### (3) 단행정 기관(Over Square Engine)

승용 가솔린 기관에서 사용하며 실린더 안지름이 피스톤 행정보다 큰 형식의 기관이다.
단행정 기관은 다음과 같은 특징이 있다.

① 피스톤 평균속도를 높이지 않고도 회전속도를 높일 수 있어 단위 실린더 체적당 출력을 크게 할 수 있다.

② 흡·배기 밸브의 지름을 크게 할 수 있어 체적효율이 향상된다.

③ 기관의 높이가 낮아진다.

④ 기관이 과열될 염려가 있다.

⑤ 폭발 압력이 커 기관 베어링 면적을 넓게 해야 한다.

⑥ 고속 회전시 관성력의 불평형이 발생할 수 있다.

# 내연기관의 구조 및 작동

## 1 4행정 사이클 가솔린 기관의 작동

4행정기관의 1사이클은 흡입, 압축, 동력, 배기의 4행정으로 구성되어 있으며, 각 행정은 다음과 같이 된다.

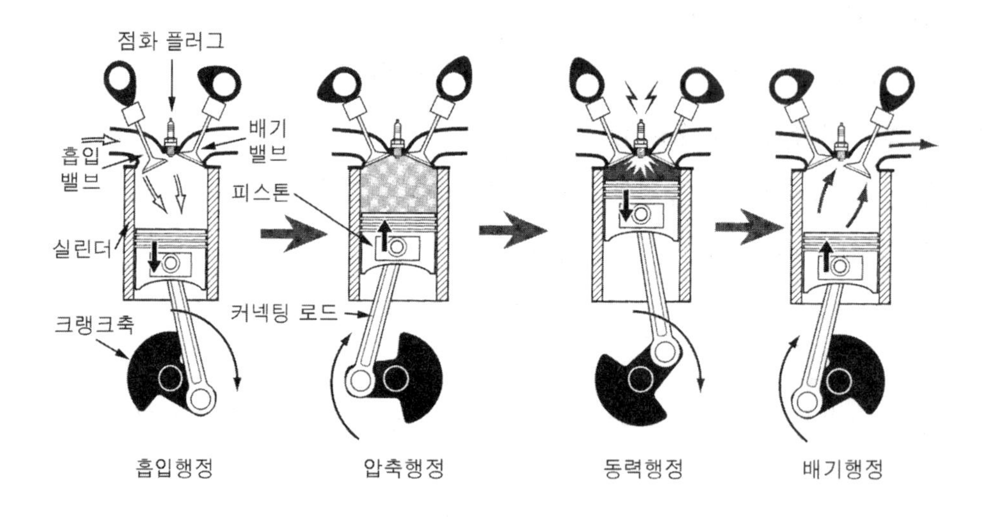


그림1.3 4사이클 기관의 작동

① **흡입행정**(Intake Stroke) : 흡기밸브만 열고 배기밸브는 닫는다. 크랭크축과 커넥팅 로드의 작용에 의해 피스톤을 하강되면 실린더내의 체적이 커지므로 부분 진공(부압 ; 負壓)이 발생하게 되어 대기압 상태의 공기와 가솔린(디젤기관에서는 공기만)이 실린더 안으로 밀려들어가게 된다.

② **압축행정**(Compresion Stroke) : 흡기밸브를 닫고, 흡입된 기체 상태의 공기와 가솔린을 피스톤의 상승작용으로 원래 체적의 1/7(10~13kg/cm²) 정도로 압축한다.

일부 액상으로 유입한 연료는 압축행정에서의 압축열과 연소실 벽면의 가열로 활발히 증발하고, 이러한 혼합기에 압축행정의 종료 가까이에서 불꽃을 일으키면 상사점 전후에서 연소를 시작한다.

③ **팽창행정**(동력 Power Stroke) : 연소실(Combustion Chamber) 내에 압축된 혼합가스가 전기 점화에 의하여 연소, 폭발할 때 동력을 발생하는 행정으로 가솔린 기관의 경우 폭발압력은 35~45kg/cm² 이다.

④ **배기행정**(Exhaust Stroke) : 피스톤이 하사점에 도달하기 조금 전에 배기밸브를 연다. 배기행정 초기에는 동력 발생을 완료한 폐가스가 가스자체의 압력으로 강력히 빠져나가고(블로우 다운 ; Blow Down), 후기에는 피스톤의 상승에 의해 대기로 압출되며, 간극체적 내의 남아 있는 가스는 잔류(殘留) 가스로 남는다. 즉, 위의 4행정 중에서 팽창행정만 동력을 발생하며 나머지 3행정은 팽창행정에서 회전기구와 플라이휠에 저장한 관성·회전에너지를 사용한다.

## 2 4행정 사이클 디젤 기관의 작동

1) 흡기행정에서는 공기만을 흡입하며 스로틀 밸브가 없으므로 가솔린기관보다 흡기저항 적다.

2) 압축행정에서는 압축비 12~22 : 1, 압축압력 40~50 kgf/cm²로 압축하며, 이때의 온도는 500~700℃이며 고온, 고압의 공기에 연료를 분사한다. 연료분사는 시동, 연비, 배출물에 영향을 주므로 무화(Autoignition ; 平均粒經 10~100㎛), 관통(Preignition), 분배(Distribution)의 3대 요건이 좋아야 한다.

3) 동력행정에서는 연료의 자연발화온도 200~300℃를 넘어서며, 1~6ms 시간동안 연소 준비를 한다. 다음은 디젤기관의 연소 4단계이다.

① 착화지연기간동안 분사된 연료입자가 압축공기에 의해 가열되고, 표면으로부터 기화되며, 혼합기층을 형성하고 산화반응을 하며, 반응열에 의한 자연발화를 시작한다.

② 급격연소기간(정적연소)은 압력상승율이 착화지연기간 중에 분사된 연료의 양에 따라 달라진다. 이때 dp/dθ 5~6 kgf/cm² 이상 되면 디젤 노크가 발생한다.

③ 제어연소기간(정압연소)에는 연료가 착화되어 화염이 연소실내에 확산되면 연료는 분사 후 바로 기화 연소한다.

④ 후기연소기간은 상사점후 20°~30°까지 연료분사를 하며 후적 등에 의한 후연이 계속된 후 비로소 단열 팽창을 한다.

4) 배기행정은 가솔린 기관과 동일하다.

## 가솔린 기관에 대한 디젤 기관의 비교

**표1-2 가솔린기관에 대한 디젤기관의 비교**

| | 가솔린 기관 | 디젤 기관 |
|---|---|---|
| 연 료 | 옥탄가 높을 것<br>(자발화하기 어렵다) | 세탄가 높을 것<br>(자발화하기 쉽다) |
| 흡입하는 기체 | 혼합기 | 공 기 |
| 연료의 공급 | 기화기에 의해 공기와 가솔린을 일정비율로 혼합하거나, 전자제어 연료분사장치에 의해 연료를 흡기포트 내에 저압으로 분사 | 연료분사펌프에 의해 연료를 압송하고 노즐을 통하여 높은 압력으로 분사 |
| 출력의 제어 | 스로틀 밸브에 의해 혼합기의 양을 조절 | 연료분사량만을 제어 |
| 착 화 | 고압전기 스파크에 의해 혼합기에 점화 | 고온의 압축 공기 속에서 분사된 연료가 자기착화 |
| 압 축 비 | 8 ~ 11 | 15 ~ 23 |
| 적용될 수 있는 실린더 치수 | 자기착화를 일으키기 전에 화염이 도달할 필요가 있어 지나치게 커서는 안됨. Φ100mm 이하 | 실린더 직경이 지나치게 작으면 연료분사, 연소에 어려움이 있어 제한. Φ75이상 Φ1,000mm전후까지 |

### (1) 디젤 기관의 장점

① 압축비가 높기 때문에 열효율이 높다.

② 연료비가 적게 든다.

③ 연료의 취급이 쉽다.

④ 저속으로 큰 회전력을 낼 수 있다.

⑤ 배기가스의 유독성이 적다.

⑥ 고장이 적고 대규모 대출력용으로 제작할 수 있다.

### (2) 디젤 기관의 단점

① 높은 폭발 압력으로 진동 소음이 크다.

② 마력당 중량 및 체적이 크다.

③ 연료 분사 장치의 정밀 가공 및 정비가 어렵고 고가이다.

④ 냉 시동이 어렵다.

⑤ 과부하 운전에서 불완전 연소로 매연이 발생되고 윤활유가 오염되기 쉽다.

⑥ 왕복운동부분의 질량이 커서 고속화가 어렵다.

⑦ 공기과잉으로 CO, HC의 배출은 적으나 NOx, Soot 배출농도가 크다.

## 4 2행정 사이클 기관의 작동

2사이클 기관은 2행정 사이클 기관의 줄임 말로, 피스톤이 2행정, 즉 크랭크축이 1회전하는 동안에 1사이클을 완성하는 기관을 말한다. 따라서 4행정기관보다도 큰 출력의 운전을 행하는 기관으로서, 클라크에 의해 발명되었다.

대형 2사이클 디젤 기관은 실린더 아랫부분에 소기구멍(Scavenging Port)을 두어서 밸브 및 밸브기구를 둔 형식과 실린더 헤드에 2개의 배기밸브와 실린더 아랫부분에 소기구멍을 둔 형식을 주로 사용하고 있으며, 이들 두 가지 형식의 기관은 다소의 구조상 차이는 있으나, 그 작동은 같다. 즉, 4사이클 기관은 크랭크축 2회전에 한번의 동력을 얻으나 2사이클 기관은 크랭크축 1회전에 한번의 동력을 얻는다.

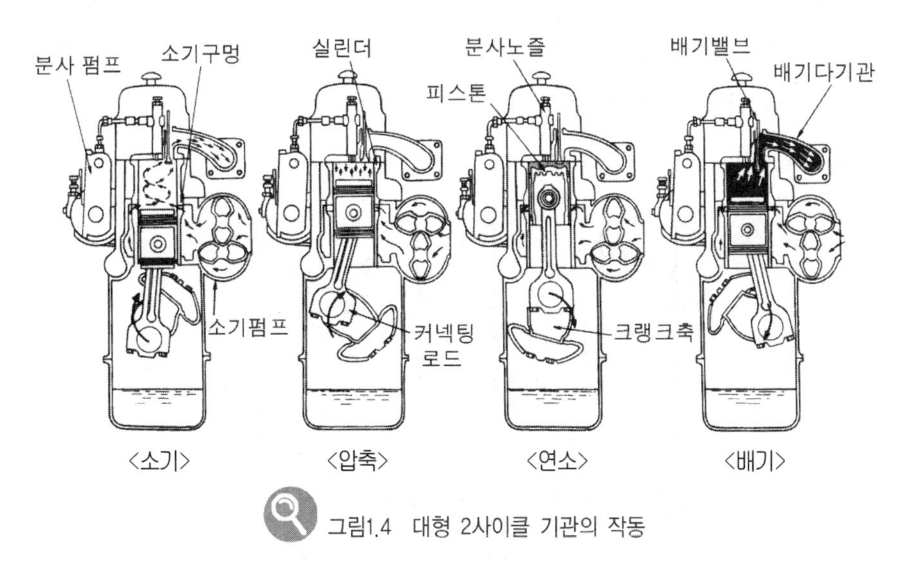


그림1.4 대형 2사이클 기관의 작동

2사이클 기관에서는 흡기, 압축, 동력(연소 또는 팽창), 배기(소기)의 작용이 크랭크축 1회전에서 이루어지며, 흡기와 배기를 위한 독립된 행정이 없다. 따라서 실린더내의 공기 공급에 특별한 방법이 필요하며, 그 방법으로서 별도의 압력이 높은 공기(미리 압력을 가한 공기)를 만들어 피스톤이 하사점 부근에 왔을 때 실린더 내에 충전하고, 동시에 그 압력으로 연소한 가스를 실린더 밖으로 밀어내어 소기(Scavenging)하도록 하고 있다.

각 행정은 다음과 같이 된다.

### (1) 상승행정(압축·예흡입행정)

압축행정은 피스톤의 상승에 의해 소기포트가 닫히고, 이어서 배기포트가 닫히면, 피스톤의 상승에 의해 연소실내의 혼합기의 압축이 이루어진다.

혼합기는 상사점 가까이서 점화되어 연소한다.

흡입행정은 연소실 내에서 압축행정을 하는 동안 아래쪽에 있는 크랭크 실내에는 부압이 형성되어 공기와 연료를 흡입한다(예흡입 : Pre Intake).

### (2) 하강행정(팽창·소기·예압축행정)

팽창행정에서는 고온고압의 연소가스가 피스톤을 눌러 동력을 발생한다. 팽창행정이 끝날 무렵에는 배기포트가 열리고 고압의 연소가스를 배출시켜 연소실 내 압력을 대기압 가까이로 내린다. 이때 크랭크 케이스 내에서는 흡입된 혼합기가 압축(예압축 : Pre Compression)된다. 이어서 소기포트가 열리면 예압축 된 혼합기가 크랭크 실에서 연소실내로 유입되면서 연소가스를 밀어내고, 일을 마친 폐연소가스와 교체된다. 이때 배출되지 않고 실린더 내에 남은 연소가스를 잔류가스라 한다. 이러한 연소실 내의 가스교환작용을 소기(scavenging : 크랭크각으로 120~150°)라 하고, 소기에 사용되는 예압 혼합기(또는 공기)도 소기라고 한다.

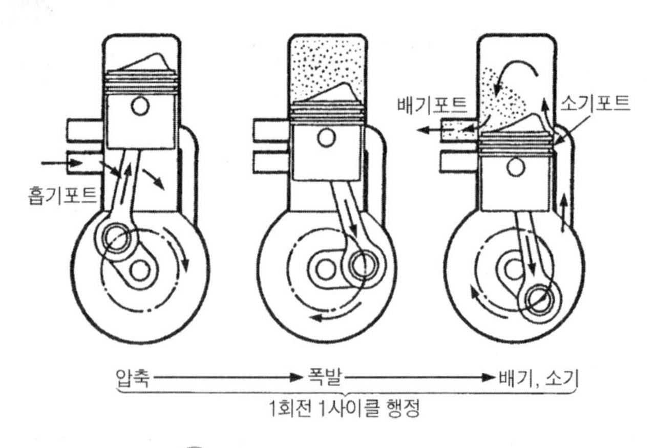


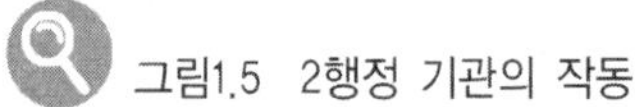
그림1.5 2행정 기관의 작동

소기 기간 중에는 배기포트가 열려 있으므로 신기의 일부가 배기포트로 빠져나간다. 따라서 가솔린 기관의 혼합기 소기의 경우에는 빠지는 소기에 포함되어 있는 연료는 연소하지 않기 때문에 손실이 된다.

소기를 공급하는 소기펌프로서 소형 가솔린 기관에서는 실린더에 흡기포트를 설치하든지 또는 크랭크 케이스에 흡기 자동밸브를 설치해서 피스톤의 왕복운동을 이용하는 형식의 크랭크 케이스 소기펌프가 사용되고 있다.

### (3) 2사이클 기관의 소기

보통 소기압은 배기압보다 높고, 흡배기가 거의 같은 시기에 이루어지기 때문에, 충분한 소기를 하려면 신(新)기의 일부가 배기와 함께 그냥 통과하는, 즉 블로우-바이(Blow-By) 현상을 피할 수 없다. 이 때문에 2사이클 기관은 주로 연료를 직접 실린더 내에 분사하는 디젤기관에 적합하다. 그러나 근래에는 가솔린을 실린더 내에 직접 분사하는 방식의 연구개발이 활발하게 이루어지고 있다.

2사이클 기관에서는 일단 실린더에 유입된 신기의 일부는 그냥 통과하여 방출하기 때문에, 다음과 같은 소기효율에 의해 소기작용의 좋고, 나쁨을 판단한다.

소기 효율(Scavenging Efficiency) $\eta s$ = 실린더내의 신기질량/실린더내의 전체질량

기관출력은 이 소기효율에 거의 비례한다.

### (4) 소기의 방법

#### 1) 크랭크실 압축식

가장 간단한 2사이클의 형식은 크랭크실 압축식이고, 신기를 흡입하는 흡기구가 피스톤 스커트부에서 실시하는 것, 회전밸브를 사용하는 것, 체크밸브로서 리드밸브를 사용하는 것 등이 있다.

크랭크실 압축식의 장점은 소기에 필요한 압축공기를 크랭크실의 체적변화를 이용하여 간편하게 발생시킬 수 있고, 비교적 구조가 간단하며, 소형, 경량, 저가격이라는 점이다. 그러나 반대로 단점으로는

① 피스톤 행정체적보다도 대량의 급기를 크랭크실에 흡입하는 것이 곤란하여 크랭크실 공간체적을 축소하는 것이 어렵기 때문에 압축비로 1.3~1.4가 최대이며, 배기 압출 작용도 충분히 되기 어렵고,

② 크랭크실 내 공기를 소기에 이용하기 때문에 크랭크실 내의 오일이 연소실에 보내져 오일 소비가 많고,

③ 오일의 연소에 의해 대기오염이 되는 것 등이다.

### 2) 과급기 압축식

과급기 부착기관의 압축기에는 피스톤식, 원심 블로어식, 루츠 블로어식, 편심 날개차식 등이 있다. 또, 그 구동은 크랭크축으로 하는 것과 배기터빈에 의한 것이 있다.

과급기 부착의 장점은 크랭크실 체적과 관계없이 공기를 공급할 수 있기 때문에 소기가 충분히 이루어지기 쉽고, 출력을 향상시키기 쉬우며 크랭크실과 연소실이 차단되기 때문에 오일 소비가 적은 것 등의 장점이 있으므로 실린더 내에 연료를 분사하는 디젤기관 등에 널리 사용된다. 그러나 압축기를 필요로 하기 때문에 크랭크실 압축보다 시스템이 복잡하여 무겁고, 가격도 비싸진다.

### 3) 소기 방식

신기(미연소 혼합기)가 빨려 나가면 대기오염, 연료소비 등에 악영향을 미친다. 이 때문에 빨려 나가는 것을 적게 하고, 또 연소가스를 효율적으로 밀어내기 위한 각종 소기방식이 고려되고 있다.

① **횡단 소기식**(Cross Scavenging) : 하사점 근처에서 우선 배기구가 열리고, 뒤이어 소기구가 열리며, 급기가 실린더를 횡단함으로써 연소가스를 배출하는 방식이다. 소기구와 배기구가 실린더 하부에서 서로 마주보고 설치되어 있기 때문에 신기가 소통하기 쉬우나, 연소실 상부에 잔류가스가 머물러 있기 쉽기 때문에 소기효율은 가장 나쁘다.

② **반전 소기식**(Loop Scavenging) : 실린더의 같은쪽에 소기구와 배기구를 설치하고, 소기는 실린더 상부에서 반전되어 루프를 그리면서 상부의 연소가스를 몰아낸다. 배기구의 양측 소기구에서 위쪽으로 소기를 끌어들여 배기를 중앙 하부에서 밀어내며, 크랭크실 압축식 소형 가솔린 기관에 흔히 사용된다.

③ **단류 소기식**(Uniflow Scavenging) : 유입 소기가 실린더 내를 축방향으로 유동, 연소가스와 신기와의 혼합이 적어 비교적 양호한 소기가 이루어진다. 그림 1.7 (a)는 실린더 헤드에 배기밸브를 설치(루츠 블로어)하여 급기가 하사점 근처의 소기구로부터 중

심축 주변으로 와류를 그리면서 축 방향으로 유입하도록 한 것이며, (b)는 실린더의 한쪽 끝에 소기구, 다른 쪽 끝에 배기구를 설치하고, 각각 개폐를 대향 피스톤으로 하는 것이다.

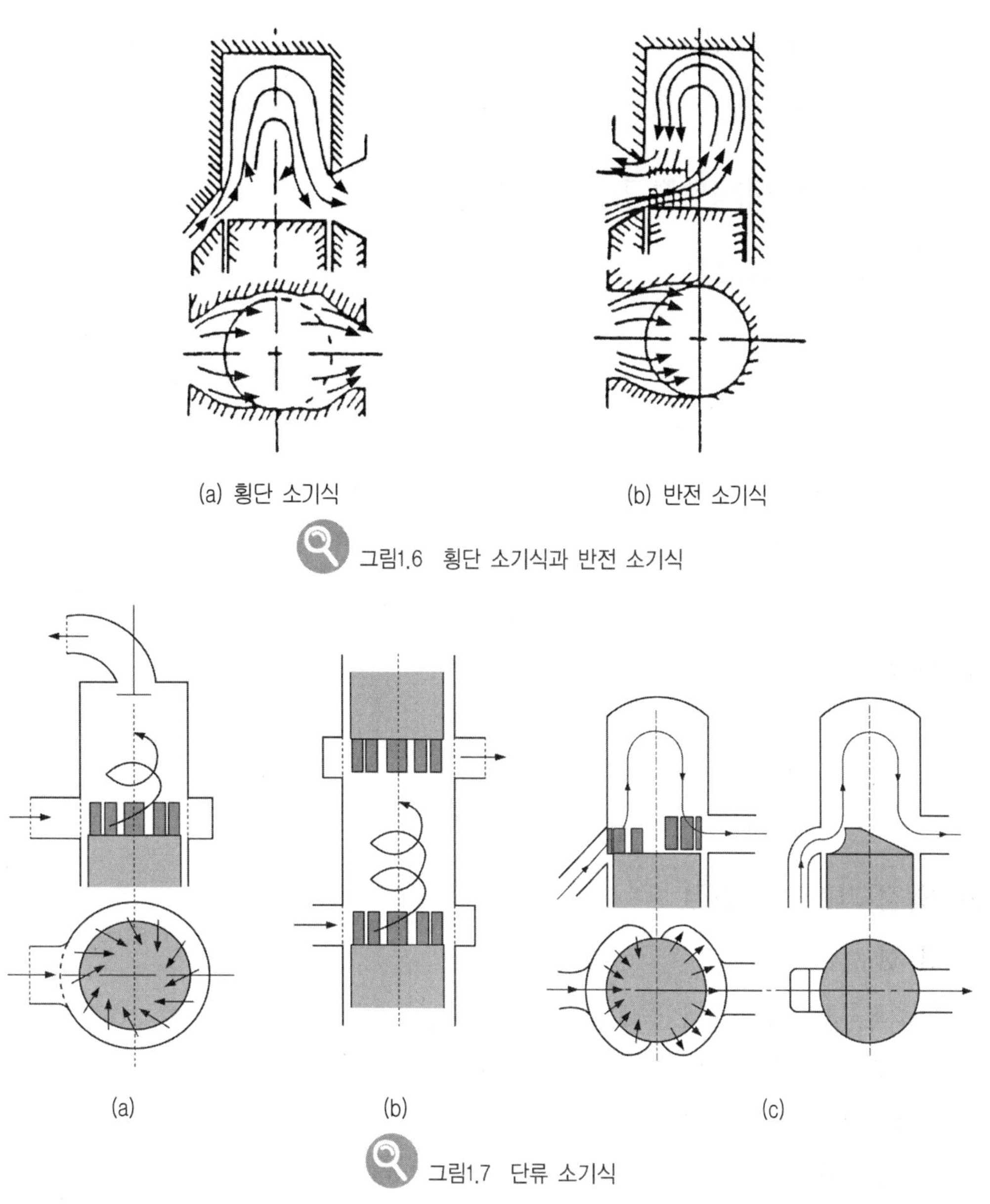

(a) 횡단 소기식 (b) 반전 소기식

그림1.6 횡단 소기식과 반전 소기식

(a) (b) (c)

그림1.7 단류 소기식

(c)는 이 방향 3개의 소기방식 중 가장 소기가 안정하게 이루어져서 소형 고속 디젤 기관뿐 아니라, 중/대형기관에도 많이 채용되고 있다. 이 소기방법의 좋은 점을 들면

다음과 같다.

- 소기/배기가 혼합될 염려가 없어 소기효율이 가장 높다.
- 비대칭 소기법으로 후기 보기가 가능하다.
- 소기/배기구가 실린더 벽의 온 둘레에 설치되어서 구멍의 위치를 낮출 수 있고, 이로써 피스톤의 유효행정이 작아지는 것을 막을 수 있다.

## 5 2행정 기관과 4행정 기관의 비교

### (1) 4행정 기관의 장·단점

#### 1) 장 점

① 체적 효율이 높다.

② 연료 소비율이 적다.

③ 폭발 행정중 손실이 적고 저속 운전이 원활하다.

④ 실린더를 과열시키는 일이 적다.

⑤ 저속에서 고속까지 넓은 범위의 속도 변화가 가능하다.

#### 2) 단 점

① 실린더 수가 적은 경우 운전이 원활하게 되지 않는다.

② 기계적 소음이 크다.

③ 마력당 중량이 무겁다.

### (2) 2행정 기관의 장·단점

#### 1) 장 점

① 회전속도와 정미 평균 유효압력이 같다고 가정하면, 동일 배기량의 기관에서는 2사이클식이 4사이클식에 비해 거의 2배의 출력을 얻을 수 있다(실제 1.6배 정도).

② 회전력이 4행정 기관보다 균일하여  큰 플라이휠이 필요 없다.

③ 부품수가 적어 기계적 소음이 적으며 고장이 적다.

④ 크랭크 케이스 압축식인 경우 제작비가 적게 든다.

⑤ 실린더 수가 적어도 운전이 원활하다.

⑥ 마력당 중량이 가볍다.

### 2) 단 점

① 실제 유효행정이 적다.

② 피스톤이 소손되기 쉽다.

③ 연료 소비율이 증가되며 평균 유효 압력이 저하된다.

④ 배기공이 실린더벽 중앙에 있어 실린더가 과열되어 변형을 일으키기 쉽다.

⑤ 실화를 일으키기 쉽다.

⑥ 저속 운전이 곤란하고 역화가 일어나기 쉽다.

⑦ 윤활유의 소모량이 많다.

⑧ 열적 부하가 크다.

⑨ 대형기관에서는 소기펌프(Scavenging Pump)를 둔다.

## 06 자동차용 기관의 필요한 성능

동일 배기량으로 최대의 큰 출력을 얻으면서도 반면에 운전경비는 적게 들어야 하고 배출가스는 가장 적게 배출되어야 하며, 성능에서의 안전성과 내구 신뢰성 그리고 무정비화를 포함한 상품성의 향상이다.

① 에너지 절감의 측면에서 높은 성능을 발휘할 것

② 고장없이 안전하게 사용할 수 있도록 하며 정숙하고 승차감 좋은 즉, 상품성이 높을 것

③ 배출가스, 소음 규제에 대응할 수 있을 것

④ 마력당의 중량 및 부피가 작을 것

⑤ 연료의 취급이 쉽고 소비가 적으며 값이 쌀 것

⑥ 회전 속도의 범위가 넓고 각 출력에서의 운전 성능이 좋을 것

### 표1-3 현대 자동차의 적용 기관

| | 셋 턴 | 오리온 | 시리우스 | 시리우스II | α (알파) | β (베타) | δ (델타) | ε (입시론) | Ξ (시그마) | Ω (오메가) | Z (제트) |
|---|---|---|---|---|---|---|---|---|---|---|---|
| 포 니 | ○ | | | | | | | | | | |
| 스텔라 | ○ | | | | | | | | | | |
| 포니 엑셀 | | ○ | | | | | | | | | |
| 프레스토 | | ○ | | | | | | | | | |
| 엑 셀 | | ○ | | | | | | | | | |
| 스쿠프-α | | | | | ○ | | | | | | |
| 엘란트라 | | 1.5 | 1.6<br>1.8 | | | | | | | | |
| 쏘나타 I II III | | | | ○ | | | | | | | |
| 트라제 | | | 2.0 | | | | 2.7 | | | | |
| 마르샤 | | | ○ | | | | | | | | |
| 그랜저 | | | ○ | | | | | | | | |
| 다이너스티 | | | ○ | | | | | | | | |
| 엑센트 | | | | | ○ | | | | | | |
| 아반떼 | | | 1.5 | | | 1.8<br>2.0 | | | | | |
| 베르나 | | | ○ | | | | | | | | |
| 티뷰론, 튜어링 | | | | | | ○ | | | | | |
| 아토스 | | | | | | | | ○ | | | |
| 비스토 | | | | | | | | ○ | | | |
| EF 쏘나타 | | | | 1.8<br>2.0 | | | 2.5 | | | | |
| 그랜저XG | | | | | | | 2.0<br>2.5 | | 3.0 | | |
| 에쿠스 | | | | | | | | | 3.5 | 4.5 | |
| 포 터 | | | ○ | | | | | | | | ○ |
| 그레이스 | | | ○ | | | | | | | | |
| 갤로퍼 | | | ○ | | | | | | | | |
| 스타렉스 | | | ○ | | | | | | | | ○ |
| 싼타모 | | | ○ | | | | | | | | |
| 카스타 | | | ○ | | | | | | | | |

PART TWO

# 2 내연기관의 열역학

## 01 내연기관의 열역학적 사이클

내연기관의 열역학적 사이클에 대한 이론은 내연기관의 성능이나 열효율의 개선을 위해 대단히 유용하다.

왕복식 내연기관의 사이클을 열역학적으로 분류하면 정적사이클, 정압사이클, 복합(합성) 사이클로 대별된다.

사이클의 작동유체의 열적인 물성식은 작동가스의 조성이나 연소전후의 온도에 의해 다르지만 사이클의 열역학적인 성질을 정량적으로 아는 경우에는 이 물성식을 이용하여 간단히 판정할 수 있다.

실제의 내연기관의 사이클에서 작동유체는 공기와 연료의 혼합가스이고, 또는 연소가스이기도 하지만, 작동유체가 대기 온도상에서 공기의 비열, 비중을 갖은 완전가스라고 하면 이론공기사이클이 도출된다.

실제의 사이클은 이 이론사이클과는 다르지만 이 이론 공기사이클이라도 정상적인 경향은 잘 설명된다. 따라서 이하에서는 주로 이론 공기사이클에 대해서 설명한다.

실린더 내의 압력과 체적의 관계를 나타낸 것을 지압 선도(P-V선도)라고 하며, 지압선도는 기관의 운전상태의 확인과 연료 분사시기의 적부, 흡·배기 밸브 개폐시기 적부, 평균 유효 압력 계산, 지시 마력 계산, 압축 압력 및 최고 압력의 크기와 연소 상태를 알아보는데 사용한다.

그림2.1은 4행정 기관의 지압선도(地壓線圖)를 나타낸 것이며,

$W_1$: 피스톤 행정에 의한 일

$W_2$: 펌프손실, 흡·배기로 인한 손실

A-B : 흡입 행정(대기압보다 약간 낮다)

B-C : 압축 행정중의 압력 변화

C-D : 폭발(정적 압력 상승)

D-E-F : 팽창(단열 팽창)

E : 배기밸브 열림

E-F : 배기 방출

F-A : 배기행정(대기압보다 약간 높다)

도시일(Wi)=$W_1$-$W_2$:지압선도의 면적으로 한 사이클 동안의 일량을 말한다.

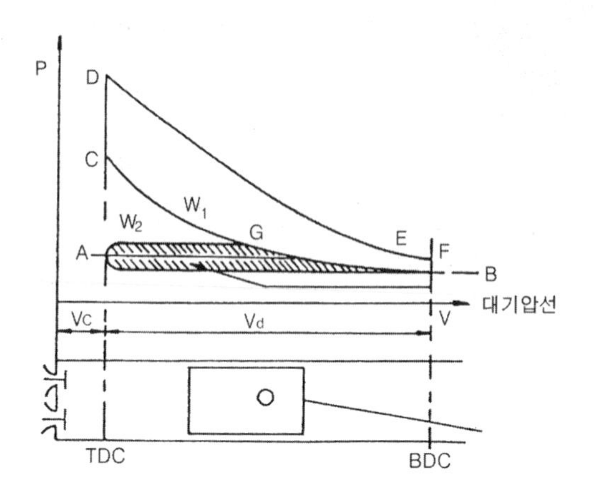

그림2.1 4행정 기관의 지압선도

##  정적사이클(Otto Cycle)

그림 2.2는 정적사이클의 P-V선도, 온도와 엔트로피의 관계를 나타낸 T - S선도이다.

그림에 표시한 숫자는 흡입시작점을 0, 흡입 끝을 1, 압축 끝을 2, 연소 끝을 3, 팽창 끝을 4로 하여 작동 과정의 위치를 나타낸다.

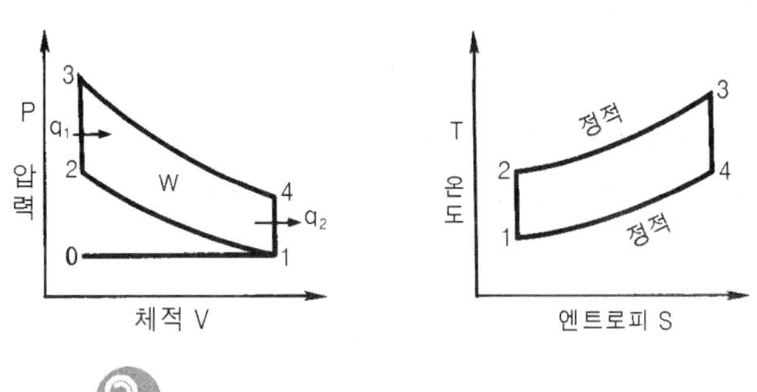


그림2.2 정적 사이클의 P-V선도, T-S선도

흡기행정에서는 흡입 밸브가 열린 상태로 피스톤이 하강을 시작하는 상태 0에서 연소실의 체적이 점차 증가하고 일정 압력하에서 상태1까지 공기와 연료의 혼합기(신기 ; 디젤기관이나 가솔린 직접분사식 기관은 공기만 흡입)가 흡입된다.

이어서 흡입밸브가 닫히고 피스톤이 상승함에 따라서 단열상태로 상태 1에서 상태 2까지 흡입된 공기가 압축된다. 그 후, 일정체적의 상태로 연소가 행해지고 압력이 급격히 상승해서 상태 3으로 된다. 이때, 연소열에 상당하는 열량 $q_1$이 외부에서 사이클 내로 주어졌다고 생각한다.

이어서 연소실의 상승된 압력으로 피스톤이 내려오면서 단열상태로 연소실의 체적이 팽창하여, 상태 4로 된다.

상태 4에서 배기밸브가 열리는 순간 일정 체적하에서 열량 $q_2$가 자체 압력에 의해 사이클의 외부로 방출된다.

상태 1에서 상태 0까지는 배기밸브가 열려있는 상태에서 일정압력인 채로 피스톤이 상승하고, 외부로 작동가스가 배출되는 배기행정이다. 이와 같이 흡입행정 $0 \to 1$과 배기행정 $1 \to 0$은 수평의 동일선상을 왕복하므로 열역학적인 일은 하지 않기 때문에, 열역학적으로는 이 구간은 고려하지 않아도 된다. 그러므로 상태 $1 \to 2 \to 3 \to 4 \to 1$로 되는 사이클을 생각하면 된다.

이상의 과정을 정리하면 다음 같이 된다.

$1 \to 2$ : 단열압축, $2 \to 3$ : 정적연소(가열),

$3 \to 4$ : 단열팽창, $4 \to 1$ : 정적방열(방열)

또한, 열역학적인 해석을 하려면, 하사점에서의 실린더 내 체적 $v_1$과 상사점에 있어 체적 $v_2$의 비가 압축비(Compression Ratio)이며 기호 $\varepsilon$으로 표시한다.

$$\varepsilon = \frac{v_1}{v_2} \quad \cdots\cdots (2.1)$$

정적 사이클의 열효율은 출력/입력이고 입력(가열)은 연소열에 상당하는 $q_1$이며 출력은 외부로의 일이므로 그림 2.1의 P-V선도의 면적 W 이다. 따라서 이론 열효율 $\eta_{tho}$는

$$\eta_{tho} = \frac{W}{q_1} \quad \cdots\cdots (2.2)$$

가 된다. 한편, 이 사이클에서는 2→3, 4→1이외에는 단열과정이므로 연료의 연소에 의해서 계로 주어진 열 에너지의 일부가 일로 변환되며 나머지는 배기를 통해 계 외부로 빠져나가게 되므로

$$q_1 = W + q_2 \quad \cdots\cdots (2.3)$$

가 성립된다. 따라서 식 (2.2)는 다음과 같이 나타낸다.

$$\eta_{tho} = \frac{W}{q_1} = \frac{q_1 - q_2}{q_1} \quad \cdots\cdots (2.4)$$

계의 열량 출입은 2→3에서의 가열량 $q_1$, 4→1의 방열량 $q_2$, 정적비열을 $c_v$, 온도를 T로 하면, 각 과정에서의 첨자를 표시내면

$$q_1 = C_v(T_3 - T_2) \quad \cdots\cdots (2.5)$$

$$q_2 = C_v(T_4 - T_1) \quad \cdots\cdots (2.6)$$

가 된다. 이들을 식 (2.4)에 대입하면

$$\eta_{tho} = \frac{C_v(T_3 - T_2) - C_v(T_4 - T_1)}{C_v(T_3 - T_2)} = 1 - \frac{T_4 - T_1}{T_3 - T_2} \quad \cdots\cdots (2.7)$$

여기서, 1→2, 3→4의 과정은 단열변화이므로, 기체의 단열변화의 식을 이용하면

$$T_1 v_1^{k-1} = T_2 v_2^{k-1} \quad \cdots\cdots (2.8)$$

$$T_3 v_3^{k-1} = T_4 v_4^{k-1} \quad \cdots\cdots (2.9)$$

가 얻어진다. k는 비열비이므로

$$T_4 - T_1 = T_3\left(\frac{v_3}{v_4}\right)^{k-1} - T_2\left(\frac{v_2}{v_1}\right)^{k-1} = \left(\frac{1}{\varepsilon}\right)^{k-1}(T_3 - T_2) \quad (2.10)$$

이것을 (2.7)에 대입하면 다음 식이 얻어진다.

$$\eta_{tho} = 1 - \left(\frac{1}{\varepsilon}\right)^{k-1} \quad (2.11)$$

이것이 정적 사이클의 이론 열효율이다.

이식을 통해 정적 사이클의 열효율이 기관의 크기나 연소열량에는 관계없이 물성식 k를 제거하면 간단하게 압축비 ε만의 함수인 것을 알 수 있다.

그림 2.3은 이론 열효율에 대한 압축비의 영향을 표시한 것으로, 이 그래프에서 n은 비열비의 값이 공기 이외의 경우이다.

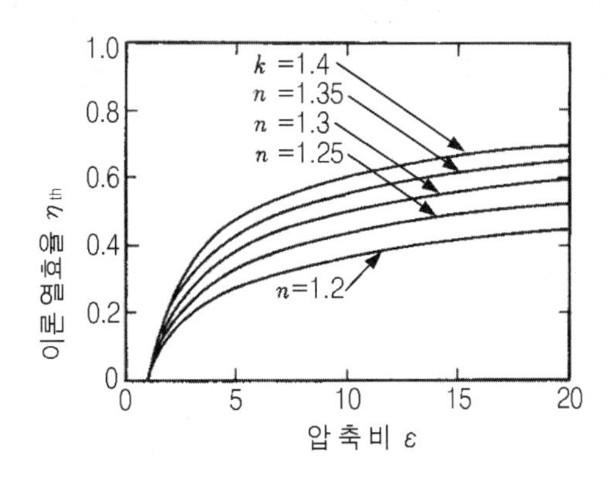


그림2.3 정적 사이클의 이론 열효율

## 2 정압사이클(Diesel Cycle)

정압사이클은 그림 2.4에서와 같이 연소가 일정 압력하에서 이루어지는 사이클이다.

이 사이클에서는 상태 0에서 흡입 밸브가 열린 채로 피스톤의 하강이 시작하여 신기의 흡입이 이루어지며, 흡입밸브가 닫힌 후 피스톤이 상승함에 따라 상태 1에서 상태 2로 신기는 단열 압축된다. 단열 압축된 신기는 자체의 압축열에 의한 연료의 연소가 시작되고, 이 연소는 일정 압력하에서 상태 3까지 행해지며 외부에서 $q_1$의 열량이 공급된다.

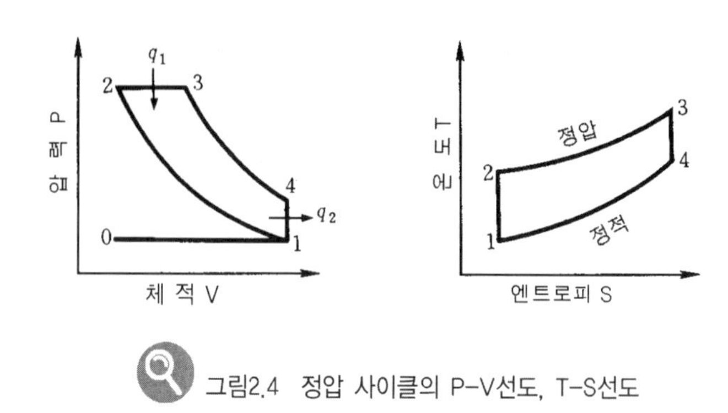


그림2.4 정압 사이클의 P-V선도, T-S선도

연소열에 의해 피스톤이 하강하는 상태 3에서 상태 4까지는 단열팽창이 이루어지며 이 과정에서 동력이 발생한다.

배기 밸브가 열리는 상태 4에서 상태 1로의 과정에서는 일정 체적하에서 연소압력에 의해 자발적으로 열량 $q_2$가 계 외부로 빠져나간다.

그 후, 피스톤의 상승에 의해 일정압력으로 작동가스가 배출되어 상태 0으로 돌아온다. 즉, 흡기와 배기행정은 동일의 과정이므로 열역학적으로는 상태 1 → 2 → 3 → 4 → 1의 과정이 된다. 따라서 이 사이클은 다음과 같다.

1 → 2 ; 단열압축, 2 → 3 ; 정압연소

3 → 4 ; 단열팽창, 4 → 1 ; 정적방열

정압 사이클의 열효율은,

$$\eta_{thd} = \frac{W}{q_1} = \frac{q_1 - q_2}{q_1} \quad \cdots\cdots (2.12)$$

사이클에서 1 → 2, 3 → 4의 과정은 단열이므로, 열의 출입은 2 → 3, 4 → 1의 과정에서만 행해진다.

이 사이에 출입하는 열량 $q_1$과 $q_2$는 작동유체의 정적비열( $c_v$), 정압비열( $c_p$)을 일정으로 하고, 온도를 T로 나타내면

$$q_1 = C_p(T_3 - T_2) \quad \cdots\cdots (2.13)$$

$$q_2 = C_v(T_4 - T_1) \quad \cdots\cdots (2.14)$$

이들을 식 (2.12)에 대입하면 비열비 k는 다음 식으로 된다.

$$k = \frac{C_p}{C_v} \quad \cdots\cdots (2.15)$$

이론 열효율 $\eta_{thd}$는

$$\eta_{thd} = \frac{C_p(T_3 - T_2) - C_v(T_4 - T_1)}{C_p(T_3 - T_2)} = 1 - \frac{T_4 - T_1}{k(T_3 - T_2)} \quad \cdots\cdots (2.16)$$

여기서, 1 → 2, 3 → 4의 과정은 단열변화이므로

$$T_1 v_1^{k-1} = T_2 v_2^{k-1} \quad \cdots\cdots (2.17)$$

$$T_3 v_3^{k-1} = T_4 v_4^{k-1} \quad \cdots\cdots (2.18)$$

또, 과정 2 → 3은 정압변화이므로

$$\frac{T_3}{T_2} = \frac{v_3}{v_2} = \sigma \quad \cdots\cdots (2.19)$$

가 되고, 이 온도비를 정압 팽창비(Expansion Ratio Under Constant Pressure), 단절비 또는 차단비(Cut Off Ratio)라고 부르며 기호 σ로 표시한다.

$$\frac{T_1}{T_3} = \frac{T_1}{T_2}, \quad \frac{T_2}{T_3} = \left(\frac{1}{\varepsilon}\right)^{k-1} \quad \frac{1}{\sigma} \quad \cdots\cdots (2.20)$$

이론 열효율 $\eta_{thd}$는 다음과 같이 된다.

$$\eta_{thd} = 1 - \frac{\sigma^k - 1}{k \cdot \varepsilon^{k-1}(\sigma - 1)} \quad \cdots\cdots (2.21)$$

이식에서 알 수 있듯이 정압 사이클의 열효율은 작동유체의 단열비 k를 제외하면 압축비 ε와 정압 팽창비 σ의 함수이다. 열효율에 대한 압축비의 영향은 정적 사이클과 동일하며 ε가 커지면 열효율이 상승한다. 그림 2.5는 정압 팽창비의 영향의 예를 보인다. 이 그림에서 σ가 커지는 만큼 열효율이 저하하는 것을 알 수 있다. 즉, 정압사이클의 열효율에서는 연소에 의한 온도상승이 큰 만큼 열효율이 저하하게 된다.

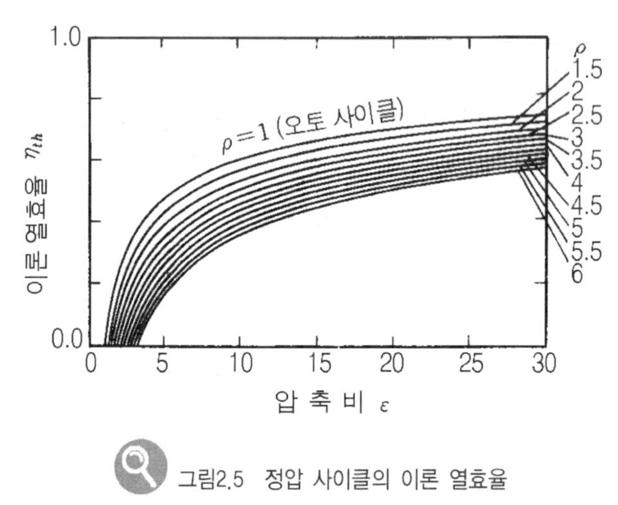


그림2.5 정압 사이클의 이론 열효율

정압 사이클의 연소형태에서 1사이클당의 공급열량을 많게 하는 것은, 같은 운전조건에서 열효율을 저하시킨다는 것을 알 수 있다.

##  복합 사이클(Sabathe Cycle)

이 사이클은 정적 사이클과 정압사이클이 합성된 사이클이다. 그림 2.6은 이 사이클의 P-V선도, T-S 선도이다.

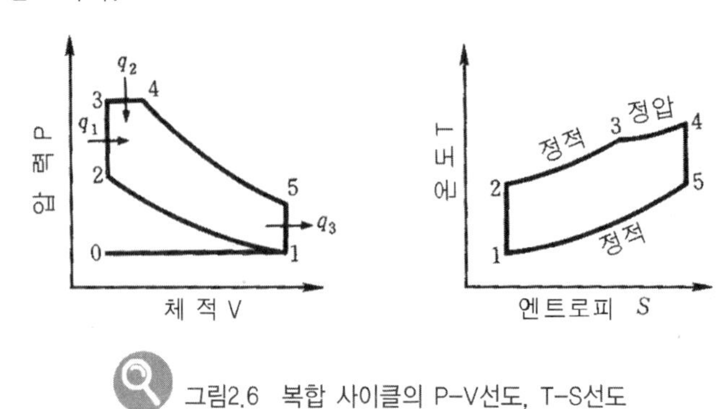


그림2.6 복합 사이클의 P-V선도, T-S선도

연소과정에서는 먼저 일정 체적하에서 연소(정적 연소)하고, 이후는 일정 압력(정압연소)으로 연소한다. 그 외의 나머지 부분은 정적 사이클과 동일하고, 사이클의 각 과정은 다음과 같다.

1 → 2 ; 단열압축, 2 → 3 ; 정적연소,
3 → 4 ; 정압연소, 4 → 5 ; 단열팽창,
5 → 1 ; 정적방열

각각의 과정에 대해서 성립되는 관계식은 이미 설명했으므로 생략하고, 연소구간에 대해서는 연소과정 2 → 3에 대한 압력비 ρ를 다음 식과 같이 나타낸다.

$$\rho = \frac{p_3}{p_2} \qquad (2.22)$$

ρ은 복합 사이클에 있어서 정적연소를 나타내고 있으며 압력상승비(또는 폭발도, 정적연소 계수)로 불린다.

이 사이클에서는 2 → 3의 과정에서 열량 $q_1$이(정적가열) 3 → 4의 과정에서는 열량 $q_2$가(정압가열) 공급되고

5 → 1의 과정에서 배기를 통해 열량 $q_3$가 계 외부로 배출된다. 따라서

$$q_1 = c_v(T_2 - T_1) \qquad (2.23)$$

$$q_2 = c_p(T_3 - T_2) \qquad (2.24)$$

$$q_3 = c_v(T_5 - T_1) \qquad (2.25)$$

가 되며, 이론 열효율 $\eta_{ths}$는

$$\eta_{ths} = \frac{W}{q_1 + q_2} = \frac{q_1 + q_2 - q_3}{q_1 + q_2} = 1 - \frac{q_3}{q_1 + q_2} \qquad (2.26)$$

이 정의를 이용해서 정적 사이클, 정압 사이클의 경우도 동일하게 열효율을 계산하면 다음과 같은 식이 얻어진다.

$$\eta_{ths} = 1 - \frac{\rho\sigma^{k} - 1}{\varepsilon^{k-1}(\rho - 1) + k\rho(\sigma - 1)} \quad \cdots\cdots (2.27)$$

복합 사이클에서는 열효율에 대한 압축비와 등압 팽창비의 영향은 각각 정적 사이클과 정압 사이클에서 설명한 경향과 같으며, 압축비를 올리면 열효율은 향상되고 등압 팽창비를 크게 하면 열효율은 내려간다.

정적 연소비 $\rho$는 공급열량이 일정할 때 $\rho$가 커지면 상대적으로 $\sigma$가 작아지는 관계에 있으므로 $\rho$가 크면 열효율은 높아진다. 즉, $\rho$가 커지면 정적 사이클($\sigma$=1)에 근접, $\sigma$가 커지면 정압 사이클($\rho$=1)이 된다.

## 02 사이클 열효율의 비교

정적 사이클, 복합 사이클, 정압 사이클의 열효율을 비교하면, 주어진 조건에 따라 상대적인 크기가 달라지며 여기서는 크게 2개의 경우를 살펴본다.

### 압축비가 같은 경우

압축비가 같은 경우의 세 가지 사이클은 모두 압축 종료까지의 선도가 동일하다. 또, 방열과정의 선도도 같은 정적선상에 있다. 따라서 그림2.7과 같이 가열(연소)과정이 다르게 된다. 정적 사이클, 복합 사이클, 정압 사이클을 나타내는 첨자를 각각 o, s, d로 하고, T-S선도의 S축상의 최소치, 최대치를 각각 A, B로 한다. 먼저 간단한 비교를 위해 정적 사이클과 정압 사이클만을 예를 들어, 입력(공급열량)이 동일한 경우를 고려하여, 그림 2.7의 T-S선도에서 A-2-3-B-A의 면적이 동등한 조건을 살펴본다.

그림의 T-S 선도상에서 정적선의 변화는 정압선의 변화보다 급하기 때문에 가열과정 종료시의 엔트로피 S의 값은 정적의 경우가 작다. 즉, $S_{3o} < S_{3d}$이며, $S_{bo} < S_{bd}$이다. 여기서 효율을 생각하면 입력이 같기 때문에 방열량이 작은 편이 효율이 좋게 된다.

즉, 방열량은 A → 1 → 4 → B → A의 면적이므로 정적 사이클의 방열량이 정압사이클보다 적고, 효율이 높은 것을 알 수 있다.

또, 팽창선이 같은 경우를 보면, 방열량이 어느 것이나 동일하게 되며, 그 위에 일량 1 → 2 → 3 → 4 → 1은 정적 사이클이 가장 크기 때문에 정적 사이클의 열효율이 가장 좋은 것이 된다. 이것을 크기로 표시하면 압축비가 일정한 경우에는, 식(2.28)이 된다.

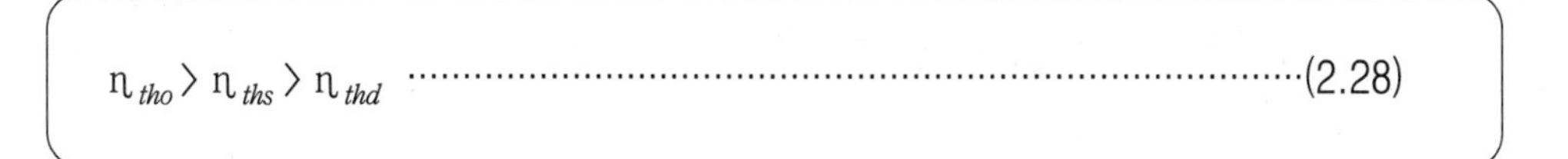

$$\eta_{tho} > \eta_{ths} > \eta_{thd} \quad \cdots\cdots (2.28)$$

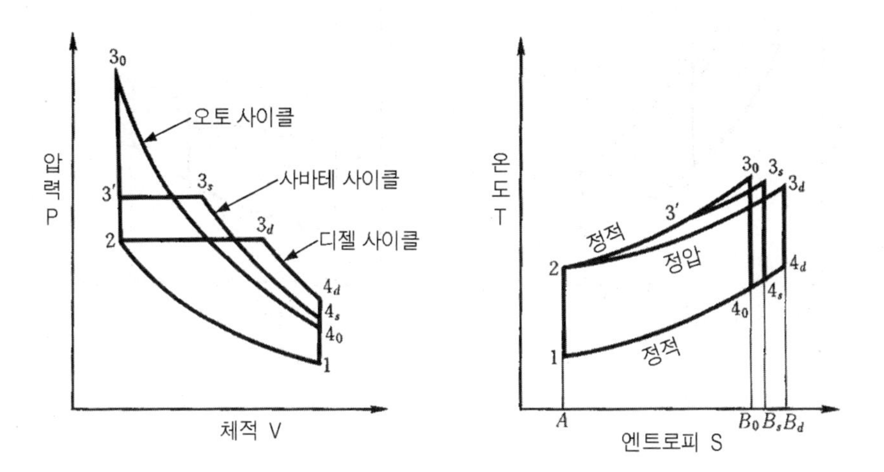


그림2.7 정적 사이클, 복합 사이클, 정압 사이클의 비교(압축비, 출력이 같은 경우)

그림 2.8은 압축비를 변화시키고, σ = 2, ρ = 2의 경우에 대해서, 세 가지를 사이클의 이론열효율의 비교하여 나타낸 것이다.

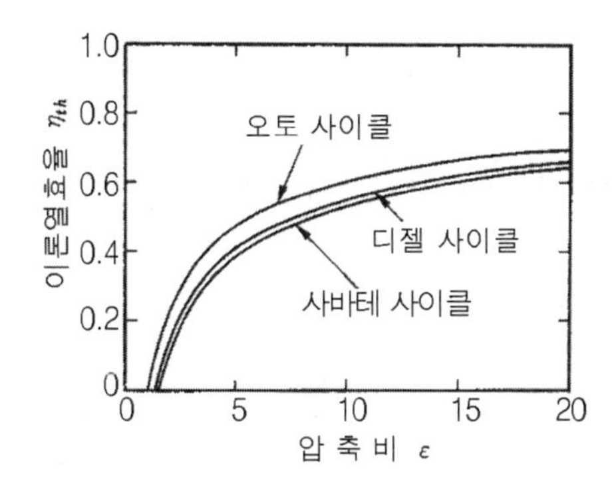


그림2.8 정적 사이클, 복합 사이클, 정압 사이클의 이론열효율의 비교

##  최고압력과 출력이 같은 경우

그림 2.9는 최고압력과 출력이 같은 경우 사이클의 P-V선도, T-S선도이다. 최고 압력이 동등한 조건에서 P-V선도상의 연소 종료시 3의 상태는 같은 압력이 되고, 가열(연소)과정 종료시 엔트로피의 값을 출력(1-2-3-4-1의 면적)이 동등하게 되도록 하면 $S_{3o} > S_{3d}$ 즉, $S_{bo} > S_{bd}$ 가 된다.

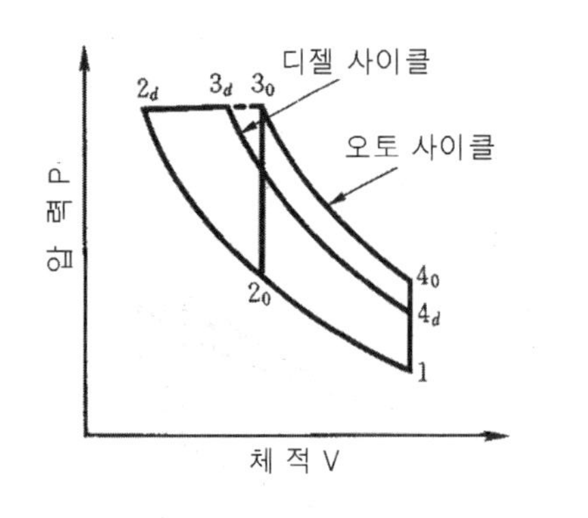


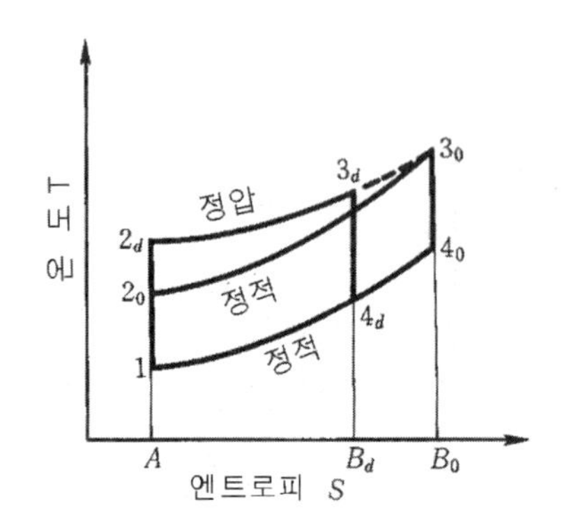


그림2.9 정적 사이클, 복합 사이클, 정압 사이클의 비교(최고압력, 출력이 같은 경우)

또, 방열량은 A-1-4-B-1이기 때문에 정적 사이클의 방열량이 가장 크다. 결국 정적 사이클의 열효율이 가장 낮고, 복합 사이클에 대해서도 동일하며, 최고압력이 같은 경우의 효율의 순서는

$$\eta_{thd} > \eta_{ths} > \eta_{tho} \quad \cdots\cdots (2.29)$$

가 되고, 즉 이 조건에서 정압사이클의 열효율이 가장 높다.

# 03 연료공기사이클과 실제의 사이클

## 이론공기사이클과 실제의 사이클의 다른점

실제의 기관의 사이클은 이론공기사이클보다 더욱 복잡한 요소를 갖고 있다. 실제 사이클에 가까운 사이클을 연료공기사이클이라 하며 연료공기사이클은 이론공기사이클과 다르다. 실제의 사이클에서 고려해야할 주된 것은 다음과 같다.

(1) 완전한 단열이 되지 않고 각 행정에서 열의 출입이 발생한다.

(2) 고온연소로 인해 열해리가 발생한다.

(3) 연소과정 중 변화되는 작동유체의 온도에 의해 비열이 변화한다.

(4) 흡·배기 행정에서 밸브 등에 의한 유동저항이 있다.

(5) 정적 또는 정압과 같이 단순한 연소가 이루어지지 않고, 연소속도가 유한하다.

(6) 행정에 의해 열의 출입이 있다.

## 연료공기사이클

이론공기사이클에서 실제의 사이클로 진보한 것이 연료공기사이클이다. 이것은 이론공기사이클에 (1) 작동가스의 조성, (2) 열해리, (3) 비열의 변화를 고려한 것이다. 이외에도 흡기의 상태나 연소에 의한 분자수의 변화까지 고려할 수도 있다.

### (1) 작동가스의 조성

실제의 사이클에서는 각 행정의 작동유체가 다르다. 예를 들면 정적 사이클에서는 흡입·압축행정으로 실린더 내에 있는 가스는, 공기와 연료의 혼합기와 직전 사이클의 연소가스의 나머지인 잔류가스가 혼합한 것이다. 또 팽창·배기 행정의 작동유체는 연소가스이다. 따라서 연소실내의 작동유체는 각 행정에 의해 다르며, 순수한 공기는 아니다.

### (2) 열해리

연소시의 연소반응은 기본적으로는 발열반응이다. 그러나 연소실내에서 2000℃이상의 고온으로 연소하는 경우에, 부분적으로 발열반응과는 반대인 해리 흡열반응이 일어날 수 있다. 이러한 해리 흡열반응은 고온이고 저압인 경우에 발생하기 쉽다. 이러한 현상을 열해리 현상이라고 한다.

이 열해리 현상은 연소실내에 산소가 충분히 있는 연소상태에서도 발생한다. 이 때문에 실제의 연료가 본래 갖고 있는 발열량보다 적은 양이 열에너지로서 이용된다.

### (3) 물성식

기체는 고온에서 물성식의 변화를 일으킨다. 그림 2.10은 공기와 연소가스의 주요성분의 비열의 변화를 나타낸 것이다. 비열은 온도에 의해 변화하고 일정하지 않다. 이론공기사이클에서는 완전가스를 작동물질로 하고, 물성식도 변화하지 않는다고 가정했으나, 실제로는 이러한 가정은 성립되지 않는다.

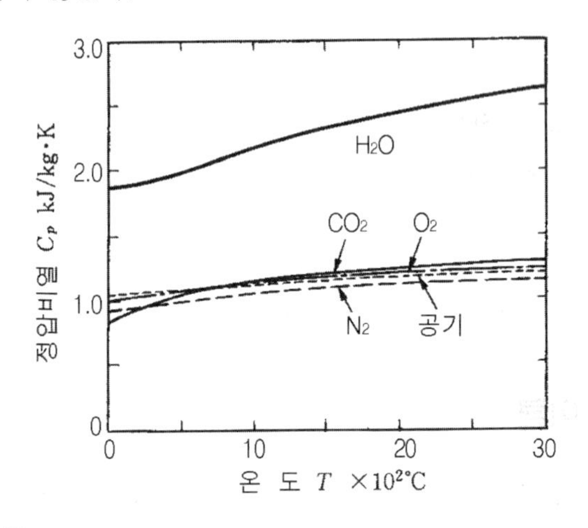


그림2.10 주요기체의 0℃에서 t℃까지의 평균 정압비열

또한, 고온에서의 연소는 열해리 현상이 있으며, 연소실내에 연소가스의 조성이 많은 변화를 발생하게 되어 물성식이 변화한다.

이러한 관계를 열효율적인 면에서 살펴보면 정적 사이클의 이론공기사이클인 경우 열효율은 주로 압축비만으로 결정되므로, 예를 들면 압축비 $\varepsilon = 8.5$이라 할 때, 이론 열효율 $\eta_{tho}$ = 56.5%가 된다. 이에 비해 연료 공기사이클의 열효율 계산은 여러 가지 변화요인의 설정이 필요하므로 복잡하지만, 이론 공연비의 조건으로 개략적인 계산을 해서 비교하면, 온도에 의해 비열이 변화하는 것을 고려할 경우 $\eta_{tho}$는 약 37.9%가 된다. 여기에 고온 연소시의 열해리를 부여하면 효율은 2%정도 더 저하한다.

## 실제의 사이클

### (1). 열 배분

실제의 사이클은 연료공기사이클에서 기관에 공급된 열량이 유효한 일(동력)로 전환되는 과정에서 불가피한 열 손실이 있으며 그 내용은 다음의 손실 등을 빼야 한다.

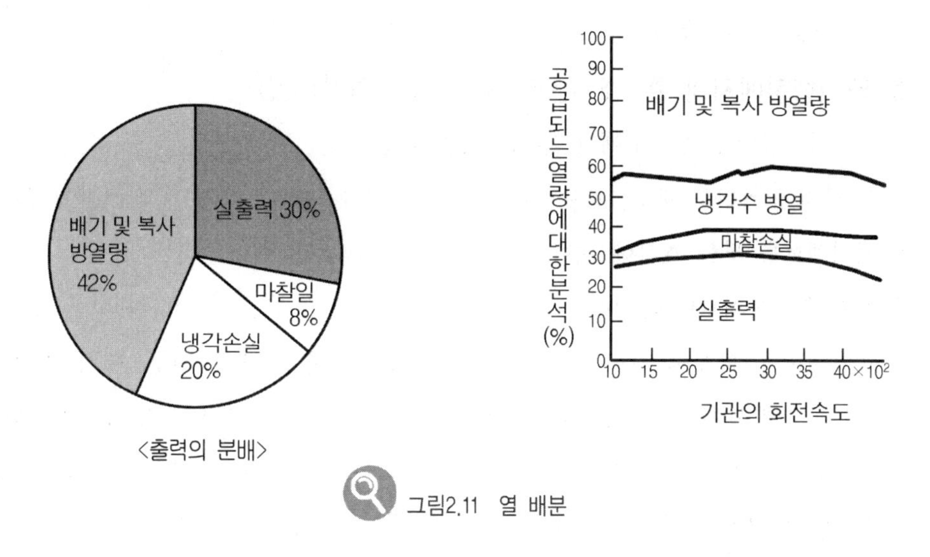


그림2.11 열 배분

① **배기 손실** : 하사점 전에 배기밸브가 열림으로 연소가스와 함께 배출된 열량이다.

② **냉각 손실** : 연소실 벽을 통해 냉각 매체(냉각수, 냉각 공기 등)에 빼앗긴 열량이다.

③ **기계 손실** : 피스톤 링, 기관베어링의 마찰 손실과 팬이나 발전기의 부속 장치를 구동하기 위해 소비된 열량을 기계손실이라고 한다.

④ **연소 손실** : 공급된 연료는 완전히 연소치 않으며 이상연소도 일어난다.

공급된 열량이 어느 정도가 유효한 일로 전환되고 열 손실이 어느 정도인지를 그 배분된 비율을 백분율(%)로 나타낸 것을 열 배분(Heat Balance)이라고 한다. 이 열 배분의 비율은 기관의 종류, 회전수와 부하에 따라 달라지게 되며, 열 배분은 기관 성능향상의 중요한 척도가 된다.

표2.1

| 구 분 | 유효일 | 배기손실 | 냉각손실 | 기계손실 | 복사손실 |
|---|---|---|---|---|---|
| 가솔린 기관 | 25~28% | 30~35% | 25~30% | 5~10% | 1~5% |
| 디젤 기관 | 30~34% | 25~32% | 30~31% | 5~7% | 1~5% |

### (2) 흡·배기행정에서의 흡·배기손실(유동저항, 펌핑손실)

이론 공기사이클의 P-V선도에서 흡·배기과정은 동일 직선상에서 왕복하므로, 역학적으로 보면 일을 하지 않았다고 보고, 효율 계산에서는 제외시킨다. 그러나 실제 기관에서는 흡기밸브와 배기밸브를 통한 흐름에 대한 저항(유동저항이라 한다)이 있다.

이것을 자세히 살펴보면 흡기행정에서는 고속의 피스톤의 하강에 따라 새로운 공기가 따라 들어오지 못하기 때문에 연소실의 압력은 일시적으로 부압상태로 되고, 배기 행정에서는 배기통로와 배기밸브에서의 저항 때문에 짧은 시간만으로는 충분히 연소가스가 배출되지 않아 연소실 내부는 대기압보다 일시적으로 높은 압력상태로 된다. 따라서 흡·배기행정에서 과정상의 일을 무시할 수 없다. 이것을 펌핑손실 또는 흡·배기손실이라고 불린다. 또, 연소의 사이클을 정밀하게 구할 필요가 있을 때는 흡입종료시의 압력이나 온도 등을 정확히 해야 하며, 작동유체의 다양한 변화와 함께 흡·배기행정에서의 상태변화는 실제의 조건을 고려해서 계산해야 한다.

### (3) 연소속도

P-V 선도상에서 정적 사이클의 정적연소 과정을 살펴보면, 시간적으로 피스톤이 상사점에서 어느 한 순간에 연소가 완료한 것을 나타내고 있다. 이것은 연소속도가 무한대로 빠른 것을 가정한 것이다. 그러나 실제 기관에서는 연소실내의 연소속도는 시간의 소모가 있으며 완전한 정적연소는 일어나지 않는다. 즉, 연소속도가 유한한 시간지연을 고려해서, 실제의 기관에서는 상사점 전에 혼합기에 점화해서, 상사점 후의 빠른 시기에 연소가 종료(약 10~15°)되도록 점화시기를 설정한다.

정압사이클의 연소에서도 연료와 공기가 혼합하면서 연소하는 과정이므로 완전히 일정압력상태로 연소가 이루어지지는 않는다.

### (4) 열유동

열유동은 작동유체 내부에서의 열의 유동과, 작동유체와 외부와의 열의 유동으로 나누어 진다. 먼저 작동유체 내부에서의 열유동은 먼저 과정에서 이루어진 전 사이클의 연소가스가 미처 빠져나가지 못한 나머지인 잔류가스와, 새로 연소실내로 흡입된 신기와의 열적 교환이다. 이들 두 유체간의 온도를 보면 잔류가스는 약 1000℃ 가까운 유동상태의 고온이고, 신기는 흡입과정상에서 약간의 열적인 유동은 있었지만 거의 대기온도에 가깝다.

잔류가스와 신기의 열교환은 연소실 내 가스만의 열교환이므로 초기조건으로서 잔류가스의 상태가 설정되어 있으면 열효율에는 직접 관계하지 않는다. 그러나 사이클의 각 과정을 정확히 계산하려하면, 각 행정에서의 상태량을 정확히 구할 필요가 있고, 잔류가스와 신기와의 열교환도 계산해야 한다.

특히, 연료는 액상으로 연소실 내에 공급되는 경우가 많으며, 연료의 기화에 관련된 열이동도 고려할 필요가 있다. 이 경우에는 기화에 필요한 열량을 미리 연료가 갖은 에너지에서 공제해서 고려해두면 에너지적으로는 내부의 열 이동이라고 볼 수 있으나, 일반적으로 그와 같은 취급은 하지 않으며, 기화에 요하는 열량을 주위기체에서만 받는다고 제한하지 않고, 기관의 부재인 흡기관이나 실린더 벽에서 기화열의 일부를 받는 경우가 많다. 이러한 경우에는 계 외부에서의 열 이동으로서 계산할 필요가 있다.

작동유체와 계의 외부와의 열 이동인 전형적인 압축·팽창행정에 있어서 이들의 행정이 엄밀한 단열변화는 아니므로 근사적인 계산을 위해서는 폴리트로프 변화를 이용하여, 상태변화의 정량적인 계산을 한다.

##  각 사이클의 비교

그림 2.12는 이론공기사이클, 연료공기사이클 및 실제의 사이클을 비교한 것이다. 이 그림에서 살펴보면 실제의 사이클이 이론공기사이클에 비해서 작다. 실제의 사이클이 도달하는 최상의 목표는 이론상으로 이론공기사이클이지만, 작동유체를 공기로 사용할 수 없으므로, 연료공기 사이클이 실제 사이클의 최대 목표가 된다.

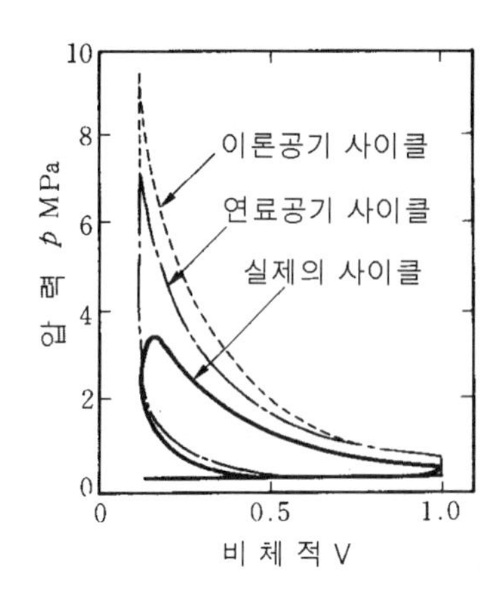


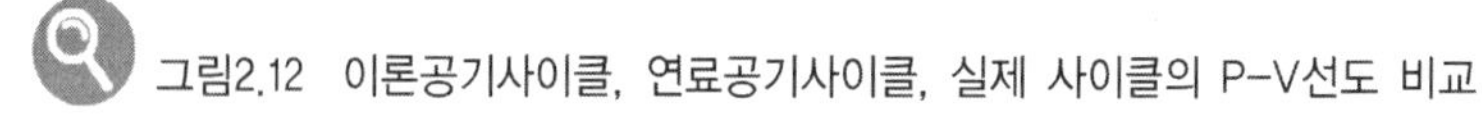
그림2.12 이론공기사이클, 연료공기사이클, 실제 사이클의 P-V선도 비교

## (1) 이론공기사이클

이론공기사이클의 가정사항은 작동가스는 공기만으로 되어있고, 작동가스의 비열은 온도와 관계없이 일정하며, 작동가스의 가열은 작동가스 자체의 연소 발생열에 의한 것이 아니라 외부로부터 가한 열에 의한 것으로 생각하고, 압축행정과 팽창행정은 단열 등엔트로피 변화이고 이때의 단열지수가 서로 같으며, 열해리 현상이나 열손실 등이 없다고 생각한다.

내연기관의 사이클은 작동 가스의 상태변화가 매우 복잡하므로 이를 이론적으로 고찰하여 그 사이클의 경향이나 성질 등을 본질적으로 파악하여 정량적으로 계산한다는 것은 매우 어렵다.

실제의 내연기관의 작동유체는 물론 공기가 아니고 혼합기 이지만 먼저 공기로 보고 이론공기사이클로 생각하여도 전혀 무의미한 것은 아니다

## (2) 연료공기사이클

실제 내연기관 사이클에서의 작동유체는 연료와 공기의 혼합기 이며 만일 연소 전후의 실린더 내의 가스에 있어서 실제의 물리정수를 계산하면 연소실안에서 발생하는 압력과 온도는 실제로 얻어지는 값과 근사하게 할 수 있다.

이 방법에서 계산된 평균유효압력이나 효율은 시험에서 얻어진 실제기관의 값보다 수 % 정도 높으며, 연료공기사이클의 가정사항은 압축과 팽창은 마찰이 없는 단열 변화 일 것이고, 가스와 연소실 벽과의 사이에는 열교환은 없으며, 연소는 상사점에서 순간적으로 행하

여지고, 연료는 완전히 증발하며 공기와 완전히 혼합되어 있다.

### (3) 실제의 사이클

실제의 사이클은 연료 공기 사이클에서 다음의 손실 등을 빼야 한다.

① 마찰손실(피스톤, 베어링 등의 손실)

② 시간손실(연소중 피스톤이동에 의한 손실)

③ 연소손실(공급된 연료는 완전히 연소치 않으며 이상연소도 일어남)

④ 열손실 (고온 가스에서 냉각수에의 열 이동에 의한 손실)

⑤ 배기손실(하사점 전에서 배기밸브가 열림으로 인한 손실 및 유동에 의한 손실)

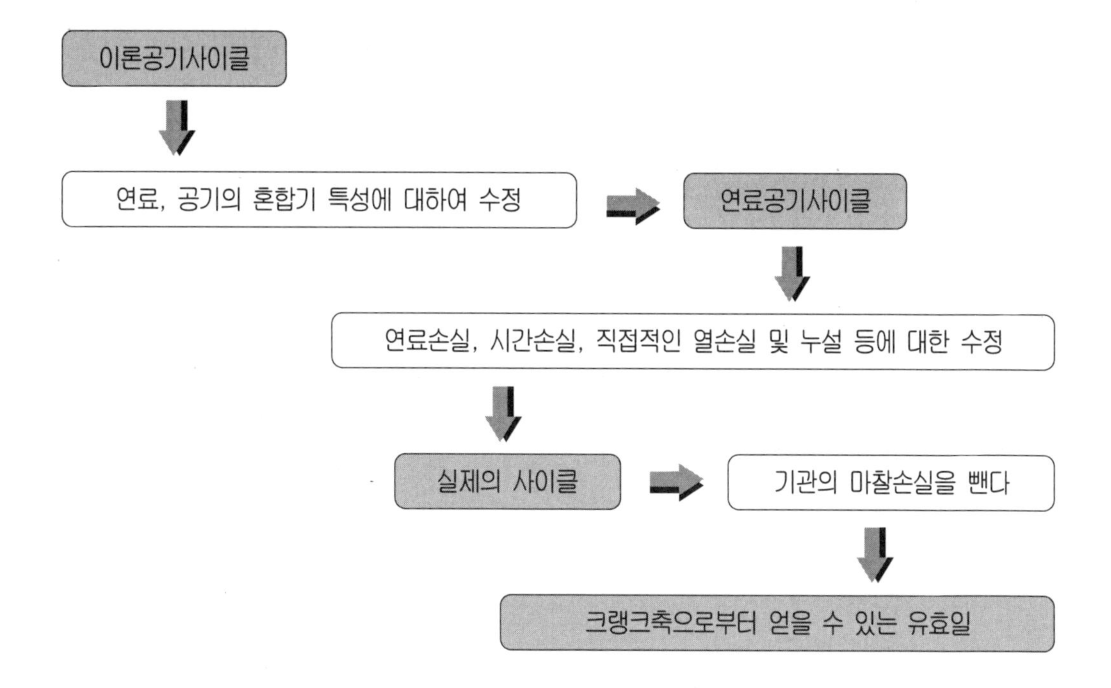

# 3 내연기관의 성능

PART THREE

## 01 내연기관의 기본용어(KSB0115에 규정)

### 상사점(Top Dead Center ; TDC)

피스톤은 실린더 속을 왕복운동을 할 때 일정한 속도로 움직인다. 이 속도는 피스톤이 실린더의 중앙에 있을 때 가장 빠르고 실린더 헤드와 가까워지면 늦어지고 상사점에서는 '0'이다. 상사점에서 연소실 체적이 가장 작으며 피스톤 위치는 커넥팅 로드와 크랭크 암이 일직선이 된다.

### 2 하사점(Bottom Dead Center ; BDC)

상사점에서 크랭크축이 $\frac{1}{2}$회전하면 커넥팅 로드와 크랭크 암이 겹쳐져서 일직선으로 되며 실린더 체적이 최대가 된다. 이 피스톤 위치를 하사점이라 한다.

피스톤이 상사점과 하사점에 있을 때 피스톤의 속도는 '0'이다. 피스톤의 속도가 '0'이라 하여 양자를 사점(Dead Center)이라 한다.

### 3 행 정(Stroke ; S)

행정은 피스톤이 하사점에서 상사점까지의 이동 거리로서 1행정이라 한다. 물론, 피스톤은 상사점에서 하사점까지 이동 거리도 1행정이라 한다. 즉, 피스톤이 1행정 할 때 크랭크축은 180° 회전하며, 피스톤이 1왕복하면 크랭크축은 360°로 회전한다. 그러므로 2행정 사이클 기관은 1사이클 하는데 크랭크축이 360° 회전, 즉 1회전하고 4행정 사이클 기관은 1사이클 하는데 크랭크축이 720° 회전, 즉 2회전한다.

## 4 간극체적(Clearance Volume ; Vc), 연소실체적(Volume of combustion chamber)

간극체적은 피스톤이 상사점에 있을 때, 피스톤 헤드와 실린더 헤드 사이의 체적이다. 피스톤 헤드의 구조가 불규칙하므로 간극체적을 이론적으로 계산하기는 어렵고, 메스실린더로 액체를 채워서 그 체적을 측정한다. 간극체적은 연소실 체적이다.

연소실 체적은 가솔린 기관의 (압축된 혼합기를) 점화시키는 시기의 체적이고, 디젤기관의 연소실 체적은 연료가 분사되는 순간의 체적이다. 점화나 연료분사는 상사점 전에 실시하기 때문에 연소실 체적은 간극체적보다 크다. 그러나 이론적으로는 간극체적과 연소실 체적이 같다.

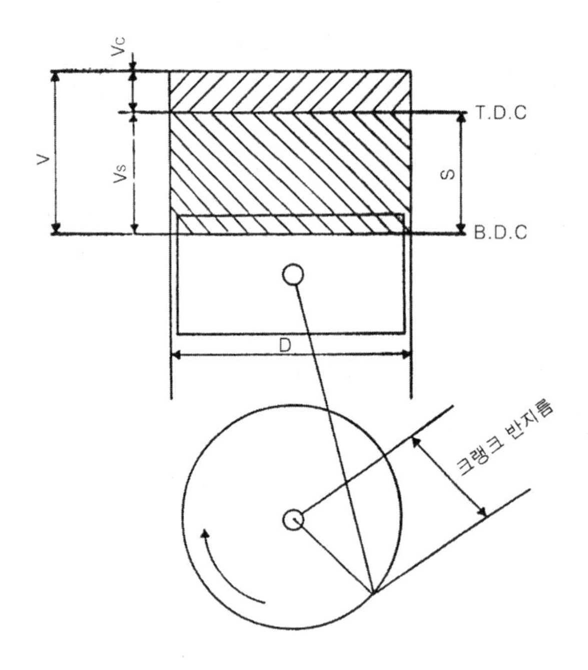


그림3.1 내연기관의 기본 용어

## 행정체적(Stroke Volume ; $V_S$)

피스톤의 1행정에 대응하는 실린더의 체적변화량을 행정체적이라 한다. 실린더 지름을 d[cm], 실린더의 반지름을 r[cm]라고 하면 실린더 단면적 $A = \frac{d^2}{4}\pi = \pi \cdot r^2$[cm²]이다. 행정체적은 실린더의 단면적에 행정을 곱한 것이다. 체적의 단위에서 1cm³ = 1cc = $10^{-3}$ L이므로 행정체적을 cc나 L로 나타낸다. 행정체적을 식으로 표시하면 다음과 같다. 실린더 단면적 A[cm²], 행정 S[cm] 이다.

$$Vs(\text{cm}^3, cc) = A \cdot S = \frac{d^2}{4}\pi \cdot S \quad \cdots\cdots (3.1)$$

$$A\,(\text{cm}^2) = \pi \cdot r^2$$

## 실린더 체적(Cylinder Volume ; V)

실린더 체적은 실린더에서 간극체적과 행정체적의 합이다. 실린더 체적은 실린더 수 1개를 기준으로 나타낸 것으로 식으로 표시하면 다음과 같다.

$$V(\text{cm}^3, cc) = Vs + Vc \quad \cdots\cdots (3.2)$$

## 총체적 ; 배기량(Total Volume)

총체적은 행정체적에 기통수를 곱한 것으로, 총행정 체적을 배기량이라 하며 기관의 크기를 나타낸다. 다 실린더 기관에서 실린더 수가 Z개라고 하면 총체적을 식으로 표시할 때 다음과 같다.

$$\text{총배기량}(cc, \ell) = V \cdot Z \quad \cdots\cdots (3.3)$$

## 압축비(Compression Ratio ; $\varepsilon$)

압축비는 피스톤이 혼합기나 공기를 압축하는 비율이다. 즉, 실린더 내로 흡입되는 공기량을 얼마나 축소시키는지의 비를 나타낸 것이다. 압축비는 기관성능에 커다란 영향을 미치고 효율에 관계된다. 압축비는 기관을 설계할 때 결정되고 실험용 기관을 제외하고는 운전 중에 변경할 수 없다. 압축비를 식으로 표시하면 다음과 같고, 단위는 없다.

$$\varepsilon = \frac{(V_s + V_c)}{V_c} = 1 + \left(\frac{V_s}{V_c}\right) \qquad (3.4)$$

##  행정/직경비(Stroke/Bore ratio ; S/B)와 출력

기통수와 총배기량이 같아도 실린더 직경과 행정이 다른 기관이 있다. 예를 들어 같은 배기량이어도 실린더가 긴 기관과, 높이가 낮은 기관이 있다는 뜻으로, 이 비율을 보기 위해서 행정/직경 비를 사용한다.

승용차용 기관은 보통 0.7~1.3 정도이다. 그래서 S/B비가 1보다 작은, 즉 직경이 행정보다 큰 경우를 단행정, 반대로 행정이 긴 경우를 장행정, 같은 경우 정방행정이라고 한다.

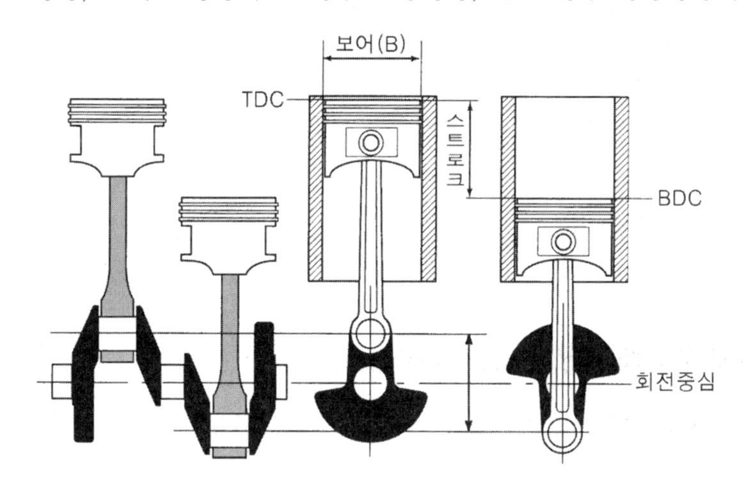

그림3.2 스트로크/ 보어

일반적으로 같은 배기량인 기관의 경우, 단행정이 보다 큰 출력이 얻어질 수 있다. 이것은 단행정은 실린더 직경이 크므로 밸브 직경을 크게 하는 것이 가능한 것과, 피스톤 평균속도를 올리지 않고, 기관의 높은 회전이 가능하다는 2개의 이유에 따른 것이다.

실린더에 흡배기되는 가스량은 밸브 직경과 그 열리는 양(Valve Lift)이 클수록 많다. 흡입하는 가스가 많다고 하는 것은 그만큼 연료를 많이 연소시키는 것이 가능하기 때문에 출력도 크게 된다. 그리고 밸브 직경이 크면 그만큼 열림 양을 작게 하는 것이 가능하고, 고속회전시의 밸브 운동량이 작아도 된다. 단 저속회전에는 흡기 포트가 커지면 흡입되는 혼합기의 유속이 늦게 되어, 가스가 느리게 움직이는 만큼 잘 연소되지 않기 때문에, 연소의 관점에서 보면 바람직하지 않다.

피스톤 평균속도는 기관회전수가 같은 경우, 행정이 길면 피스톤도 그 만큼 빠르게 상하로 움직이지 않으면 안 되므로 그 속도에 한계가 있다. 즉 피스톤과 실린더 사이는 오일로 윤활되고 있지만, 피스톤 평균속도가 빠르게 되면 윤활이 따르지 못하게 된다거나, 피스톤의 관성력이 크게 되어 무리가 오게 된다. 단행정이라면, 같은 피스톤 평균속도라도, 더욱 회전을 올리는 것이 가능하다. 승용차용 기관의 평균 피스톤 평균속도는 1초에 15~22m정도이다.

일반적으로 고출력을 지향하는 스포츠형 기관은 단행정이든지 정방행정이고, 실용성을 중시하는 기관은 장행정인 것이 많다.

## 02 출력과 일

출력이란 단위시간에 얼마만큼 일을 하였는가의 량이며, 내연기관의 동력성능을 표시하는 방법에는 크랭크축의 회전력을 표시하는 토크와 일률(출력, 마력)의 2가지 방법을 일반적으로 사용한다. 마력을 크게 하기 위해서는, 토크를 크게 하거나 회전수를 많게 하여야 한다. 이를 일목요연하게 나타낸 것이 기관성능 곡선이다.

###  회전력(Torque)

회전력은 기관이 크랭크축에 대하여 행해지는 비틀림 힘이며, 기관 출력축의 회전력(모멘트)을 표시하는 토크 T는 축의 반경을 γ, 작용하는 힘을 F로 하면

$$T = F \cdot \gamma \quad \cdots\cdots (3.5)$$

로 나타낸다.

SI 단위계에 의한 토크의 단위는 [N · m]이지만, 공학단위계의 [kgf · m]도 같이 사용한다.

기관의 최대 토크가 크다고 할지라도 언덕을 올라가는 데는 기어비를 변속하여 토크를 증가시킨다. 최대 토크 범위가 매우 낮은 rpm의 범위에서 정해진다면 차량의 시동성이 용이하게 되지만 rpm이 범위를 벗어나서 상승될 때 동력(마력)은 감소되므로 동력을 유지하기 위하여 기어의 급속한 증속이 필요하다. 반면, 최대 토크 범위가 너무 높게 설계되면 rpm이 조금 떨어져도 기어를 감속해야만 기관 노킹을 피할 수 있다. 이와 같이 토크의 크기와 효율적인 높은 토크를 얻기 위한 회전수 범위 등이 매우 중요하다.

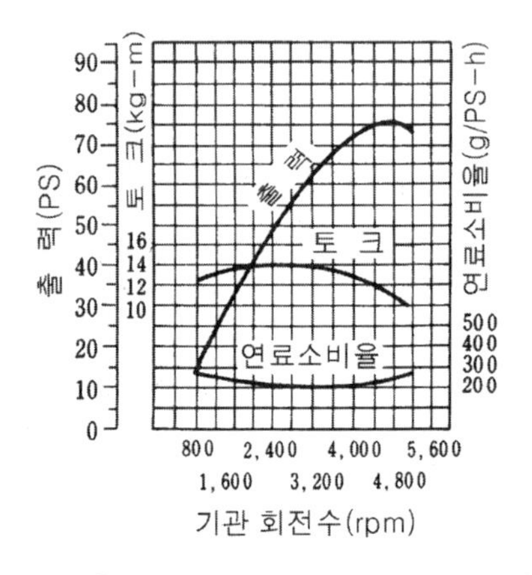

그림3.3 기관성능곡선도

### (1) 토크 곡선이 볼록한 이유

① 저속시 : 흡기행정시 가스의 유입 관성효과가 떨어지기 때문에 체적효율이 저하하여 토크가 낮다.

② 중속시 : 흡입시간이 길어 체적효율이 상승하므로 최고압력이 높아져 토크가 상승한다.

③ 고속시 : 기계적 손실 및 펌핑 손실이 증가하고, 연소속도가 피스톤의 속도를 따르지 못하므로 폭발력이 약해져 토크가 낮아진다.

## 이론일, 도시일, 정미일

내연기관에서 이론일(Theoretical Work ; $W_{th}$[J])이란 1사이클의 일에 대한 기관의 열역학적인 사이클에서 이론적으로 계산한 일이며, 도시일(Indicated Work ; $W_i$[J])이란 실제의 운전상태에 있어서 연소압력을 측정한 P-V선도에서 얻어진 일이고, 제동일(정미일;Brake Work; $W_e$ [J])이란 기관의 출력축에서 기관동력계의 회전력으로 측정되는 일을 말한다. 또, 이론출력, 도시출력, 제동출력도 이론일, 도시일, 제동일과 동일하게 기관의 출력(power)에 대한 정의로 사용한다.

이론일은 이론 사이클의 P-V선도에서 열역학에 의해 구해지는 이론적 일량으로 이중에서 가장 크나, 도시일은 기관을 운전해서 연소실내의 실제의 압력을 계측하고 그 지압선도(Pressure Diagram)에 의한 P-V선도에서 구하여지는 일로 실제일보다 작다. 또 기관 출력축의 토크를 측정하고 이 값으로 구하여지는 1사이클의 일량은 동력 전달경로의 마찰 등으로 더욱 작아지며 이것을 제동일이라고 한다.

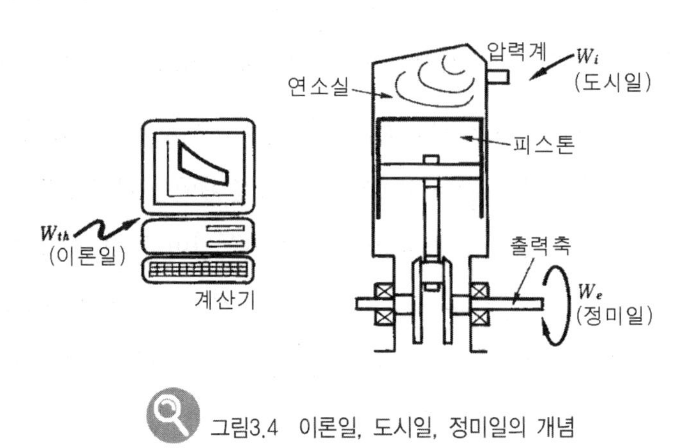


그림3.4 이론일, 도시일, 정미일의 개념

## 3 평균 유효압력

평균유효압력 $P_m$(Mean Effective Pressure)이란 내연기관 출력 표시방법중의 하나로 그림 3.5와 같이 실제 가동 중인 기관 사이클은 피스톤의 행정에 따라 연소실 압력이 시간에 따라 변화하지만 팽창 행정중에 일정의 압력이 피스톤에 가해진 것과 점선으로 보이는 일정압력의 사이클이 실선으로 보인 본래의 사이클과 같은 일을 하는 경우의 압력을 평균유효압력이라 한다.

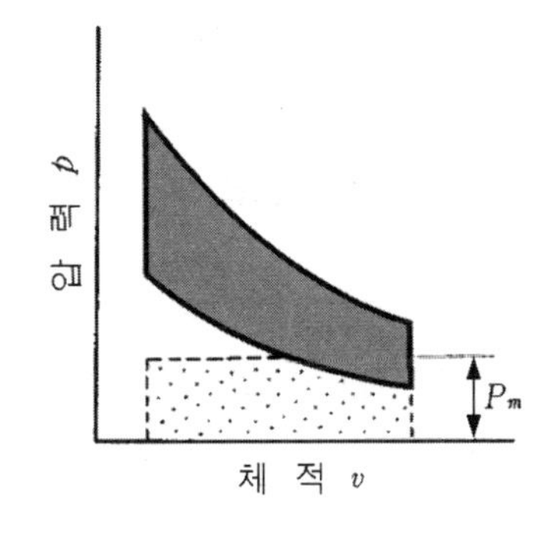


그림3.5 평균 유효 압력

평균 유효압력을 다시 분류하면 이론 평균유효압력 $P_{mth}$(Theoretical Mean Effective Pressure), 도시 평균유효압력 $P_{mi}$(Indicated Mean Effective Pressure), 제동평균 유효압력 $P_{me}$(Brake Mean Effective Pressure)으로 분류된다. 이론 평균유효압력 $P_{mth}$은 이론 사이클로 계산한 사이클이고, 도시 평균유효압력 $P_{mi}$ 도시사이클로 계산한 사이클이며, 제동평균 유효압력 $P_{me}$은 제동출력을 통해 계산한 사이클이다.

1 사이클의 일을 W라 할 때, 평균유효압력 $P_m$은 다음 식으로 나타낸다.

$$P_m = \frac{W}{V_b - V_t} = \frac{W}{V_s} \quad \cdots\cdots (3.6)$$

여기서 $V_t$, $V_b$는 각각 피스톤이 상사점 및 하사점에 있어서 연소실 내 체적이며 $V_s$는 행정체적이다. 위의 식에서 평균유효압력 $P_m$이 이론 평균유효압력 $P_{mth}$일 때에는 분자에 W를 이론일 $W_{th}$로 적용하고, 도시 평균유효압력 $P_{mi}$일 때에는 분자에 W를 도시일 $W_i$로 적용하며, 정미 평균유효압력 $P_{me}$일 때에는 분자에 W를 정미일 $W_e$로 각각 대치한다. 또한, 이론 및 도시 평균유효압력에 대해서는 P-V 선도로 설명이 되지만, 제동 평균유효압력에 대해서는 여기에 맞는 P-V선도는 없다. 또한 출력 P와 평균유효압력 $P_m$, 회전수 n(rpm)과의 사이에는 다음과 같은 관계가 있다.

$$P = \frac{P_m \cdot V_s \cdot n \cdot Z}{60 \cdot i} \quad \cdots\cdots (3.7)$$

여기서 Z는 실린더 수, i는 4 사이클기관에서는 2, 2사이클기관에서는 1이 되는 정수이다.

## 4 일률(출력)

일을 천천히 하는 것 보다 빨리 하는 것이 동력이 많이 소요된다. 일률(출력)은 기관이 단위시간에 하는 일을 나타낸다.

이 단위는 SI 단위계에서는 [W]이지만, 이것도 일반적으로 마력(PS)을 같이 사용하고 있다.

출력축의 회전수를 n(rpm)로 하면 출력과 토크의 관계는

$$P = \frac{2\pi nT}{60} \quad \cdots\cdots (3.8)$$

로 나타낸다.

그림 3.6은 내연기관의 토크와 회전수의 관계를 나타낸다. 이것은 기관의 배기량, 밸브작동기구나 과급기의 유무에 의한 4종류의 가솔린 기관에 대하여 비교한 것이다.

일반적으로 내연기관은 중속 영역에서의 토크는 거의 일정하나, 저속 및 고속 영역에서는 저하된다. 이것은 기관으로 흡입되는 혼합기의 양과 깊은 관련이 있다. 또 그림 3.7은 출력과 회전수의 관계이다. 여기서 출력(일률)은 회전수의 증가와 함께 증가 하지만, 고속으로 되면 토크가 감소하기 때문에 최고 회전수보다 10%정도 낮은 회전수에서 최대출력이 된다.

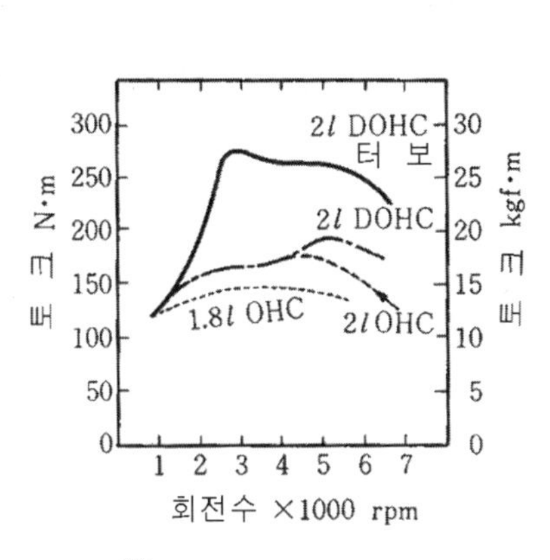


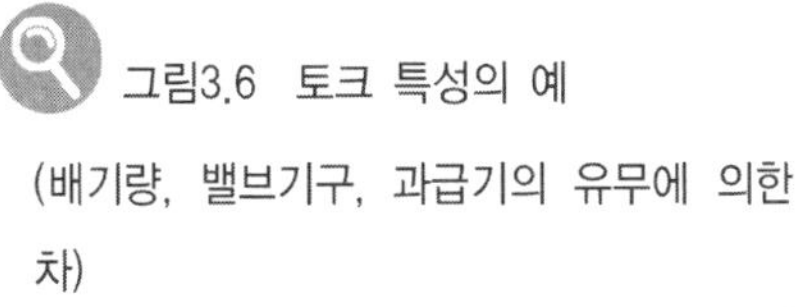
그림3.6 토크 특성의 예
(배기량, 밸브기구, 과급기의 유무에 의한 차)

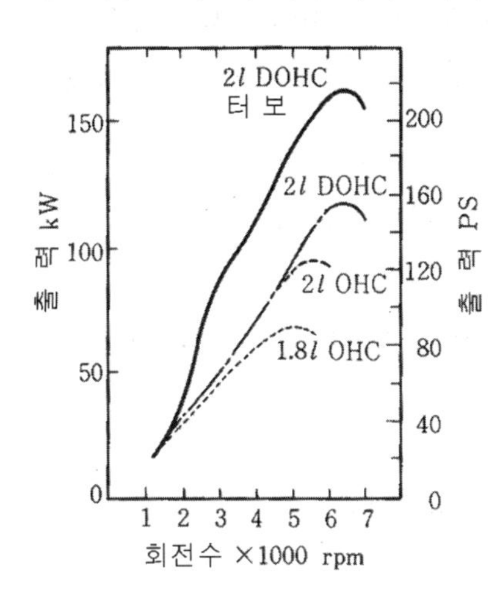


그림3.7 출력 특성의 예
(배기량, 밸브기구, 과급기의 유무에 의한 차)

## 마력 (Power)

기관의 일할 수 있는 능력은 마력으로 표현되며, 마력은 동력의 량으로서 정의된다.

※ 마력(Horse Power)

1 Ps = 75Kg·m/Sec = 736W

1 Hp = 76Kg·m/Sec = 746W

1 Kw = 102Kg·m/Sec

### (1) 도시마력, 지시마력(Indicated Horse Power)

도시 마력이란 실린더 내부에서 실제 발생한 마력으로서 지압계의 선도 상에 나타난 마력을 말한다.

$$Ihp = \frac{PmiASZN}{75 \times 60 \times 2} \text{ (4행정기관)} \qquad Ihp = \frac{PmiASZN}{75 \times 60} \text{ (2행정기관)} \quad (3.9)$$

Ihp : 도시 마력(ps) Pmi : 도시 평균 유효 마력($kg/cm^2$)
A : piston 단면적($cm^2$) S : piston 행정(m)
Z : 실린더 수 N : 기관의 회전수

### (2) 제동마력, 축마력, 제동마력(Brake Horse Power)

실린더 내에서 발생한 마력에서 피스톤 및 피스톤 링 과 실린더와의 마찰손실, 각 베어링 및 크랭크축과 캠축의 구동에 의한 마찰손실, 발전기, 물 펌프 및 보조 장치를 구동 시키는데 필요한 동력손실을 공제한 것

$$Bps = Ips - fps \quad Bps = Ips \times \eta_m \quad \cdots\cdots (3.10)$$

Ips : 지시 마력 Bps : 제동 마력
fps : 마찰 마력 $\eta_m$ : 기계 효율(%)

### (3) 마력과 회전력(Torque)

$$T = F \times R$$

$$Bps = \frac{2\pi nFR}{75 \times 60} = \frac{2\pi nT}{75 \times 60} = \frac{nT}{716.2} \quad \cdots\cdots (3.11)$$

F : Cylinder 내의 폭발력($kg/cm^2$)
R : Crank Arm의 반경(cm)

# 03 열 효율

연소실로 공급된 연료의 열량이 어떻게 분배되어 사용되었는가를 나타낸 것이 열분배(Heat Balance)이며, 그 예를 그림 3.8에서 보여주고 있다.

내연기관에 공급된 연료의 연소에 의한 발생열량의 일부는 유효한 기계일로 변환되지만, 많은 부분은 손실로서 대기 중에 방출된다. 공급열량의 분배는 크게 세 가지로 나누어지며, 그중 하나는 기계적인 일로 축출력, 또 하나는 배기손실, 그리고 냉각손실이다.

연소가스가 피스톤에 대해서 하는 일은 도시일로 나타내지만, 앞서 설명했듯이 이중 일부는 피스톤과 실린더와의 마찰에 의한 마찰 에너지가 열로 변환되어 냉각손실이 된다. 또 배기터보 과급기가 있는 경우에는 배기 에너지의 일부가 유효하게 사용되어 공급열량이 증가한다.

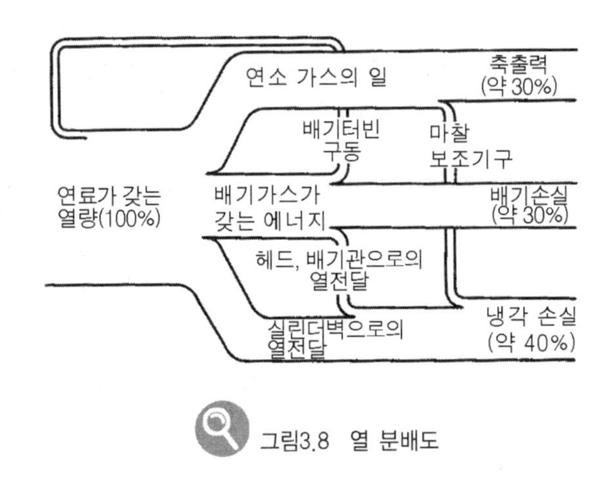


그림3.8 열 분배도

그 외의 발전기나 분사펌프 등의 보조기구에서 한일이 대부분은 열에너지로서 대기에 방출된다.

팽창행정에서의 팽창은 하사점까지이므로 팽창행정의 최종 온도가 주위온도까지 내려갈 수는 없다. 이와 같이 배기온도와 대기온도와의 차이로 많은 열에너지가 배기가스로서 대기에 방출되어 배기손실이 된다.

또한, 냉각손실이 열효율의 관점에서는 바람직한 것이 아니지만, 내연기관의 구성 재료의 강도를 유지하기 위하여 기관을 냉각하지 않을 수 없다. 따라서 수냉식 기관에서는 냉각수를 경유해서 대기에, 공냉식 기관에서는 직접 대기로 열에너지가 방출된다.

결론적으로 연소에 의한 열에너지의 분배는 그림 3.8에서처럼 축출력이 약 30%, 배기손실이 30%, 냉각손실이 약 40% 이다. 열효율을 올리기 위해서는 배기손실이나 냉각손실을 적게 하면 된다. 배기손실의 감소는 압축비를 크게 하는 것에 의해 어느 정도까지 달성되지만, 이 경우 냉각손실은 감소해도 배기손실이 증가하므로 기관 전체의 열효율의 상승은 그다지 많아지지 않는다.

열효율을 향상시키기 위하여 압축비를 증가시키는 것과 이론공기사이클로 근접시키기 위한 희박 연소방식이 유망시 되고 있으며, 연소에 관련된 것 이외에도 각부의 마찰손실을 저감하는 등의 개발이 적극적으로 행해지고 있다. 또, 연료 소비율(주행연비)의 향상을 위해서 동력 전달장치의 마찰 감소나 차체의 공기저항 감소, 차량 중량의 저감 등 종합적인 대책에 의해 이루어질 것이다.

이론 열효율 $\eta_{th}$는, 이론사이클에 있어서 입력과 출력의 비이므로 이를 수식으로 나타내면,

$$\eta_{th} = \frac{\text{이론 사이클에서 연소실내 가스가 한 일(열량)(이론일)}}{\text{이론 사이클에 공급된 열량}} \quad (3.12)$$

여기서, 이론사이클의 일은 이론사이클의 P-V 선도상에서의 면적 $W_{th}$로 구해진다.

도시열효율 $\eta_i$는 실린더 내에서 연소가스가 실제로 한 일 $W_i$와 공급열량과의 비이므로,

$$\eta_i = \frac{\text{실제의 사이클에서 연소실내 가스가 한 일(열량)(도시일)}}{\text{실제로 연소실에 유입된 연료의 열량}} \quad (3.13)$$

에 의해 나타낸다. 또, 축출력 $W_e$와 공급열량에서 구해지는 것이 제동열효율 $\eta_e$(Brake Thermal Efficiency)로

$$\eta_e = \frac{\text{출력축이 한 일(열량)(제동일)}}{\text{실제로 연소실에 유입된 연료의 열량}} \quad \cdots\cdots\cdots(3.14)$$

에 의해 나타낸다. 또한, 도시열효율과 제동열효율의 정의에서는 분모가 동일하기 때문에 각각의 효율은 일량에 비례한다.

## 04 선도계수와 기계효율

도시 사이클과 이론 사이클의 일의 비를 선도계수 $\eta_g$(Diagram Factor)라 하고, 제동일과 도시일과의 비를 기계효율 $\eta_m$(Mechanical Efficiency)이라 한다.

이것들을 식으로 나타내면 다음과 같이 된다.

$$\eta_g = \frac{W_i}{W_{th}} \quad \cdots\cdots (3.15)$$

$$\eta_m = \frac{W_e}{W_i} \quad \cdots\cdots (3.16)$$

여기서 $\eta_g$ 및 $\eta_m$은 다음과 같이 쓸 수 있다.

$$\eta_g = \frac{P_{mi}}{P_{mth}} = \frac{\eta_i}{\eta_{th}} \quad \cdots\cdots (3.17)$$

$$\eta_m = \frac{P_{me}}{P_{mi}} = \frac{\eta_e}{\eta_i} \quad \cdots\cdots (3.18)$$

선도계수는 그림에서와 같이 이론 사이클과 실제 사이클 선도상의 차이이다.

이러한 차이의 원인은 압축, 팽창행정은 실제로는 단열변화가 아니며, 흡배기 행정은 동일한 압력의 경로로 이루어지지 않고, 연소속도가 유한한 것 등이다.

선도계수는 연소의 과정, 압축팽창의 과정 등이 이론 사이클에 어느 정도 가까운가를 보여주는 지표이다. 기계효율은 주로 피스톤과 실린더의 마찰, 크랭크축과 베어링의 마찰 등 피스톤에 힘이 가해지는 것으로부터 출력축에 전달되는 동안의 마찰손실에 의한 출력 감소의 정도를 보이는 것으로, 연소가스가 피스톤에 준 일이 어느 정도 효율적으로 축출력으로 전달되어졌는지를 나타낸 것이다.

## 05 연료 소비율

실제 기관의 여러 가지 운전조건에 있어서 단위 출력당의 연료의 소비량을 연료 소비율 (fuel consumption) b[g/(W·s)]이라고 부르며, 매초 연료소비량을 B[g/s], 출력을 L[W]로 하면

$$b = \frac{B}{L} \qquad \cdots\cdots (3.19)$$

로 나타낸다. 또한, 출력으로서의 도시출력을 고려하는 경우에는 도시 연료소비율 (Indicated Fuel Consumption), 축출력을 고려하는 경우에는 제동 연료소비율(Brake Fuel Consumption)이라 한다. 또, 연료의 저발열량을 H[J/g]라고 하면 연료 소비율과 열효율 $\eta$ 과의 사이에는

$$\eta = \frac{L}{H \cdot B} = \frac{1}{H \cdot b} \qquad \cdots\cdots (3.20)$$

의 관계가 있다.

## 06 체적효율과 충전효율

기관의 흡입 공기량은 출력의 크기와도 관계된다. 이 때문에 기관이 공기를 흡입하는 능력을 표시하는 것이며, 주로 4사이클 기관에 이용되는 정의로서 체적효율(Volumetric Efficiency)이 있다.

체적효율은 $\eta_v$는 다음 식으로 정의된다.

$$\eta_v = \frac{V_i}{V_s} \qquad \cdots\cdots (3.21)$$

여기서, $V_i$는 1사이클 동안에 실제로 기관이 흡입한 새로운 공기를 대기의 압력, 온도의 상태로 환산한 체적이며 $V_s$는 행정체적이다. 이것은 또 다음과 같이 나타낼 수 있으며, 충전효율과 비교하는 경우에는 이 방식이 이해하기 쉽다.

$$\eta_v = \frac{M_i}{M_s} \quad \cdots\cdots (3.22)$$

여기서, $M_i$는 1사이클 동안에 흡입한 새로운 작동가스(신기)의 질량이며, $M_s$는 외기조건의 압력 온도에서 행정체적 $V_s$를 채우는 신기의 질량이다.

분모는 외기를 천천히 흡입하고, 압력과 온도의 변화가 없으며, 밸브의 개폐시기가 적절하고 상사점에서 하사점까지의 피스톤의 이동에 따라 신기가 완전히 유입할 때의 질량을 나타내고 있으며, 정적으로 기관이 흡입되는 최대 신기량을 나타내고 있다.

분자는 실제의 흡입 신기량으로 체적효율은 이상적인 흡입상태에 대한 실제의 흡입 신기의 비율을 보이고 있는 것이다.

여기서 신기는 디젤에서는 공기를, 가솔린 기관에서는 혼합기를 의미한다. 가솔린 기관에 있어서는 혼합기의 유량을 정확히 계측하는 것이 곤란하고, 흡입행정에서는 기화연료의 비율이 비교적 낮으므로, 가솔린 기관의 경우라도 일반적으로 신기를 공기로 바꿔서 정의한다.

체적효율과 유사한 정의에 다음에 보이는 충전효율(Charging Efficiency)이 있다.

충전효율 $\eta_c$는

$$\eta_c = \frac{M_d}{M_0} \quad \cdots\cdots (3.23)$$

에 의해 정의된다.

$M_d$는 실제로 흡입한 새로운 건조공기의 질량이며, $M_0$는 표준상태의 질량(건조대기압력 743mmHg, 온도 25℃)으로 행정체적 $V_s$를 차지한 건조공기의 질량이다.

체적효율에 의하면, 기준이 되는 분모가 외기의 조건과 함께 변화하므로 동일기관이고 동일 운전조건이라면, 장소, 일시, 압력, 온도가 다른 외기 조건하에서도 체적효율은 변화하지 않으며 체적효율이 흡입능력을 나타내는 지표라고 표현한 것은 이 이유에 의한다. 한편, 충전효율의 정의에서는 분모는 행정체적에 의해 정해진 일정한 값이다. 그러나 분자는 실제의 흡입 공기량으로 외기 조건에 크게 좌우되기 때문에 기관의 운전조건이 같다고 해도 압력이나 온도가 다른 조건에서 운전하면 충전효율은 다르다. 따라서 충전효율은 흡입공기의 절대량을 나타내고 있으며, 기관의 출력과 거의 비례적인 관계에 있다.

## 07 소기 효율

2사이클 기관의 경우 흡·배기량의 관계를 평가하기 위해 다음과 같은 정의를 이용한다. 즉, 소기효율(Scavenging Efficiency) $\eta_s$, 급기비(Delivery Ratio) $\eta_d$, 급기효율(Trapping Efficiency) $\eta_{tr}$는,

$$\eta_s = \frac{M_n}{M_g} = \frac{V_n}{V_g} \quad \cdots\cdots (3.24)$$

$$\eta_d = \frac{M_s}{M_n} = \frac{V_s}{V_n} \quad \cdots\cdots (3.25)$$

$$\eta_{tr} = \frac{M_n}{M_s} = \frac{V_n}{V_s} \quad \cdots\cdots (3.26)$$

에 의해 표시된다. 여기서 $M_n$은 1사이클 동안에 흡입한 실린더 내에 남은 신기의 질량, $V_n$은 그 표준상태에 있어서 체적을 표한다. 또 $M_g$는 실린더내의 전 가스질량, $V_g$는 그 표준상태에 있어 체적을, $M_n$은 외기조건에서 행정체적, $V_n$를 차지한 신기질량을, $M_s$는 1사이클에서 흡입한 신기의 질량을, $V_s$는 그 표준상태에서의 체적을 나타낸다.

2사이클 기관에서는 흡·배기의 방법이 4사이클 기관과는 다르므로, 신기의 량과 잔류가스의 양이 흡·배기나 출력성능을 크게 좌우한다.

소기효율은 실린더 내의 신기의 비율을 보이는 것으로 연소한 가스를 배출하고, 새로운 공기를 흡입하는 소기가 유효하게 행해졌는지의 여부를 나타내는 효율이다. 급기비는 4사이클 기관의 체적효율에 상당하는 것으로 기관의 신기 흡입능력을 나타내며, 급기효율은 흡입된 신기 중, 소기되지 않은 신기가 얼마만큼 실린더 내에 남아있는가를 나타내는 효율이다.

PART FOUR

# 4 연 료

## 01 연 료

연료는 공기 중에서 용이하게 연소하고, 그 연소열을 이용할 수 있는 가연물을 말하며, 일반적으로 화석연료(화석 에너지 ; Fossil Fuel, Fossil Energy)와 바이오 매스연료(생물에너지 ; Bio-Mass Fuel, Bio-Mass Energy)로 분류된다.

화석연료는 석탄, 석유, 천연가스 등 지하자원으로 얻어지며, 바이오매스 연료는 재생산 가능한 에너지로 신탄(장작, 숯 등), 동식물성 유지 발효에 의한 에틸알코올(에탄올) 등이다.

에너지원에는 화석에너지 외에 풍력, 지열, 태양열 등의 자연에너지와 원자력 에너지가 있으며, 이들은 1차 에너지라 부른다. 1차 에너지를 이용하기 쉽게 가공한 가솔린, 코크스, 전력, 도시가스 등을 2차 에너지라 한다. 현재 인류가 이용하는 에너지의 90%는 화석연료에서 얻어지고 있다.

열기관중 내연기관은 화석연료가 사용되며 자동차용으로는 휘발유, 경유, 액화 석유가스(LPG ; Liquefied Petroleum Gas)를 사용하고 있으며 일부에서는 메틸알코올이나 압축 천연가스(CNG ; Compressed Natural Gas)도 사용되고 있다. 최근에는 환경보전과 석유대체의 관점에서 연료성분 중에 산소를 함유한 함산소 연료(알코올류)나 수소의 이용에 대한 연구가 활발히 진행되고 있다.

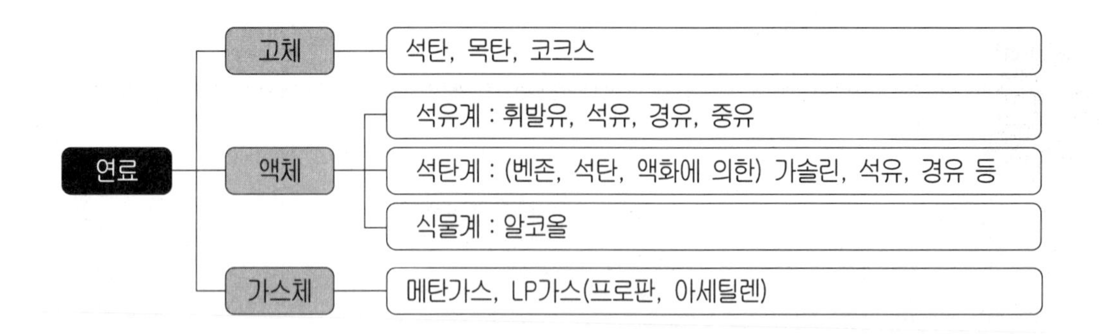


## 02 원유의 정제

가솔린 기관에 사용되는 휘발유와 디젤 기관의 경유, 가스터빈을 움직이는 케로신의 연료는 원유를 정제하여 만든 것이다. 땅속에서 바로 채취한 석유는 일반적으로 '원유'라고 하며 불순물이 많이 섞여 있기 때문에 그대로는 기관에 사용할 수 없다.

원유의 성상은 그 산지에 의해 상당히 다르지만 특수한 냄새가 있는 액체이며, 비중은 0.78~0.99, 색깔은 검은 황색이며, 유동성이 풍부한 것과 흑색으로 끈적끈적한 느낌이 드는 것 등 그 종류가 매우 다양하다. 이와 같이 원유의 주성분은 탄소와 수소를 주체로 한 유기 화합물이며, 일반적으로 탄화수소라고 한다. 이 탄화수소는 결합하고 있는 탄소원자와 수소원자의 수에 의해 수많은 종류가 있으며, 또한 그 결합 방법에 따라 여러 가지로 분류된다.

원유는 탄소와 수소의 화합물로 만들어져 있는 탄화수소가 주성분이지만 기타 여러 가지 불순물이 포함되어, 불순물을 제거하면서 다른 성질의 이물질을 제거하는 것을 석유의 정제라고 한다. 석유정제란 원유를 처리하여 각종 석유제품과 반제품을 제조하는 것을 의미하며, 표 4.1은 분류된 성분을 탄소수를 기준으로 정리한 것이다. 가장 가벼운 성분은 메탄( $CH_4$)이고 천연가스의 주성분이다. 천연가스는 원유와 공존하고 있는 것 외에 단독으로 존재하고 있는 것이 많다.

프로판( $C_3H_8$), 부탄( $C_4H_{10}$)도 가스로서 채취하지만 액화해서 취급이 용이한 액화 석유가스(LPG)로서 이용되고 있다.

액상으로 가장 가벼운 성분은 비점이 35~180℃의 나프타(조제 가솔린 ; Naphtha)로 $C_5-C_{11}$의 성분이 포함되어 있는 나프타는 경질 가솔린과 중질 가솔린으로 나누어지며,

나프타의 경질분은 탈류, 탈취처리 과정을 거치면 직류 가솔린(Gasoline)이 되고, 나프타 중질분도 탈류, 접촉개질에 의해 방향족을 많이 포함한 가솔린이 된다.

그 외에도 경유를 분해한 분해휘발유가 있다. 이들의 휘발유를 조합해서 자동차용 휘발유, 항공용 가솔린 및 석유 화학원료(소위 나프타)가 만들어지며, 비점이 150~250℃의 $C_9 - C_{15}$ 성분을 포함한 것은 등유(Kerosene)라 한다. 휘발유와 등유의 중간성분으로서 제트연료가 있다. 경유(Gasoline)는 $C_{12} - C_{22}$를 포함한 증류온도가 190~350℃정도의 연료로, 주로 고속 디젤기관이나 가스터빈의 연료로서 사용되고 있다.

중유(heavy oil)는 원유의 증류잔유에 따른 점도를 경유로 조정한 중질의 연료로, 점도가 낮은 쪽부터 A, B, C 중유라 부른다.

표4.1 원유의 분류와 제품

| 탄 소 수 | 유 분 | 제 품 | 비점℃ | 액체밀도 kg/ι | 저발열량MJ/kg |
|---|---|---|---|---|---|
| $C_2$ 이하 | 천연가스 | 메탄 $CH_4$<br>메탄 $C_2H_6$ | −162<br>−89 | 0.3<br>0.37 | 52<br>48 |
| $C_3 \sim C_4$ | LPG | 프로판 $C_3H_8$<br>부탄 $C_4H_{10}$ | −4.2<br>−0.5 | 0.51<br>0.58 | 48<br>48 |
| $C_5 \sim C_{11}$ | 나프타 | 가솔린 | 35~180 | 0.6~0.74 | 44 |
| $C_9 \sim C_{15}$ | 등유 | 등유, 제트연료 | 150~250 | 0.74~0.82 | 43 |
| $C_{12} \sim C_{22}$ | 경유 | 경 유 | 190~350 | 0.82~0.88 | 42 |
| $C_{23} \sim$ | 잔유 | A중유, B중유<br>C중유, 윤활유,<br>아스팔트 | 190~600 | 〉0.89 | 42 |

## 03 석유계 연료

원유 (Crude Oil)는 암갈색, 암황색, 흑색을 띠는 점성액체로 저위 발열량은 9,500 ~ 1,100kgl/kgf 이며, 비중은 0.8 ~ 0.95인 여러 가지 물질이 혼합된 혼합물이다. 원유의 성분은 탄소와 수소가 화합한 탄화수소(Hydrocarbons)이며, 탄소가 80 ~ 86%이고, 수소가

12 ~ 15%정도이며, 이밖에 약간의 황, 질소, 산소 등이 함유되어 있다.

주요 성분별로 구분하면 파라핀계(Paraffins; $C_nH_{2n}+2$), 올레핀계(Orefins; $C_nH_{2n}$), 나프텐계(Naphtens ; $C_nH_{2n}$), 방향족계(Aromatics ; $C_nH_{2n}-6$) 및 이들의 이성체등으로 되어 있다.

이성체는 분자식이 같고 구조식이 다른 것을 말하며, n = 1 ~ 5 까지는 상온에서 기체상태로 존재하고 n = 6 이상은 액체상태로 존재하며, n이 크면 고분자 탄화수소라 한다. 석유 정제 과정에서 원유를 증류조에 넣고 가열하면 온도차에 의해서 분자량이 작은 물질 순으로 분리된다.

그림 4.1은 각 계의 대표적인 성분을 나타낸 것이고, 다음은 원유의 주요 성분별로 구조식과 연소성을 설명한다.

## 파라핀계 (Paraffin Series ; $C_nH_{2n}+2$)

탄소가 직선적으로 늘어선 직쇄 구조의 포화 탄화수소로 안정된 화합물이고 연소성이 양호하다. 직렬쇄상 구조를 사슬 모양 구조라고도 한다.

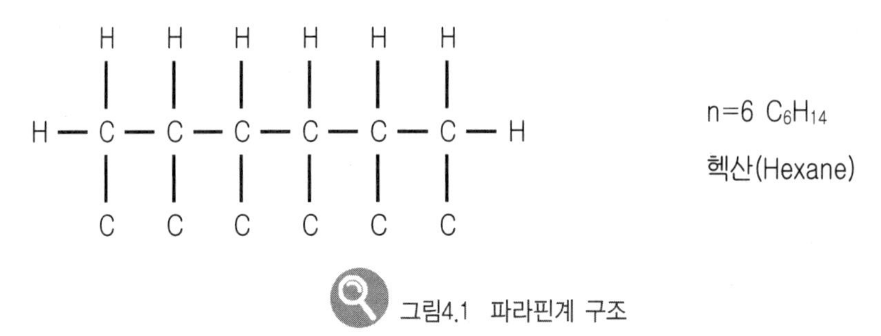


그림4.1 파라핀계 구조

① n = 1 메탄 (Methane, $CH_4$)
② n = 2 에탄 (Ethane, $C_2H_6$)
③ n = 3 프로판 (Propane, $C_3H_8$)
④ n = 4 부탄 (Butane, $C_4H_{10}$)
⑤ n = 5 펜탄 (Penthane, $C_5H_{12}$)
⑥ n = 6 헥산 (Hexane, $C_6H_{14}$)
⑦ n = 7 헵탄 (Heptane, $C_7H_{16}$)
⑧ n = 8 옥탄 (Octane, $C_8H_{18}$)
⑨ n = 9 노난 (Nonane, $C_9H_{20}$)
⑩ n = 10 데칸 (Decane, $C_{10}H_{22}$)

n = 1에서 n =10까지 파라핀계의 명칭은 위와 같고, 다른 성분은 이 명칭을 응용하여 사용한다. 파라핀계와 올레핀계는 지방(脂肪)족에 속하며, 지방족은 쇄상(鎖狀) 결합을 하고 있으며 비교적 연소하기 쉽고, 방향(芳香)족은 연소시키기 어렵다.

## 2 올레핀계 (Olefin Series ; $C_nH_{2n}$)

구조상 직렬쇄상 구조이며, 2중 결합(Double Bond)이 1개 있어 연소성이 파라핀계보다 나쁘나 나프텐계보다 좋다.

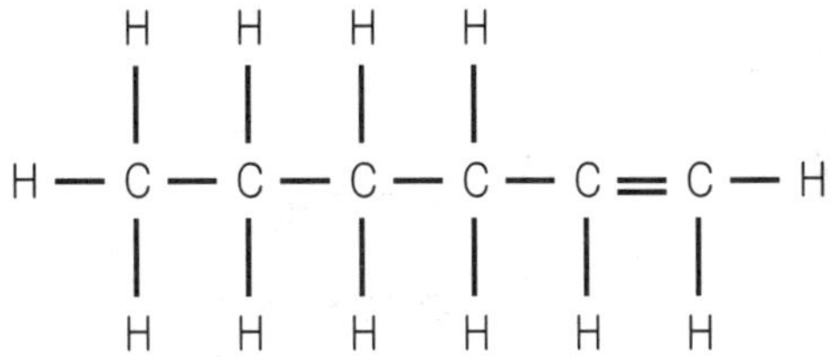

n=6 $C_6H_{12}$

헥센(Hexene)

그림4.2 올레핀계 구조

## 3 나프텐계 (Naphthene Series ; $C_nH_{2n}$)

올레핀계와 같은 화학식이지만, 포화환상 구조로 안정된 물질이다. 기본형은 오각형, 육각형의 시크로펜턴, 시크로헥산이며, 파라핀계보다 연소성이 나쁘다.

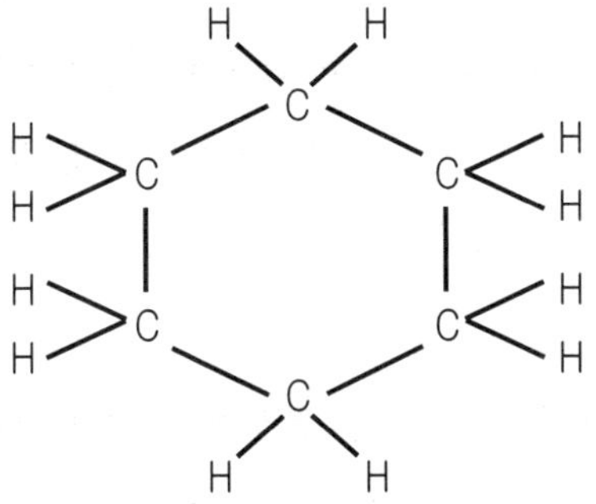

n=6 $C_6H_{12}$

사이클로헥산(Cyclo Hexane)

그림4.3 나프텐계 구조

## 4 방향족계 (Aromatic Series ; $C_nH_{2n-6}$)

불포화 환상 결합을 하고 있으며, 6개의 탄소 원자가 하나씩 걸어서 2중 단결합으로 환상으로 결합한 것이다. 이들은 모두 석유 또는 천연 가스로서 지중(地中)에서 채취되며, 산지에 따라서 정유(精油)후의 제품의 성질도 달라진다. 연소성이 나프텐계보다 나쁘고, 방향족계는 특유한 향기가 있는 물질로 벤젠, 톨루겐 등이 포함된다.

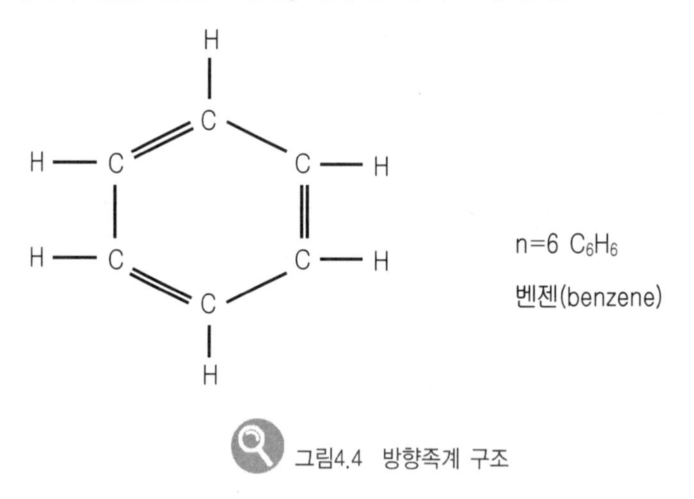


그림4.4 방향족계 구조

## 04 석유계 액체연료의 성질

연료의 특성으로서 중요한 항목은 발열량(Heating Value), 밀도(Density), 기화성(Volatility), 점도(Viscosity) 등이다. 특히, 불꽃점화 기관용 연료에서는 자발화 온도가 높고, 연소개시까지의 시간인 착화지연이 긴 것이 요구되고, 압축착화 기관용 연료에서는 반대로 자발화 온도가 낮고, 착화지연이 짧은 것이 요구된다.

### (1) 밀도

밀도는 탄소와 수소의 원자수비(C/H)에 비례하고, 탄소가 같을 때는 방향족계 〉 나프텐계 〉 파라핀 계의 순으로 크다. 예를 들면 경질의 부탄이 0.6 kg/L, 중유가 약 0.95 kg/L 이다.

연료의 비중은 휘발유가 0.65~0.75이며, 등유는 0.78~0.84, 경유는 0.84~0.89, 중유는 0.90~0.99 정도이다.

### (2) 발열량(發熱量)

연료의 발열량은 단위 중량 또는 단위 체적의 연료가 산소와 화합하여 완전 연소할 때 발생하는 열량을 그 연료의 발열량(Calorific Value)이라 하고, 액체 연료는 [kcal/kg], 가스체 연료는 [kcal/Nm³] 의 단위로 표시한다.

액체 연료의 발열량은 보통 등적연소(等積燃燒) 발열량을 재는 봄브(Bomb) 열량계(熱量計)를 이용하여 측정하며, 이 열량계에 의하여 측정되는 연소에 의하여 생성된 수증기(水蒸氣)가 냉각되어 물이 될 때의 잠열(潛熱)까지 포함되어 있다. 이와 같은 발열량을 고발열량(高發熱量)이라고 한다.

이에 대하여 연료의 연소에 의하여 생긴 수증기가 가스 생태 그대로 이고, 물이 되지 않을 경우에는 응고잠열(凝固潛熱)이 방출되지 않으므로 발열량은 고발열량 보다 잠열량만큼 적은 값이 된다. 이와 같은 발열량을 저 발열량(低發熱量)이라 한다.

실제로 연료가 연소될 때에는 배기의 온도가 고온이므로, 수증기가 가스 상태 그대로 배출되고 만다. 따라서 실제 기관의 열효율이나 기타 계산을 할 경우에는 저 발열량이 사용된다.

가스 연료의 발열량은 일정 유량을 보내주면서 정압하에서 연소시키는 융커(Junker) 계량계에 의하여 측정된다.

석유계 연료의 발열량은 거의 같으나 저비점의 경질유분은 44~45 MJ/kg으로 약간 높고, 고비점의 중질분의 중유는 42MJ/kg 정도이다.

연료 1kg 중에 포함되는 탄소, 수소, 유황 및 수분의 질량을 각각 C, H, O, S, W [kg]로 하면 저발열량 $H_l$[MJ /kg]은 근사적으로 다음 식에서 구해진다.

$$H_l = 34C + 143(h - 018) + 9.2_s - 2.5W[\mathrm{MJ/kg}] \quad \cdots\cdots(4.1)$$

표4.2 각종 연료의 발열량

| 연 료 | 발열량(kcal/kg) | 연 료 | 발열량(kcal/kg) |
|---|---|---|---|
| 휘발유 | 11,000 | 석 탄 | 5,000~8,000 |
| LPG(프로판) | 12,000 | 코크스 | 7,000 |
| 알코올 | 4,600~6,400 | 메탄가스 | 12,000 |
| 경 유 | 10,500 | 수소가스 | 28,800 |
| 중 유 | 10,000 | 아세틸렌 | 11,800 |

### (3) 인화점과 발열점

연료에 불을 가까이 하였을 때 연료가 연소하기 위해서는 그 연료의 온도를 올려 기화 시키고, 그 불로부터 인화할 수 있는 정도가 되어야 한다. 이 인화하려고 할 때의 온도를 인화점(引火點)이라 하며, 연소가 시작되는 온도를 발화점(發火點)이라 한다.

표4.3 연료의 인화점과 발화점

| 연 료 | 인화점 (℃) | 발화점 (℃) |
|---|---|---|
| 휘발유 | − 40 이하 | 300 |
| 벤 젠 | − 11 이하 | 538 |
| 등 유 | 30 ~ 60 이하 | 255 |
| 경 유 | 50 ~ 70 이하 | 250 |
| 중 유 | 60 ~ 150 이하 | 250 ~ 380 |

### (4) 기화성

각종 탄화수소의 혼합물인 석유연료는 넓은 비점 범위를 가지며, 대략 방향족이 가장 비점이 높고 뒤이어 나프텐, 정파라핀, 이소 파라핀, 정올레핀의 순이다.

석유연료가 어떤 비점을 갖는 성분으로 구성되어 있는가를 보이는 증류특성(기화성)을 측정하는 방법에는 ASTM(American Society for Testing Materials)증류법과 평형 공기 증류법(Equilibrium Air Distillation ; EAD)이 있다. ASTM 증류법은 그림 4.5에서 보는바와 같이 대기압하에서 연료의 포화증기가 존재하는 분위기로 가열된 연료증기 온도와 그때 증발량의 체적비율을 측정한다.

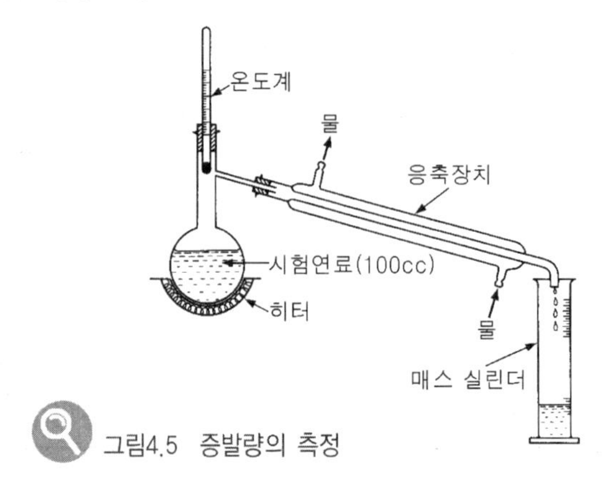


그림4.5 증발량의 측정

최초의 1방울이 유출할 때의 증기온도를 초류점(℃)이라 하고 증류 중에 얻어지는 최고온도를 종점(℃)이라고 한다. 이렇게 해서 얻어진 증류곡선은 측정이 간단하며 정도가 높고 재현성이 좋다. 단, 연료의 포화증기가 존재하는 분위기 중의 증발이므로 실제 기관에서 연료가 기화하는 경우의 증발조건과 다르다.

가솔린 기관에 대해서는 평형공기 증류법이 실제의 상태에 가까운 특성을 보인다.

그림 4.6은 평형공기 증류법의 시험장치를 보인 것으로 공기와 연료의 질량 유량비율을 온도를 일정하게 유지한 증발관에 유입하고 관 출구에서 증발 잔유량을 재는 것이며, 온도를 바꾸어 측정을 되풀이 하여 증류곡선을 구한다.

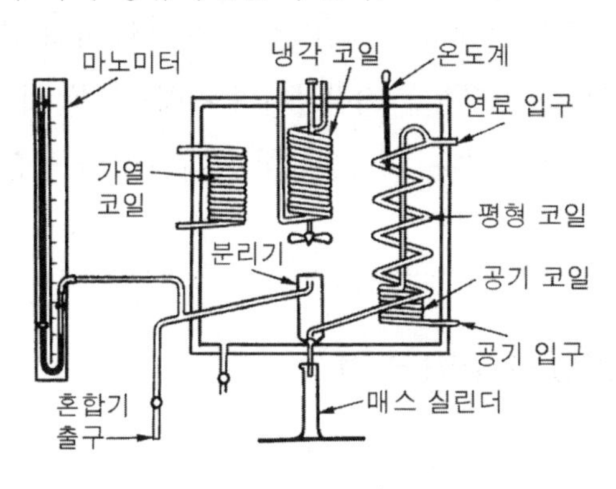


그림4.6 평형공기 증류법의 시험장치

그림 4.7에서는 두 방법에 의해 얻어진 증류곡선을 나타낸 것으로 공기와 연료의 비율이 일정의 조건에 있어서 증발특성인 평형공기증류법의 값은 ASTM법보다 상당히 낮고 실제의 기관에 있어 기화현상과 잘 맞는다. 그러나 평형공기증류법은 시험이 복잡하기 때문에 ASTM법의 값을 상대 비교해서 사용하며, 가솔린 기관의 시동성, 가속성, 증기폐쇄성 등을 평가한다.

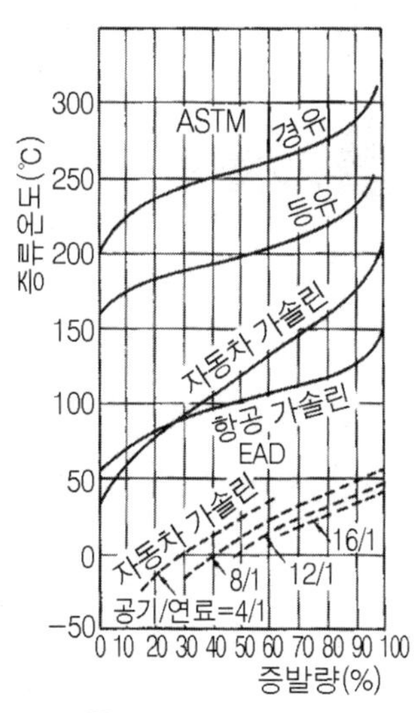


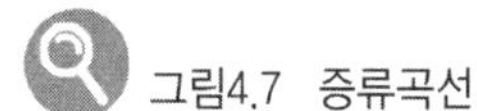
그림4.7 증류곡선

## 04 가솔린 기관용 연료(휘발유 ; Gasoline)

비점범위가 30~230℃ 정도인 휘발성이 강한 혼합액체 물질로서 스파크점화식 내연기관의 연료로 사용된다. 대기환경보전법에서는 자동차 배기가스 내에 $CO_2$와 HC를 증가시키며 인체에 암을 유발시키는 고분자 방향족 물질을 생성하는 방향족(35% 이하), 인체에 암을 유발시키는 물질로 알려진 벤젠(4% 이하), 일산화탄소의 배출저감 및 미연소 탄화수소를 억제시키는 효과가 있으며, 공해저감 및 옥탄가 향상 목적에서 사용되는 MTBE (Methyl Tertiary Butyl Ether) 함량의 척도로 산소함량(1.3~2.3%) 등을 규제하고 있다. 또한 최근에는 저공해 자동차에 장착된 배기가스 저감장치의 촉매기능을 저하시키지 않기 위하여 황성분(200ppm 이하)을 규제하고 있다. 휘발유에서 특히 중요한 성질은 기화성과 내노크성이다.

### 가솔린 기관 연료의 구비 조건

① 발열량이 크고, 연소 후 퇴적물이 적어야 한다.
② 공기와 잘 혼합되고 적당한 휘발성이 있어야 한다.
③ 불이 붙는 온도가 낮고, 연소 상태가 안정되며, 인체에 유독성이 없어야 한다.
④ 취급과 수송이 용이하고, 부식이 되지 않아야 한다.

### 기화성

기화성은 기관이 저온의 상태에서 시동되는 냉간 시동, 고온의 상태에서 시동되는 재시동 및 가속에 깊은 관계가 있다.

냉간 시동시 흡기 다기관내로 유입된 휘발유는 액상으로 연소실에 유입되어 연소실에 존재하고, 다음의 압축행정에서 압축에 의한 온도상승에 의해 일부의 가솔린이 증발하며, 공기와 혼합해서 가연 혼합기를 만들어 연소한다. 연소하지 않고 액상으로 연소실에 남겨진 휘발유 일부는 배출되고, 나머지는 다음 사이클에서 증발되어 혼합비를 과농하게 한다. 이것이 시동시에 배기가스 중의 미연 탄화수소와 일산화탄소의 농도를 높이는 원인이 된다.

냉간 시동에 영향을 미치는 것은 ASTM 증류곡선의 10% 점으로, 이점의 온도가 낮은 만큼 시동이 용이하다.

냉간 시동을 좋게 하기 위해서 저비점유분을 증가시키면 연료의 증기압이 높아지고 난기 후 연료 파이프 중에 연료증기가 발생해서 연료의 공급이 행해지지 않게 되어 혼합비가 희박하게 됨으로 기관이 부조하게 된다. 이 현상을 증기폐쇄(Vapor Lock)이라 한다.

## 3 내노크성

연료가 미리 균일하게 혼합되어 있는 예혼합기의 연소는 화염전파에 의해 이루어진다.

화염전파의 도중에 화염면에서 떨어져 있는 혼합가스가 자발화를 일으켜서 고주파의 압력 진동이나 소음을 발생시킬 수가 있는데 이것을 노크(불꽃노크)라 한다. 자발화 온도가 낮고 자발화까지의 지연시간인 착화지연이 짧은 연료를 이용하면 노크가 일어나기 쉽다. 이러한 연료를 옥탄가(Octan Number, ON)가 낮다고 한다.

옥탄가는 연료의 내노크성을 평가하는 지표이다. 가장 노크를 일으키기 쉬운 기준연료를 정 헵탄(Normal Heptan)이라 하고, 그 옥탄가를 0으로 한다.

가장 노크를 일으키기 어려운 기준연료를 이소옥탄(iso octan, 정식명칭은 2.2.4 트리메틸펜탄 ; 2.2.4 Trimethyl Pentane)이라 하고 그 옥탄가를 100으로 한다. 중간의 옥탄가를 갖는 기준 연료는 양자를 혼합해서 만든다.

기준연료 및 옥탄가를 시험하려는 연료를 이용해서 연료시험용의 CFR기관(Cooper ative Fuel Research committee engine)을 운전하고, 두가지의 연료에 의한 운전으로 동일 노크 강도를 보였을 때 혼합한 기준연료 중 옥탄의 체적비율(%)을 시험연료의 옥탄가로 한다.

CFR 기관을 이용한 시험법에는 자동차용 가솔린의 F-1 법(리서치법 ; Research Octane Number RON)과 F-2법(모터법 ; Motor Octane Number, MON)이 있다. 리서치 법은 저속 주행시의 안티노크성을, 모터법은 고속, 고부하시의 안티노크성을 평가한다. 리서치 법에 의한 값은 모터법에 의한 값보다 크다. 양자의 차이를 센시티비티(Sensitivity)라 하며 이 값이 작은 연료일수록 여러 운전조건에 영향을 받지 않는 우수한 연료이다.

탄화수소의 종류와 옥탄가의 관계는

① 파라핀, 올레핀, 나프텐계에서는 탄소수가 적은 만큼 옥탄가가 높다.

② 탄소수가 같을 때는 방향족이 가장 옥탄가가 높고 뒤이어 이소파라핀, 올레핀, 나프텐, 정파라핀의 순으로 옥탄가가 높다.

③ 이소파라핀, 이소올레핀은 족쇄가 많은 만큼 옥탄가가 높다. 기관의 노크는 연료이외에도 압축비, 연소실 형상이나 점화플러그 위치 등의 영향을 받는다. 그러므로 기관에 따라 요구되는 연료의 옥탄가가 다르며 이것을 메카니컬 옥탄가(Mechanical Octane Number)라고 한다.

## 휘발유의 첨가제

### (1) 노킹 방지제(Antiknocking Agents)

원유에서 정제된 휘발유 유분만을 가지고 원하는 옥탄가를 얻기 위해서는 추가 공정을 거쳐야 하므로 제품원가의 상승이 필수적이며, 충분한 물량 확보가 어렵다. 그러므로 물질 자체가 옥탄가가 높은 물질을 휘발유에 소량 첨가하여 휘발유의 일반 성상을 거의 변화시키지 않으면서 옥탄가를 향상시키는 물질이 노킹 방지제다.

### (2) 산화방지제(Antioxidants)

저장 또는 사용 중에 산소와 결합하여 형성되는 검상 물질의 생성을 억제하기 위한 첨가제이다.

### (3) 금속불활성제(Metal Deactivators)

자동차의 연료배기관이나 기관의 많은 부분이 구리를 포함한 금속재질로 이루어져있다.

구리 제품은 휘발유의 산화를 촉진시키는 촉매역할을 함으로 이러한 금속들이 활성화되지 않도록 하기위하여 금속불활성제를 첨가한다.

### (4) 청정분산제(Detergents)

휘발유가 산소와 반응하여 형성된 검상의 물질이나 화학적으로 불완전한 화합물은 다른 물질과 결합을 일으켜 완전한 화합물을 형성하면서 고분자의 검상 물질을 형성하게 되는데, 이러한 물질은 연료계통, 흡기밸브 등의 흡기계통과 연소실 내부에 퇴적되게 된다. 퇴적물의 생성방지를 위하여 첨가한다.

### (5) 무연 휘발유

무연 휘발유는 배기가스 처리를 위한 촉매 변환 장치에 필수적으로 사용해야 한다. 유연 휘발유에 있는 납 성분이 촉매 변화 장치의 귀금속 층(백금과 로듐)에 손상을 입혀 장치가 작동하지 못하도록 만들기 때문이다.

무연 휘발유는 비금속성 첨가제인 MMT와 MTBE(메틸부틸에테르) 등의 산소화합물을 사용하여 효과적으로 노킹을 억제할 수 있다. 즉 무연 휘발유는 최대 납 함유량을 13mg/리터로 제한하고 있고, 4에틸납이 없으므로 공해문제에는 매우 좋으나 옥탄가가 낮아 열효율이 낮다. 또한, 노크의 발생 때문에 점화시기를 변경시켜야 한다.

무연 휘발유는 4에틸납의 감마 작용이 없으므로 밸브 시트 부식 (Valve Seat Recession)이 일어난다. 밸브 시트 부식은 고온고압 가스가 밸브 시트를 통과할 때 산화작용 때문에 부식되는 것이다. 이 부식은 밸브가 밀착될 때 융착을 일으키고 밸브 시트가 마모되는 현상을 유발한다. 이 때문에 실린더 내의 가스가 누설되고, 압축력이 약해져서 기관의 성능이 저하되고 심하면 고장을 일으킨다. 또, 밸브 시트 부식은 고속기관에서 전부하로 운전할 때 급격하게 발생한다. 그러므로 현재 주물제로 제작된 밸브 시트는 내열성이나 내마모성이 큰 강으로 제작하고 삽입시켜 사용하여야 한다.

## 05 디젤기관용 연료(경유 ; Diesel)

경유는 저온에서 왁스가 석출되어 연료필터의 막힘을 일으키므로 유동점이 +5℃에서 -30℃까지의 5종류로 구분된다. 디젤기관용 연료의 성질로서는 자발화성이 가장 중요하다.

디젤기관에서는 고온. 고압의 공기중에 연료를 분무해서 공급한다. 입자는 공기에 의해 가열되어 연료증기가 되고 공기와 혼합해서 혼합기를 형성한다.

가연범위에 들어간 혼합기는 약간의 시간지연(착화지연)후에 자발착화 한다. 연료분사에서 착화까지의 시간을 착화지연이라 한다.

착화지연은 연료분사에서 가연 혼합기가 자발점화에 도달할 때까지의 시간과 그 후 자발점화 할 때까지의 시간으로 나누어진다. 전자를 물리적 지연, 후자를 화학적 지연이라 부른다.

화학적 지연은 세탄가로 나타낸다. 착화하기 쉬운 기준연료로서 세탄을 선택, 그 세탄가를 100으로 한다. 착화하기 어려운 기준연료로서 α메틸 나프타린을 선택 그 세탄가를 0으로 한다. 중간의 세탄가를 갖는 기준연료는 옥탄가의 경우와 동일하게 두 가지를 혼합해서 만든다. 세탄가를 구하는 공식은 다음과 같다.

$$세탄가 = \frac{세탄}{(세탄 + \alpha 메틸나프타린) \times 100} \quad \cdots\cdots (4.2)$$

연료시험에는 CFR 디젤기관을 사용하며, 연료의 분사시기를 일정하게 하여 착화시기가 상사점에 오도록 압축비를 조정한다. 시험연료와 착화성이 동일하면, 평가된 기준연료의 세탄의 체적비율(%)을 그 연료의 세탄가라고 정의한다. 탄화수소의 종류와 세탄가의 관계는 옥탄가와 반대의 관계에 있다.

경유의 세탄가는 50~60이며, 정파라핀이 가장 높고, 나프텐, 올레핀, 이소파라핀, 방향족의 순으로 낮아진다.

연소 촉진제로는 아질산아밀 및 아초산 에틸, 아초산 아밀, 초산 에틸, 초산 아밀 등이 있다. 기관의 연소실에 따른 필요 세탄가는 다음과 같다.

**표4.4 기관의 연소실형상에 따른 필요 세탄가**

| 연소실 | 필요 세탄가 |
|---|---|
| 예 연소실 | 38 |
| 와류실 | 48 |
| 직접분사실 | 44 |

기관을 운전해서 연료의 세탄가를 정하는 데는 대형의 시험 장치와 많은 시간을 요하므로, 간편히 착화성을 조사하는 방법이 여러 가지 제창되고 있다.

그 하나로 디젤지수(Diesel Index)가 있으며 세탄가와의 관계가 인정되므로 널리 이용되고 있다. 디젤지수 DI는 연료의 아닐린점 A와 API비중 G에서 다음 식으로 구한다.

$$DI = \frac{A \cdot G}{100} \quad \cdots\cdots (4.3)$$

여기에, A(°F)는 아닐린 점에서 공기연료와 동량의 아닐린을 혼합해서 양자가 완전히 용합하는 최저의 온도를 화씨(°F)로 표시한 것이다.

G는 API비중에서 미국석유협회(API ; American Petroleum Institute)가 제정한 60°F를 표준으로 하는 비중이며 다음 식에 의해 구해진다.

$$G = \frac{141.5}{(60°F\text{에 있어 공시 연료의 비중})} - 131.5 \quad \cdots\cdots(4.4)$$

디젤 기관의 연료는 다음과 같은 특성을 지녀야 한다.

① 착화성(디젤 안티 노크성)이 좋아야 한다.

② 사용온도에서 적당한 점도 및 휘발성을 유지할 것.

③ 유해한 고형물질과 부식성분이 없을 것.

④ 연소 후 고형분이 적을 것.

⑤ 저온유동성, 특히 겨울철에는 연료펌프의 작동성이 좋아야 한다.

## 06 기체 연료

연료로서 사용되는 통상의 기체연료는 석유계 가스와 천연가스이다.

표 4.3에서 각종기체 연료의 특성을 보인다.

### 석유계 가스(LPG ; Liquefied Petroleum Gas)

석유가스는 $C_3C_4$의 탄화수소 혼합물인 액화석유가스(LPG)와 석유 분해 개량가스로 분류된다. LPG는 유전에서 석유와 동시에 산출되는 것과 원유 정제과정에서 부산물로 생산되는 것이 대부분이고, 그 외에도 천연가스에서 분리회수 되는 것이 있다.

LPG는 가압하면 간단히 액화하므로 취급이 용이하고, 가정용 연료로서 사용되는 것과 함께 차량의 연료로서 사용되고 있으며 옥탄가가 높다.

원유분해개량 가스는 원유 정제시의 폐가스 등을 분해해서 얻어지는 수소, 일산화탄소, 메탄, 에틸렌 등을 주성분으로 하는 가스로 도시가스나 석유 화학제품의 원료로서 사용된다.

### (1) LPG의 특성 및 성상

① 적정 압력을 가하여 액화시키기가 용이하며, 따라서 수송, 저장, 취급에 용이하다.

② 무색무취이며 가스자체가 공기보다 무거워 가스가 누출되면 감지하기 어렵다.

③ 바닥에 깔리게 되면 불꽃으로 인해 폭발 위험성이 크므로 이러한 것을 방지하기 위해 시판되는 LPG에는 착취제가 들어간다.

④ 자동차에 사용되는 부탄은 가스 조정기(Vaporizer)를 통해 가스로 되어 점화된다.

⑤ LPG의 액체비중은 프로판 0.51, 부탄 0.58로 물의 1/2 무게이다.

⑥ 인화성이 높고, 공기와 혼합된 가스의 화염 전파속도(Flame Speed)가 늦고, 공기보다 1.5 ~ 2배 무겁기 때문에 용기 밖으로 LPG가 누출되면 주변 바닥에 깔리게 되므로 통풍을 해주어야 한다.

⑦ LPG는 물 또는 침전물을 함유하지 않아야 한다.

### (2) 장점

① **연소 효율이 좋고 기관 운전이 정숙하다** : 연소 속도가 가솔린보다 느리며, 옥탄가가 높기 때문에 노킹(knocking)을 일으키지 않으므로 기관의 소음이 비교적 적다.

② **기관 오일을 더럽히지 않으며 기관의 수명이 길다** : LPG는 비등점이 낮기 때문에 실린더 내에서 완전히 기화되므로 윤활유의 희석 또는 오염, 카본 부착, 금속의 부식 등이 거의 없기 때문에 오일의 교환 시기를 가솔린에 비하여 1.5~2배 정도 연장 시킬 수 있다.

③ **대기 오염이 적고 위생적이다** : 배기가스는 무색이고 독성이 있는 일산화탄소의 함유량이 가솔린에 비하여 1/20정도 적으며, 매연이 배출되지 않기 때문에 대기 오염이 적어 위생적이다.

④ 가솔린 연료에서 볼 수 있는 증기폐한(Vapor Lock)의 연료 회로 고장은 LPG에서는 기화 흡입되므로 일어나지 않는다.

표4.5 LP가스의 물리적, 화학적 성질

| | LPG | | | | | 가솔린 |
|---|---|---|---|---|---|---|
| | 프로판 | 프로필렌 | n-부탄 | i-부탄 | 부틸렌 | |
| 분자식 | $C_3H_8$ | $C_3H_6$ | $C_4H_{10}$ | $C_4H_{10}$ | $C_4H_8$ | $C_8H_{18}$ |
| 증기압(kg/cm²) | 8.0 | 9.8 | 2.0 | 2.95 | 2.5 | - |
| 착화온도 (℃) | 481 | 458 | 441 | 544 | 443 | 210~300 |
| 완전연소 공기량(kg/kg) | 15.71 | 14.80 | 15.49 | 15.49 | 14.80 | 14.70 |

## 2 천연가스

천연가스는 메탄($CH_4$)을 주성분으로 하는 가스이지만 산지에 따라 조성이 다르다.

천연가스는 석유와 달리 중동에 편재되어 있지 않고 널리 산출되므로 안정된 공급이 얻어지는 것, 석유에 필적할 매장량이 있는 것 등으로 생산량이 증가, 현재에는 세계 1차 에너지의 약 20%를 차지하고 있다.

표4.6 기체 연료의 특성

| 종 류 | 분자식 | 밀 도 | | 발 열 량 | | | 이론혼합비 | | 비점 | 자발화 온 도 | 옥 탄 가 |
|---|---|---|---|---|---|---|---|---|---|---|---|
| | | 기체 | 액체 | 기체 | 액체 | 이 론 혼합비 | 기체 | 액체 | | | |
| 수 소 | $H_2$ | 0.089 | 0.074 | 10.8 | 121 | 3.2 | 2.58 | 34.3 | -253 | 571 | >130MON |
| 메 탄 | $CH_4$ | 0.714 | 0.37 | 38.6 | 52 | 3.4 | 9.52 | 17.2 | -162 | 632 | 130MON |
| 프로판 | $C_3H_8$ | 1.86 | 0.53 | 95.9 | 48 | 3.7 | 23.8 | 15.7 | -42.1 | 481 | 96MON |
| 부 탄 | $C_4H_{10}$ | 2.46 | 0.60 | 130 | 48 | 3.7 | 30.9 | 15.5 | -11.7 | 441 | 90MON |
| 레귤러 가솔린 | - | 5.09 | 0.74 | 224 | 44 | 3.8 | 59.3 | 14.7 | <30 | 430 | 90RON |

① 옥탄가가 높고 세탄가가 거의 0 이다. 불꽃 점화기관에서는 고압축비화에 의해 열효율이 향상한다.

② 단열 화염온도가 가솔린 보다 150℃ 낮으므로 질소산화물(NOx)의 발생이 적다.

③ 액체 연료와 같은 과도 운전시 연료의 증발지연이 없다.

④ 혼합기의 단위체적당의 발열량은 가솔린의 90%이며, 기관의 출력은 가솔린을 사용한 경우보다 약간 낮다.

⑤ 단위발열량당의 $CO_2$발생량은 가솔린의 약 75%이며 지구 온난화대책이 된다.

최근에는 천연가스가 자동차용 대체연료로서 주목되고 있으나, 비점이 −162℃로 낮기 때문에 액체상태로 차량에 사용하기가 곤란하기 때문에 압축가스(CNG ; Compressed Natural Gas)로 해서 사용하고 있다.

## 07 대체 연료

석유 대체연료에 대한 관심이 높아지며 석탄의 유효이용, 바이오매스 연료(에탄올, 유채기름 등)나 석탄 액화유의 재평가, 오일가격, 오일의 탐사, 메탄올의 이용 등 각 방면의 연구가 행해지고 있다. 그러나 석유의 공급이 과잉되어 가격도 낮아지고 있는 현재로는 대체연료 연구의 경제적 의미가 희박해지고 지구 환경보존에 목적이 옮겨가고 있다. 현재, 대체에너지원으로서 유력한 연료는 천연가스와 메탄올 등이 있다.

각종의 발전시스템에서 만들어진 전기에너지를 자동차의 동력으로서 이용하는 것도 유력시 되고 있으나, 여기서는 알코올 연료(표 4.7), 유채씨 오일, 수소에 대해서 설명한다.

### 1 메탄올

메탄올이 가지고 있는 연료로서의 특징을 휘발유와 비교하면 다음과 같이 된다.

① 옥탄가가 높고, 세탄가가 낮다. 불꽃점화 기관에 사용한다.

② 이론 혼합기의 단위질량당의 발열량은 가솔린과 거의 같다.

③ 기화잠열이 크다.

④ 연소속도가 크다.

⑤ 단일 조성으로 더욱 기화성이 높다.

⑥ 휘발유와 혼합시켰을 때 물이 가해지면 상분리(서로 떨어짐)가 생긴다.

⑦ 금속, 수지, 고무 등에 부식, 팽창, 용해, 열화를 일으킨다.

불꽃 점화기관을 메탄올로 운전하면 휘발유에 비해서 압축비가 올라가기 때문에 출력, 열효율이 향상되고, 배기중의 질소산화물, 탄화수소가 저감되지만, 약간이긴 하나 유해한 포름알데히드류를 배출한다.

자동차용 연료로서 이용하기 위해서는 기관이나 연료 공급계의 변경, 연료탱크 용량의 증가, 촉매컨버터의 변경, 저온시동성의 개선, 적응 윤활유의 개발 등 많은 과제가 있으나 불꽃 점화 기관용 연료로서 우수한 잠재 능력을 갖고 있다. 또한, 공업적 규모로 생산할 수 있으므로 공급면에서의 가능성이 있다.

표4.7 알코올 연료의 특성

| 항 목 | 메 탄 올 | 에 탄 올 | 이소옥탄 |
|---|---|---|---|
| 분 자 식 | $CH_3OH$ | $C_2H_5OH$ | $C_8H_{18}$ |
| 분 자 량 | 32 | 46 | 114 |
| 밀 도 kg/ℓ | 0.795 | 0.789 | 0.692 |
| 비 점℃ | 64.4 | 78.3 | 99.2 |
| 발 화 온 도℃ | 470 | 392 | 447 |
| 옥 탄 | 110 | 106 | 100 |
| 이론 공연비 | 6.45 | 9.0 | 15.1 |
| 가연범위% vol. | 6.7~36 | 3.3~19 | 1.1~6.0 |
| 저발열량 MJ/kg | 20.1 | 26.8 | 44.0 |
| 증발열량 MJ/kg | 1.10 | 0.85 | 0.27 |
| 이론혼합기의 발열량 MJ/kg<br>MJ/㎥ | 2.7<br>3.1 | 2.68<br>3.6 | 2.73<br>3.7 |

## 2 에탄올

브라질에서는 외화절약을 위해 사탕수수에서 에탄올을 연간 약 360만 kℓ 생산하고, 연료를 사용한 약 400만대의 가솔린자동차가 이용되고 있다.

미국에서도 과거에 메탄올을 만들어 가솔린에 10% 섞은 연료를 가스홀이라 칭하고 판매했다. 제조원가는 가솔린에 비해서 높고, 생산능력도 발효법으로는 한계가 있어 석유대체 연료로서의 가능성은 낮다.

### 유자씨 오일

국지적으로 생산 소비되는 디젤 기관용 연료로서 경유의 대체를 검토했으나 에탄올과 같이 공급량에 제한이 있다. 세탄가가 높고, 단독보다도 물과 혼합해서 사용하면 배기 흑연 등의 감소에 유효하다.

### 수소

기관에서의 배출이 규제되어있는 일산화탄소, 미연 탄화수소 및 지구 온난화 때문에 앞으로 배출량이 규제될 가능성이 있다.

$CO_2$를 발생하지 않으며 연소에 의해 생기는 것은 물과 질소 산화물 뿐이므로 배기대책이 용이하다. 단, 기체상태로는 체적당의 에너지 밀도가 낮고, 자동차용 연료로는 적합하지 않다. 액체수소, 수소 흡장 합금(Metal Hydride) 등의 이용이 연구되고 있다.

## 08 연소의 기초

열기관은 열에너지를 기계적 에너지로 변환하는 장치이며, 열에너지는 연료의 연소에 의해 얻어진다. 연소란, 발열과 발광을 동반한 급격한 산화반응을 말한다.

### 연소반응과 발열량

내연기관에 이용되는 연료는 거의가 탄화 수소계의 연료이며, 최종적으로는 탄소, 수소 등의 연소에 귀착된다.

가장 많이 이용되고 있는 석유계 연료의 성분은 탄소(C), 수소(H)와 미량의 유황(S)이고, 여기에서는 연료 중 주성분의 산화반응을 기본반응이라 부르며, 다음이 기본반응식이다.

$$C + O_2 = CO_2 + 407\ (MJ/kmol) \qquad (4.5)$$

$$C + \frac{1}{2}O_2 = CO + 123\ (MJ/kmol) \qquad (4.6)$$

$$CO + \frac{1}{2}O_2 = CO_2 + 284\ (MJ/kmol) \qquad (4.7)$$

표4.8 기본 반응의 발열량

| | MJ/kmol | MJ/kg | | MJ/kmol | MJ/kg |
|---|---|---|---|---|---|
| $C + O_2 = CO_2$ | 407 | 33.9 | $H + 1/2O_2 = H_2O$ | 286(241) | 143(120.6) |
| $CO + 1/2O_2 = CO$ | 123 | 10.3 | $S + O_2 = SO_2$ | 297 | 9.28 |
| $CO + 1/2O_2 = CO_2$ | 284 | 10.1 | | | |

$$H_2 + 1/2O_2 = H_2O + 286(241)\ (MK/kmol) \qquad (4.8)$$

$$S + O_2 = SO_2 + 297\ (MJ/kmol) \qquad (4.9)$$

여기서 (　　)안은 저발열량을 표시하고 있다.

각각의 화학반응식은, 반응하는 분자수의 대응과 발열량을 나타내고 있다.

이들의 반응은 어느 것이나 발열반응이며, 그 반응생성열을 발열량(Heating Value)이라 부른다.

발열량은 혼합기가 연소한 후에 연소한 가스가 연소하기 전의 온도로 내려갔을 때에 낼 수 있는 열량을 말하며, 일반적으로 대기압, 대기 온도 조건에서의 값을 가리키는 경우가 많다. 상기의 화학반응에 대한 발열량을 표 4.8에 정리해 둔다.

일정압력에서의 연소, 즉 정압연소에서는 연소전후의 엔탈피( $h_1, h_2$)의 차이를 발열량 $H_p$로 정의하므로

$$H_p = h_2 - h_1 \qquad (4.10)$$

로 나타내며, 일정체적에서의 연소(정적연소)에서는 발열량 $H_v$는 연소전후의 내부에너지 ( $u_1$, $u_2$)의 차이로 해서 나타낸다.

$$H_v = u_2 - u_1 \quad \cdots\cdots (4.11)$$

연소는 일반적으로 탄화 수소계의 화합물이며 화학 결합에너지가 존재하기 때문에 단순히 이와 같은 기본 반응으로만 생각할 수는 없지만, 결합에너지는 생성열의 10~20% 정도에 지나지 않는 경우가 많으므로 복잡한 조성의 연료에서는 연료분자의 조성에 의해 기본반응의 발열량에서 연료의 발열량을 계산한다. 또, 수소를 포함한 연료에서는 $H_2O$가 생성된다.

$H_2O$가 기체상의 경우와 액상의 경우는 기화에 요하는 열량분만 다르며, 기체상의 경우에는 기화열 상당분만 낮아진다. $H_2O$가 기체상의 경우의 발열량을 저발열량이라 하며 액상의 경우 고발열량과 구별한다. 내연기관에서는 연소후의 가스를 대기중에 100℃이상으로 방출하므로 저발열량분의 에너지밖에 이용하지 않는다.

## 혼합비

연소에 있어서 산화제는 공기중의 산소이며 적절한 연소를 행하게 하기 위해서는 연료와 공기의 비율이 문제가 된다. 이 비율을 혼합비(Mixture Ratio)라고 하며 일반적으로 질량비로 나타낸다. 가장 잘 이용되는 것이 공연비(Fuel Airratio)이며 공기와 연료의 질량비이다. 또, 공연비의 역수를 연공비라고 부르며 사용하는 경우도 있다.

연료가 완전 연소하는 경우에 필요한 최소 공기량을 이론 공기량이라 하며, 이 경우의 공연비를 이론 공연비 또는 이론 혼합비(Stoichiometric Air Fuel Ratio)라 한다.

이론 공연비를 기준으로 해서 다음 식과 같은 당량비(Equivalence Ratio) ∅를 이용하기도 한다.

$$\varnothing = \frac{\text{이론 혼합비}}{\text{실제의 혼합비}} \quad \cdots\cdots (4.12)$$

탄화 수소계의 연료의 분자식을 $C_nH_m$이라 하면, 연소의 기초식은

$$C_nH_m + (n+m/4)O_2 = {}_nCO_2 + m/2H_2O \quad \cdots\cdots(4.13)$$

으로 나타낸다. 이식은 연료 1분자와 산소(n + m/4) 분자가 반응하면 연료, 산소와 함께 연소의 과부족이 생기지 않는 것을 나타내고 있다.

공연비는 질량비이므로 간단하기 때문에 원자량을 탄소 12, 수소 1, 산소 16이라 하면 연료와 산소의 질량은 연료 ; $12\times n + 1\times m$ 산소 ; 32×(n + m/4)가 된다.

한편, 산소는 공기중의 성분이며, 조성은 표 4.9에서 보는 바와 같다. 산소이외의 주성분은 질소이며, 그 이외의 것은 불활성이고 그 비율도 미량이기 때문에 산소 이외의 성분을 질소로 간주하면 산소와 질소의 질량비는 1 : 3.312 이다.

표4.9 건조공기의 조성

| 조 성 | 체적비(%) | 분자량 | 비교질량 | 비체적 | 비질량 |
|---|---|---|---|---|---|
| 산 소 | 20.99 | 32.000 | 6.717 | 1.00 | 1.000 |
| 질 소 | 78.03 | 28.016 | 21.861 | | |
| 아르곤 | 0.94 | 39.949 | 0.376 | 3.76 | 3.312 |
| 탄소가스 | 0.03 | 44.003 | 0.013 | | |
| 수 소 | 0.01 | 2.016 | 0.000 | | |
| 합 계 | 100.00 | | 28.967 | 4.76 | 4.312 |

따라서 연료와 공기의 질량은 연료 ; 12n + m

공기 ; 4.312 × 32 (n + m/4)

따라서, $C_nH_m$의 연료의 이론 공연비는 다음과 같다.

$$A/F_{th} = \frac{4.312\times 32(n+m/4)}{12n+m} \quad \cdots\cdots(4.14)$$

## 09 이론 연소 온도

여기서는 발열량이 주어진 연료의 개략적인 연소온도를 구해본다. 정확한 연소온도는 연소가스의 정확한 조성과 물성식이 주어지지 않으면 계산할 수 없으나 개략적인 연소는 다음과 같이 구할 수 있다.

연소전의 혼합기가 가지고 있는 에너지(생성열을 포함)가 연소후의 연소가스가 가지고 있는 에너지와 같다. 연소전의 혼합기가 가진 에너지는 연료의 발열량과 연료 및 공기가 가지고 있는 에너지이다.

정압연소의 경우를 고려한다. 연료와 공기의 초기온도를 $t_i$, 0℃에서 $t_i$ 까지의 평균 정적비열을 각각 $(C_{vf})\,t_i$, $(C_{va})\,t_i$ , 연료 1kg당의 발열량을 $H_u$, 공연비를 R로 한다. 단, 계산을 간단히 하기 위하여 혼합기는 이론혼합비보다 희박측에 있는 것으로 한다.

또, 연료 1kg중에 포함된 성분 C, H, O의 질량(이 경우는 질량 조성비이기도 하다)을 $w_c$, $w_H$, $w_N$, $w_o$로 하고 혼합기 중의 공기 $O_2$, $N_2$질량을 $w_{uo}$ $w_{aN}$으로 한다. 연료 1kg에 대해서 공기는 $R_{kg}$이므로, 연소전의 혼합기가 가진 에너지 $E_u$는

$$E_u = H_u + (c_{vf})\,t_i + R \cdot (c_{va})t_i \cdot t_i \quad \cdots\cdots (4.15)$$

완전 연소한 경우의 연소가스 성분은 $CO_2$, $H_2O$, $N_2$이다.

희박혼합기의 경우는 여기에 잉여산소의 $O_2$가 된다.

연소온도를 $t_b$로 하고, 각 연소가스 성분의 0℃에서 $t_b$까지의 평균 체적비열을

$(c_vCO_2)\ t_b$, $(c_vH_2O)\ t_b$, $(c_vN_2)\ t_b$, $(c_vO_2)\ t_b$로 한다.

연소가스중의 $CO_2$, $H_2O$, $N_2$, $O_2$의 질량 $w_{co2}$, $w_{H2o}$, $w_{N2}$ $w_{o2}$는

$$w_{co2} = \frac{44}{12} w_c, \quad w_{H2}o = \frac{18}{2} w_H, \qquad w_{N2} = w_{aN} + w_N,$$

$w_{o2} = w_a o + w_o - \dfrac{32}{12} w_c - \dfrac{16}{2} w_H$ 이므로, 각각의 가스가 가진 에너지 $E_{co2}$, $E_{H2o}$, $E_{N2}$, $E_{O2}$는

$$E_{co2} = \frac{44}{12} w_c \cdot (c_v co_2) t_b \cdot t_b \quad \cdots\cdots (4.16)$$

$$E_{H2o} = \frac{18}{2} w_H \cdot (c_{vH_{2o}}) t_b \cdot t_b \quad \cdots\cdots (4.17)$$

$$E_{N2} = (w_{aN} + w_N) \cdot (c_v N_2) t_b \cdot t_b \quad \cdots\cdots (4.18)$$

$$E_{o2} = (w_{ao} + w_o - \frac{32}{12} w_c - \frac{16}{2} w_H) \cdot (c_v o_2) t_b \cdot t_b \quad \cdots\cdots (4.19)$$

로 나타낸다. 단, $E_{o2}$는 희박혼합기의 경우에 고려한 것이며, 그 이외에서는 $E_{o2}$ = 0이다. 또, 연료가 많은 과농역에서는 CO의 생성 등, 다른 성분의 생성을 고려하지 않으면 안 되지만 여기서는 간단한 희박역에서의 연소로 한다.

따라서

$$E_u = Eco_2 + E_{H2o} + E_{N2} + E_{o2} \quad \cdots\cdots (4.20)$$

식으로 연소온도 $t_b$를 구할 수 있으나, 실제의 연소가스는 완전가스가 아니며 표 4.10에서 보듯이 온도에 의해 평균비열 $c_v$가 변화하고 $t_b$의 함수이다.

따라서 $t_b$를 바로 구할 수 없으므로 연소온도를 가정하고 여기에 대응하는 $c_v$값을 구해 식 (4.18)의 양변이 동등하게 되도록 반복계산을 하여 연소온도를 구한다. 또한, 실제의 연소에서는 열해리라고 하는 현상이 있기 때문에 앞에 설명한 이론 연소온도로는 되지 않고 그보다 낮은 온도가 된다.

연소가스의 온도가 약 1700°K를 넘으면 연소에 의해 생성된 $CO_2$, $H_2O$ 등의 분자가 부분적으로 역반응흡열반응을 일으키는데 이것을 열해리라 한다.

이 경우의 반응식은 다음과 같다.

$$CO_2 \rightarrow CO + \frac{1}{2} O_2 - 283.12\,[\mathrm{kJ/kmol}] \quad \cdots\cdots (4.21)$$

$$H_2O \rightarrow H_2 + \frac{1}{2} O_2 - 241.94\,[\mathrm{kJ/kmol}] \quad \cdots\cdots (4.22)$$

## ✻ 표4.10 각종기체의 0℃~t℃까지의 평균정압비율 $Cp$ kJ/(kg · K) ✻

| 온도℃ | $H_2$ | $N_2$ | $N_2$ air | $O_2$ | OH | CO | NO | $H_2O$ | $H_2S$ | $CO_2$ | $N_2O$ | $SO_2$ | $NH_3$ | air |
|---|---|---|---|---|---|---|---|---|---|---|---|---|---|---|
| 0 | 14.191 | 1.038 | 1.030 | 0.913 | 1.762 | 1.042 | 1.000 | 1.859 | 0.996. | 0.820 | 0.892 | 0.607 | 2.055 | 1.005 |
| 100 | 14.274 | 1.042 | 1.030 | 0.925 | 1.754 | 1.042 | 0.996 | 1.871 | 1.013 | 0.871 | 0.929 | 0.636 | 2.135 | 1.009 |
| 200 | 14.400 | 1.047 | 1.034 | 0.938 | 1.746 | 1.047 | 1.000 | 1.892 | 1.034 | 0.913 | 0.963 | 0.666 | 2.240 | 1.013 |
| 300 | 14.400 | 1.051 | 1.042 | 0.950 | 1.741 | 1.055 | 1.009 | 1.917 | 1.059 | 0.954 | 0.992 | 0.687 | 2.348 | 1.017 |
| 400 | 14.442 | 1.059 | 1.051 | 0.967 | 1.741 | 1.063 | 1.017 | 1.946 | 1.080 | 0.988 | 1.021 | 0.707 | 2.466 | 1.030 |
| 500 | 14.484 | 1.067 | 1.059 | 0.980 | 1.741 | 1.076 | 1.030 | 1.976 | 1.105 | 1.017 | 1.038 | 0.724 | 2.587 | 1.038 |
| 600 | 14.525 | 1.076 | 1.067 | 0.992 | 1.476 | 1.088 | 1.042 | 2.009 | 1.130 | 1.047 | 1.067 | 0.741 | 2.708 | 1.051 |
| 700 | 14.567 | 1.088 | 1.076 | 1.005 | 1.750 | 1.101 | 1.051 | 2.043 | 1.155 | 1.067 | 1.093 | 0.753 | 2.821 | 1.059 |
| 800 | 14.651 | 1.101 | 1.088 | 1.017 | 1.758 | 1.113 | 1.063 | 2.076 | 1.180 | 1.088 | 1.113 | 0.766 | 2.926 | 1.072 |
| 900 | 14.693 | 1.109 | 1.097 | 1.026 | 1.766 | 1.122 | 1.076 | 2.110 | 1.201 | 1.109 | 1.130 | 0.774 | 3.026 | 1.080 |
| 1000 | 14.777 | 1.118 | 1.109 | 1.038 | 1.779 | 1.130 | 1.084 | 2.143 | 1.222 | 1.126 | 1.147 | 0.783 | 3.119 | 1.093 |
| 1100 | 14.860 | 1.130 | 1.118 | 1.042 | 1.787 | 1.143 | 1.093 | 2.177 | 1.243 | 1.143 | 1.160 | 0.791 | 3.202 | 1.101 |
| 1200 | 14.944 | 1.139 | 1.126 | 1.051 | 1.796 | 1.151 | 1.101 | 2.210 | 1.264 | 1.160 | 1.176 | 0.800 | 3.278 | 1.109 |
| 1300 | 15.028 | 1.147 | 1.134 | 1.059 | 1.808 | 1.160 | 1.109 | 2.240 | 1.281 | 1.172 | 1.189 | 0.808 | 3.349 | 1.118 |
| 1400 | 15.112 | 1.155 | 1.143 | 1.067 | 1.821 | 1.168 | 1.113 | 2.273 | 1.293 | 1.185 | 1.197 | 0.812 | 3.416 | 1.126 |
| 1500 | 15.195 | 1.160 | 1.155 | 1.072 | 1.829 | 1.176 | 1.122 | 2.302 | 1.310 | 1.197 | 1.206 | 0.816 | 3.474 | 1.134 |
| 1600 | 15.279 | 1.172 | 1.160 | 1.080 | 1.842 | 1.180 | 1.126 | 2.332 | 1.327 | 1.206 | 1.214 | 0.820 | 3.533 | 1.143 |
| 1700 | 15.405 | 1.176 | 1.164 | 1.084 | 1.854 | 1.189 | 1.134 | 2.361 | 1.340 | 1.218 | 1.227 | 0.825 | 3.587 | 1.147 |
| 1800 | 15.488 | 1.180 | 1.172 | 1.088 | 1.867 | 1.193 | 1.139 | 2.390 | 1.352 | 1.227 | 1.231 | 0.829 | 3.629 | 1.151 |
| 1900 | 15.572 | 1.185 | 1.176 | 1.097 | 1.875 | 1.197 | 1.143 | 2.415 | 1.365 | 1.235 | 1.239 | 0.829 | 3.684 | 1.160 |
| 2000 | 15.656 | 1.193 | 1.180 | 1.101 | 1.888 | 1.206 | 1.147 | 2.440 | 1.377 | 1.243 | 1.243 | 0.833 | 3.726 | 1.164 |
| 2100 | 15.739 | 1.197 | 1.185 | 1.105 | 1.896 | 1.210 | 1.151 | 2.461 | 1.386 | 1.247 | 1.252 | 0.837 | 3.767 | 1.168 |
| 2200 | 15.823 | 1.201 | 1.189 | 1.109 | 1.909 | 1.214 | 1.155 | 2.482 | 1.398 | 1.252 | 1.256 | 0.841 | 3.801 | 1.172 |
| 2300 | 15.907 | 1.206 | 1.193 | 1.113 | 1.917 | 1.218 | 1.160 | 2.503 | 1.407 | 1.256 | 1.264 | 0.841 | 3.839 | 1.176 |
| 2400 | 15.991 | 1.210 | 1.197 | 1.118 | 1.926 | 1.222 | 1.164 | 2.524 | 1.415 | 1.260 | 1.268 | 0.846 | 3.872 | 1.180 |
| 2500 | 16.074 | 1.218 | 1.206 | 1.122 | 1.934 | 1.227 | 1.168 | 2.549 | 1.423 | 1.264 | 1.273 | 0.846 | 3.906 | 1.185 |
| 2600 | 16.577 | 1.222 | 1.210 | 1.126 | 1.942 | 1.231 | 1.168 | 2.570 | 1.432 | 1.273 | 1.277 | 0.850 | 3.935 | 1.189 |
| 2700 | 16.242 | 1.227 | 1.214 | 1.130 | 1.951 | 1.235 | 1.172 | 2.587 | 1.440 | 1.281 | 1.281 | 0.850 | 3.960 | 1.193 |
| 2800 | 16.325 | 1.227 | 1.218 | 1.134 | 1.955 | 1.239 | 1.176 | 2.608 | 1.448 | 1.289 | 1.285 | 0.854 | 3.985 | 1.197 |
| 2900 | 16.367 | 1.231 | 1.218 | 1.139 | 1.967 | 1.239 | 1.176 | 2.625 | 1.453 | 1.298 | 1.289 | 0.854 | 4.010 | 1.201 |
| 3000 | 16.451 | 1.235 | 1.222 | 1.143 | 1.976 | 1.243 | 1.180 | 2.646 | 1.461 | 1.302 | 1.293 | 0.858 | 4.035 | 1.201 |

## 10 열 발생률

기관의 연소상태를 파악하는 가장 확실한 방법은 연소압력의 계측이지만 이것만으로는 정량적인 연소평가는 되지 않는다. 그러므로 연소에 의한 열량 발생의 시간적 변화 즉 '기관의 회전각에 대해서 어떤 비율로 연소 했는가하는 열 발생률을 구하는 것이 중요하다.

열 발생률을 정확히 계산하려면 연소에 관한 많은 지식이 필요하지만 여기서는 가장 간단한 방법을 설명한다.

실린더 내 가스의 상태가 동일하다고 가정하면 내부에너지 du, 열발생 dQ, 일 PdV의 사이에는 열역학 제1법칙에서 다음 식이 성립된다.

$$dU = dQ - PdV \quad \cdots\cdots (4.23)$$

실린더 내 가스의 질량을 m, 단위질량당의 내부에너지를 u 라하고, 열 발생율을 크랭크 각도 Θ에 의한 미분형으로 나타내면,

$$\frac{dQ}{d\Theta} = P\frac{dV}{d\Theta} + m\frac{du}{d\Theta} \quad \cdots\cdots (4.24)$$

내부에너지는

$$u = c_v \cdot T + cons \quad \cdots\cdots (4.25)$$

에 의해 나타내므로

$$\frac{dQ}{d\Theta} = P\frac{dV}{d\Theta} + m \cdot c_v\frac{dT}{d\Theta} \quad \cdots\cdots (4.26)$$

가 얻어진다. 비열의 관계식 및 상태방정식

$$c_p - c_v = R \quad \cdots\cdots (4.27)$$

$$PV = mRT \quad \cdots\cdots (4.28)$$

을 이용하면

$$\frac{dQ}{d\Theta} = \left(1 + \frac{c_v}{R}\right) P \frac{dv}{d\Theta} + \frac{c_v}{R} V \frac{dp}{d\Theta} \quad \cdots\cdots(4.29)$$

가 얻어진다. 비열 $c_v$(정확히는 온도에 의해 변화하지만), 가스정수 R은 연소가스의 물성식에서 얻어 열 발생률 dQ/dΘ를 구할 수 있다.

이것은 실린더 내를 동일한 가스 영역으로 가정한 소위 1영역 모델이다. 실제로는 연소가스 영역과 미연소가스 영역이 있으므로 가솔린 기관에서는 2영역 모델이 잘 이용된다.

또, 디젤 기관에서는 액상 연료의 영역, 연료분무와 공기가 존재하는 영역, 공기만의 영역 등과 같은 다(多)영역 모델로 제안되고 있다. 특히, 가솔린 기관에 있어서는 연료의 발열량을 일정한 것으로 하면 개략적으로는 열발생률이 연료의 연소비율 즉, 질량연소 비율을 나타내고 있다고 생각해도 좋고, 연소상태를 판정하는 중요한 지표가 된다.

그림 4.8에 전형적인 가솔린 기관과 디젤기관의 열 발생율의 예를 보인다.

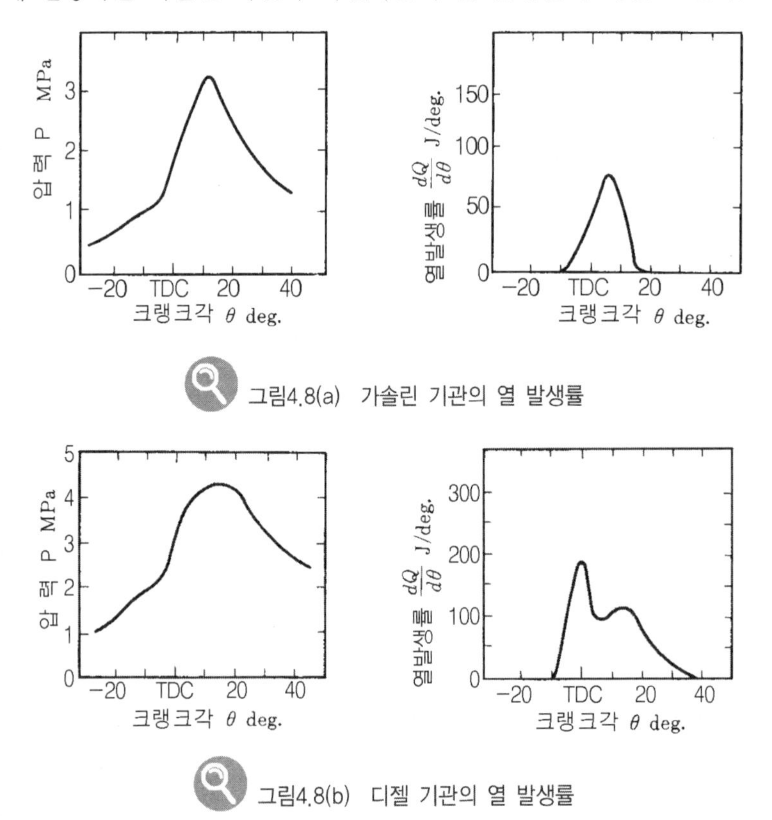


그림4.8(a) 가솔린 기관의 열 발생률

그림4.8(b) 디젤 기관의 열 발생률

PART **FIVE**

# 가솔린 기관

## 01 가솔린 기관

가솔린기관은 연소가 불꽃 점화에 의해 시작되기 때문에 불꽃 점화기관이라고도 불린다. 이러한 방식을 사용하는 기관은 가스 기관, 가솔린 기관, 등유 기관 등이 있다. 즉, 혼합기를 흡입/ 압축한 후 점화 플러그(Spark Plug)로 점화시키는 기관이다.

연료는 기화기나 연료 분사밸브(Injector)에 의해 흡기관으로 공급되며, 많은 부분이 흡기관내에서 기화된다. 흡기행정에서는 피스톤의 하강에 의해, 연료와 공기의 혼합기가 흡기밸브에서 연소실 내로 유입된다. 다음에 피스톤의 상승에 의해 혼합기가 압축되고, 압력과 온도가 상승한 상태로 전기불꽃으로 점화되어 화염전파에 의해 혼합기가 연소된다. 이 때 발생하는 연소열이 작동가스의 온도를 올리고 압력을 상승시켜, 고압의 연소가스가 피스톤을 누르는 것에 의해 열에너지가 기계적 에너지로 변환된다. 그 후, 팽창한 가스가 기관외부로 배출된다.

연료가 가진 열에너지가 기계적 에너지로 교환되는 데는, 혼합기가 어떻게 만들어지며 연소가 어떻게 시작 되는가 등의 중요한 인자가 된다. 이 장에서는 가솔린기관에 있어서 연소, 혼합기의 형성, 점화 등에 대해서 설명한다.

# 02 4행정 사이클 기관의 작동원리

## 흡기 행정(Intake Stroke)

피스톤이 상사점에서 하사점으로 하강 행정을 하면 실린더내의 체적이 커지므로 부분 진공이 발생하게 되어 흡기저항을 동반하지만 혼합기는 실린더 안으로 밀려들어가게 된다.

## 압축 행정(Compresion Stroke)

실린더 내에 흡입된 혼합기를 피스톤의 상승운동으로 원래 체적의 1/7 또는 그 이상으로 압축($\varepsilon$ = 6 ~ 11 : 1, 약 10 ~13kg/cm²)하면 혼합기는 온도가 올라가므로 점화 플러그에 의한 점화가 용이하게 한다. 압축열에 의해 약 400℃정도로 가열되면 혼합기중의 가솔린은 증발이 시작되고, 완만한 분해나 산화를 일으켜 착화되기 쉬운 상태로 된다. 이때 지나친 증발은 충진효율 감소시킨다.

점화플러그로 전기불꽃을 발생시키면 그 열로 점화플러그 간극 중심에 혼합기의 화염핵이 형성되고, 구형의 화염면이 되며 연소실 내로 퍼져 나갈 때까지는 약간의 시간이 필요하며. 이것을 점화지연(Iginition Deley)라 한다. 화염전파가 시작되면 압력이 상승하고 오래지 않아 최대에 도달한다. 이때 화염은 연소실 가득히 퍼지며 활발한 연쇄반응적인 연소과정은 끝나고 이후는 완만한 후연의 상태가 된다.

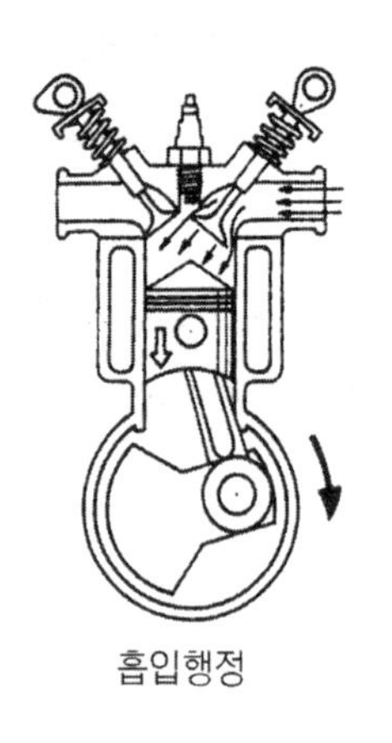
흡입행정

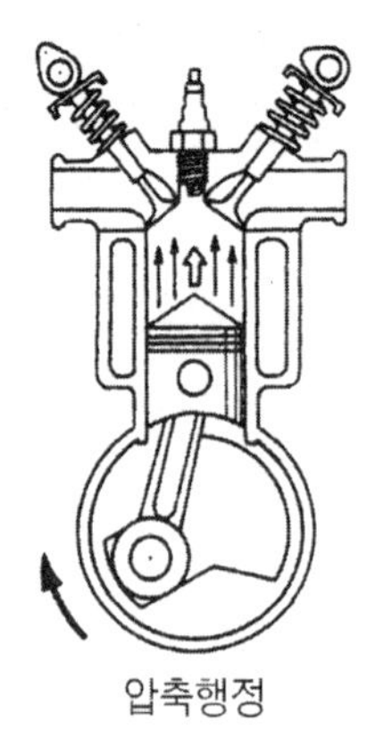
압축행정

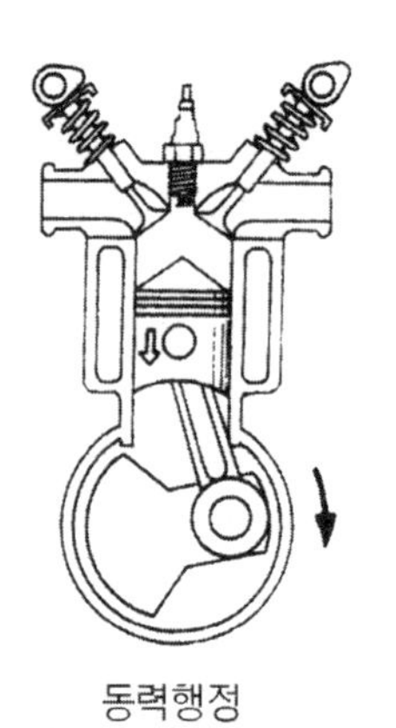
동력행정

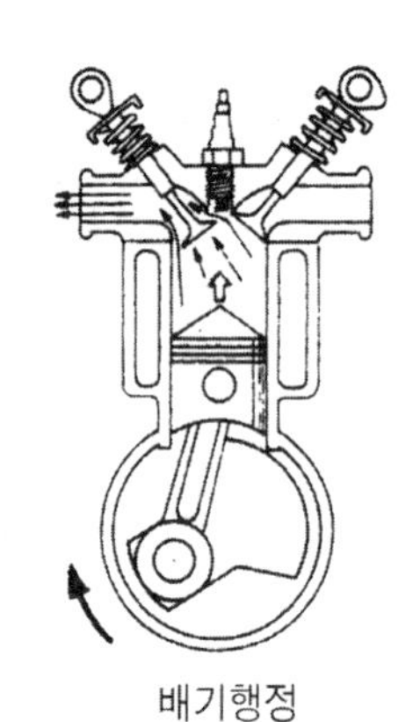
배기행정

그림5.1 4행정 사이클 기관의 작동원리

## 동력 행정(Power Stroke)

실린더 상부의 연소실(Combustion Chamber)내에 압축된 혼합가스가 전기 점화에 의하여 폭발할 때 동력을 발생하는 행정으로 폭발압력은 35~45 kg/cm²이다.

이때 점화지연은 약 3ms이고 화염핵을(Flame Core) 형성하며, 화염 전파속도는 흡기의 스월(Swirl)과 스퀴시(Squish)의 영향을 받는다.

최대 폭발압력(Pmax)은 ATDC 10 ~ 20°에 형성되도록 점화시기를 조절하며, 점화시기가 지나치게 빠르면 흡기의 압력, 온도가 낮아서 점화지연이 커지고, 지나치게 늦으면 흡기 스월이 약화되어 턴블(Turnblance) 현상의 감소로 화염의 전파가 늦어지고 열손실(Heat Loss)이 커진다. 따라서 적절한 점화시기는 TDC에서 화염확산이 연소실의 ½정도 이루어지도록 한다.

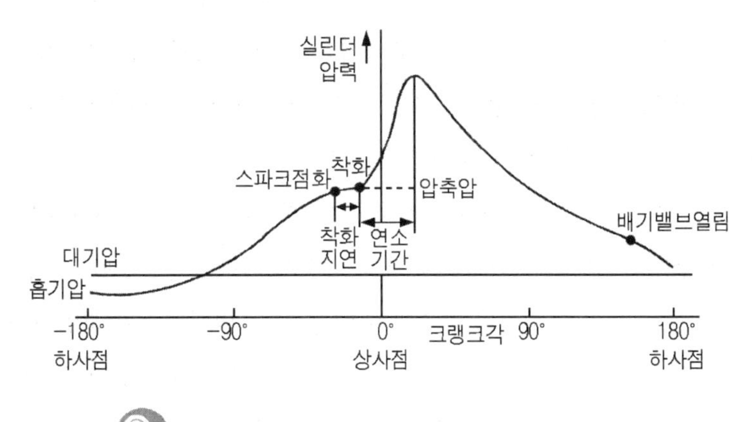


그림5.2 4사이클기관의 실린더 압력과 크랭크각

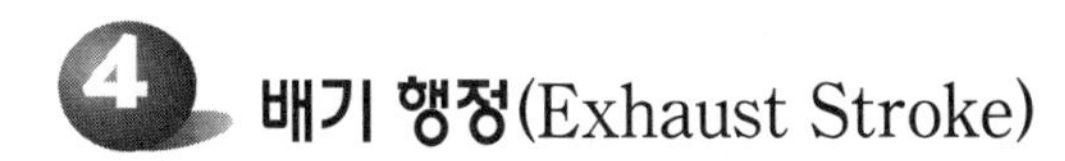

## 배기 행정(Exhaust Stroke)

폭발행정에서 피스톤이 하사점에 도달하기 조금 전에 배기밸브가 열리고 피스톤이 상승운동을 하면 상당량의 압력과 온도를 이용할 수는 없지만, 신속한 다음 사이클을 위해 배기구멍과 배기 다기관을 통해 대기중에 배출시킨다.

## 점화 시기

피스톤이 상사점일 때 화염이 연소실의 약 ½까지 진행하고 있도록 점화시기를 정하면 최고 압력은 상사점 후 12~20°에 발생한다.

점화시기가 너무 빠르면 혼합기의 압력이 아직 충분히 올라가 있지 않으므로 착화 지연이 길어지고, 반대로 너무 늦으면 혼합기의 분산이 줄기 때문에 화염이 타 퍼지는 속도가 둔해진다

너무 빠른 점화에서는 압축작업이 늘어나며 공연히 연소가스의 실린더 내 체류시간이 늘기 때문에 열손실이 증가한다. 즉, 최고압력이 높아지므로 운전소음도 커지며, 연소가스의 최고 온도가 높아지므로 NOx의 발생도 늘어난다. 너무 늦은 점화에서는 완만한 연소가 팽창행정에서 일어나기 때문에 후연이 늘어 배기온도가 올라간다.

점화시기는 노킹에도 관계가 있다. 노킹은 따락따락하는 소리 높은 연소음이 감지되고, 연소실내의 말단가스(End Gas)가 정상 전파되는 화염에 밀려 압축되어 착화하는 이상 연소이다. 일반적인 기관은 노킹이 근소하게 일어나는 것이 출력이나 효율을 향상 시킨다. 그러나 그 정도가 지나치면 여러 가지 장해가 일어난다. 심한 노킹이 일어나면 말단가스가 순간적으로 연소하기 때문에 압력과 온도가 급상승하므로 고주파의 압력파가 나와서 연소실 벽의 소염층(방열막의 역할)을 없애고 방열량을 늘린다. 또 각부의 온도도 상승하며, 피스톤에 충격을 주고, 피스톤 링 및 베어링의 파손, 밸브의 소손 등이 발생하며 출력도 저하한다.

정상연소의 화염전파속도는 수십 m/s이지만 노킹시의 속도는 1,000 ~ 2,000m/s에 달한다. 그 때문에 3kHz이상의 고주파의 압력파가 발생한다. 말단가스가 고압축 되었을 때 연소실 내에 발열된 점(특히 가열된 부분)이 있으면 그 부분에 접하는 말단가스가 표면착화해서 노킹이 촉진되게 된다. 점화시기가 너무 진각되면 상사점 부근에서의 압력상승이 늘어 말단가스의 압축압력이 상승하여 노킹이 촉진된다. 따라서 이 순간의 점화시기를 늦추는 것이 노킹방지에 가장 효과적인 수단이다

## 03 가솔린기관의 연소

휘발유의 연소속도는 대기압에서 2~3m/sec, 실린더 안에서 정상연소를 하면 15~25m/sec이고, 이상연소(충격파 발생)시의 연소속도는 300~2,000m/sec이다.

점화 플러그로 혼합기를 점화시키면 화염이 형성되어 말단가스로 전파된다. 말단 가스는

점화불꽃에서 가장 먼 곳에 있는 혼합기를 말한다. 연료가 연소할 때 점화 플러그에서 화염이 형성되어 말단가스까지 점차적으로 연소하면 정상연소라 하고, 화염이 점화 플러그 이외에서 형성되거나, 말단가스의 자기발화에 의해서 형성되면 이상연소라 하며, 이상연소에는 조기점화와 노크가 있다.

## 정상연소

가솔린 기관은 혼합기를 실린더 내에 흡입, 압축하며, 피스톤이 상사점 전 5 ~ 30°에 왔을 때 점화 플러그로 점화시키는 기관이다.

점화 플러그에서 불꽃이 발생하면 방전이 행해진 점화 플러그의 전극 가까이에는 연소의 기초가 되고 고온에서 화학반응을 일으키기 쉬운 화염핵이 생성된다.

점화 후 어느 정도 시간이 경과한 후에 화염이 나타나는 것을 연료의 점화지연이라 하며, 점화지연은 연료의 종류에 따라 다르다. 점화지연 기간이 끝나면 혼합기에는 화염이 나타나고 화염면이 형성된다. 화염면은 기연가스와 미연가스의 경계층에서 형성되어 불꽃이 존재하는 곳이다. 화염면 끝의 속도, 즉 화염의 전파속도를 화염속도(Flame Speed, Flame Velocity)라 하며, 기관에 있어서 정상연소는 수 10m/s 정도이다.

그림5.3은 불꽃 점화기관의 화염이 전파될 때 각부의 명칭을 표시한 것이다.

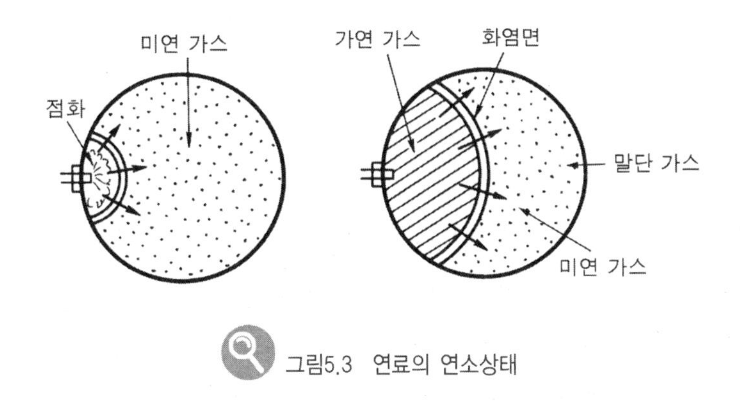


그림5.3 연료의 연소상태

실린더 내에서의 화염점파 속도는 기관의 회전수, 연료의 종류, 혼합비 등에 따라 다르다. 기관 회전수가 빠르면 실린더 내에 들어오는 혼합기가 빠르게 유입되고 와류현상이 일어나므로 화염전파 속도가 빨라진다. 또한 혼합비가 농후하거나 희박하면 화염전파 속도가 느려지고, 혼합비 12.5 ($\lambda$ = 0.89)에서 기관은 최대출력이 발생하며 화염전파 속도가 가장 빠르게 된다. 최대 출력을 낼 때의 혼합비가 12.5이고, 연료의 이론 혼합비가 15이므로 연료는 불완전 연소되면서 기관은 최대 출력이 나온다. 기관에서 최대출력이 나오면 폭발압력이 커지므로 말단가스가 압축되어 자기발화를 일으키기 때문에 노크가 발생한다.

화염이 말단가스로 진행되는 동안 화염면에서 열이 전달되므로 가스의 온도는 더욱 높아지게 된다. 미연소 가스의 온도가 높아져서 연료의 착화점 이상으로 상승하면, 미연소 가스가 스스로 착화되므로 실린더 내의 연료는 순간적으로 연소하게 되어 실린더 내의 압력은 급격히 상승한다. 그림 5.4는 연소말기의 실린더 내의 온도분포를 표시한 것이다.

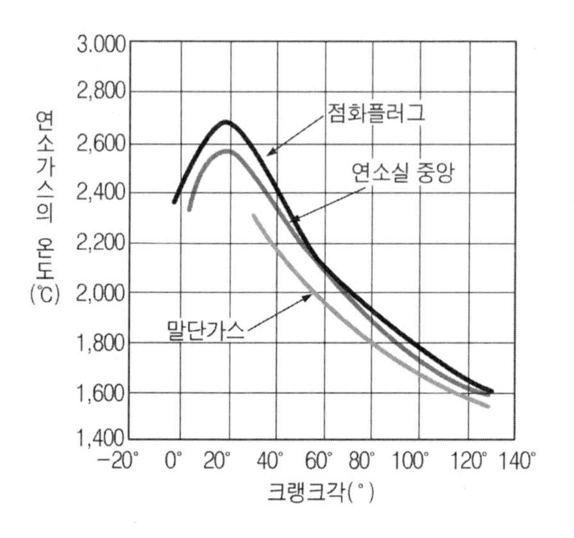


그림5.4 연소실 내의 온도분포

그림 5.4에 의하면 점화 플러그 쪽의 온도가 가장 높으며 모든 부분의 온도는 피스톤이 하사점으로 이동할 때 실린더 내의 압력이 떨어지므로 온도가 낮아진다. 불꽃 점화 기관에서는 화염면에 의해서 말단가스까지 점화되면 정상연소라 하고, 혼합기가 점화 플러그 이외의 과열점에 의해서 점화되거나 말단가스가 스스로 착화되면 이상연소라고 한다.

가솔린 기관의 연소는 본질적으로 난류 연소이며 혼합기의 조성, 온도, 압력과 함께 유동 및 난류가 연소에 큰 영향을 주고, 또 혼합비, 회전속도, 점화 시기, 잔류 가스의 양 및 재순환 배기량 등이 넓은 범위에 걸쳐 변화하며, 이것이 위의 요인에 작용하여 연소 현상은 복잡하게 된다.

## 연소 온도

연소에 의해서 발생된 열량은 연소 생성물의 온도 상승, 연소 중 외부에 대하여 하는 일, 외부로의 열방산 등으로 소비된다.

실제의 연소에 의하여 달성되는 최고 온도는 그때의 연소 상태, 벽면으로부터의 열손실 및 연소 생성물의 열분해 등으로 약간 낮아진다. 1,400℃ 이상의 고온에서는 연소 생성물이 열분해 되고 이 열분해를 흡수하기 때문에 연소 온도가 낮아지는 것이다.

## 열분해

연소 반응은 산화되는 것이 아니라 연소 가스의 온도가 1,500~1,700℃ 이상으로 되면 결합되어 있는 $CO_2$의 일부가 다시 CO 와 $O_2$의 분자로 나누어지거나 $H_2O$의 일부가 $H_2$ 와 $O_2$의 분자로 나뉘거나 하는 것이다.

이와 같이 보통의 연소와 달리 진행되는 반응을 열분해라 하며 다음과 같은 이유에서 발생한다.

가스는 고온으로 됨에 따라 기체 분자의 병진, 회전 운동 및 분자를 구성하는 원자간의 진동이 격심해지고 회전 운동에 따라 원심력, 진동에 의한 관성력 및 분자끼리의 충돌에 의한 충격력 등으로 기체 분자는 원자에까지 분해되는 현상이 생긴다. 이것을 해리라고 하며, 이들 분해 된 원자는 충돌에 의하여 다시 처음의 분자로 결합하는 것도 있으나 그때의 온도에 상당하는 어느 정도는 언제나 분해된 상태로 있게 된다.

분해 된 분자는 온도가 저하됨에 따라 다시 산화되어서 열을 발생하게 되나 이때의 발열은 대부분의 경우 팽창 행정의 말기에서 생기므로 일에 대한 기여도가 적으며 제동 열효율이 떨어진다. 열분해가 일어나면 그 정도에 따라서 연소의 최고 온도는 이론값보다 그만큼 낮아진다.

그림5.5에서 일점쇄선은 열해리로 고려한 경우이며 최고점은 이론 혼합비보다 농후한 쪽으로 이동되어 있다.

디젤 기관에서는 공기비 (공기 과잉률) $\lambda$ 가 경제 출력일 때에는 1.4~2.4, 최대 출력에서는 1.2~1.8로 되어 있어서 열분해의 영향은 적은 것으로 보아도 좋다. 실린더 내에서는 NOx의 발생이 있어서 연소 온도는 더욱 저하되어 점선과 같이 된다.

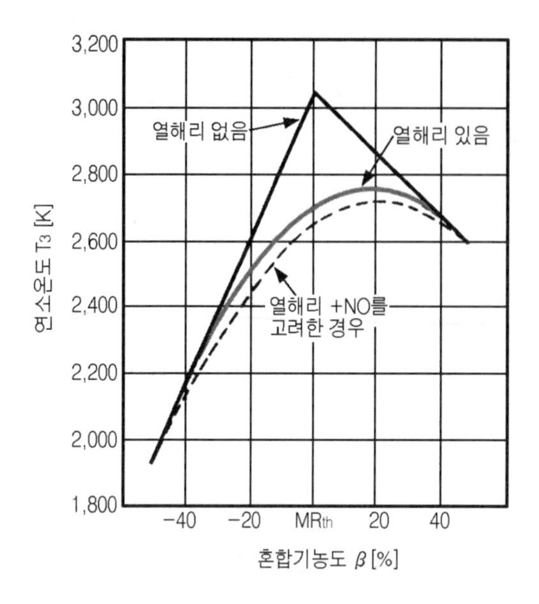


$\beta$=혼합기농도(연료비, 당량비)= $\frac{1}{\lambda}$

$\lambda$=공기과잉률(공기비)

$(MR)_{th}$=이론혼합비(이론공연비)

그림5.5 혼합기 농도와 연소 온도

## 연소속도

실험으로 관측되는 화염속도는 연소성을 직접 나타내는 지표는 아니다. 예를 들면 정상적인 화염을 관찰하면, 화염면이 정지하고 있으므로, 화염속도는 0이다. 그러나 연소는 계속적으로 활발하게 이루어지고 있으므로, 화염속도는 연소성을 나타내는 지표로 될 수 없다.

연소성을 직접 나타내는 지표는 연소속도(Burning Velocity)라 불린다. 연소속도는 미연가스에 대한 화염면의 상대속도로서 정의된다. 연소실내의 열 발생량은 연소속도와 대응하고, 화염속도와는 비례하지 않는다.

연소속도를 $S_b$, 화염속도를 $S_f$, 미연 혼합기의 밀도를 $\rho_u$, 연소가스의 밀도를 $\rho_b$라고 하면, 이들 사이에는 다음의 관계식이 성립된다.

$$S_b = (\rho_b / \rho_u) S_f \qquad (5.1)$$

여기서, 미연가스와 기연가스의 밀도비 $\rho_b/\rho_u$의 값은 1/6~1/8정도이며, 연소속도는 압력의 전파속도에 비하면 훨씬 작고, 연소실내의 압력은 연소가 행해지고 있는 사이, 공간적으로는 동일하다고 생각해도 된다. 정상적인 화염전파에 의한 연소에서는 소음은 거의 발생하지 않으며 연소속도를 지배하는 큰 인자는 혼합비, 혼합기 온도와 가스유동이다.

## 이상연소

자동차를 급출발하거나, 급한 경사를 오를 때, 즉 가동 중 부하가 많이 작용하면 기관에서 따락따락하는 음이 들릴 때가 있다. 이것은 노크(불꽃노크 : Spark Knock)라 불리는 이상연소 현상으로 정상연소에 비해서 연소압력이 급격히 상승하고 최고 연소압력도 높아지며 고주파의 진동이 나타난다. 노크의 압력진동 주파수는 수천 헬스이며 금속음처럼 들린다.

그림 5.6은 정상연소 및 이상연소의 전형적인 압력선도를 보여주고 있다.

노크의 발생은 혼합기가 자기 착화 할 때까지의 착화지연(Ignition Delay)이 큰 원인이다. 착화지연은 기본적으로는 연료의 성질이며, 혼합비나 혼합기의 온도도 영향이 된다. 노크의 발생 메커니즘은 연소가 시작되고 화염이 퍼지면 연소에 의해 압력이 상승한다. 연소실내의 압력은 동일하므로, 미연혼합기의 압력도 상승한다. 연소의 후반에서는 압축된 미연혼합기의 온도상승이 크게 되어, 그림 5.7에서 보인 것 같은 조건에 의해서는 화염전파와는 별도로 압축된 미연혼합기(말단가스)가 자기착화 하는 수가 있다. 자기착화한 주변의 예혼합기는 대단히 연소하기 쉬운 상태에 있으므로 남겨진 혼합기는 단시간에 급격히 연소해서 강한 압력진동이 발생한다. 강한 노크는 큰 압력진동으로 소음의 발생이나 열손실이 증가하여 출력저하 등 많은 문제가 발생한다.

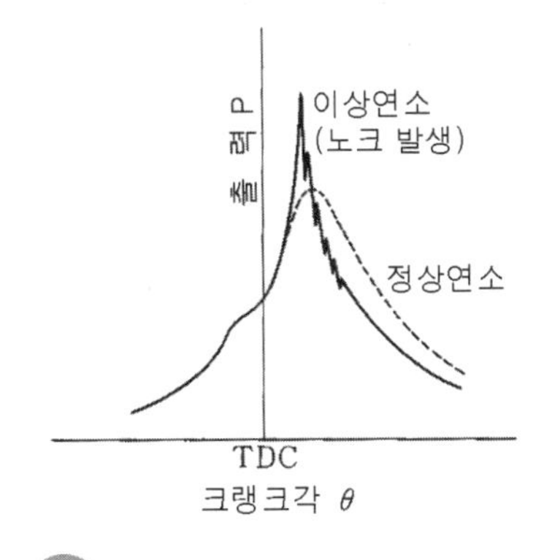


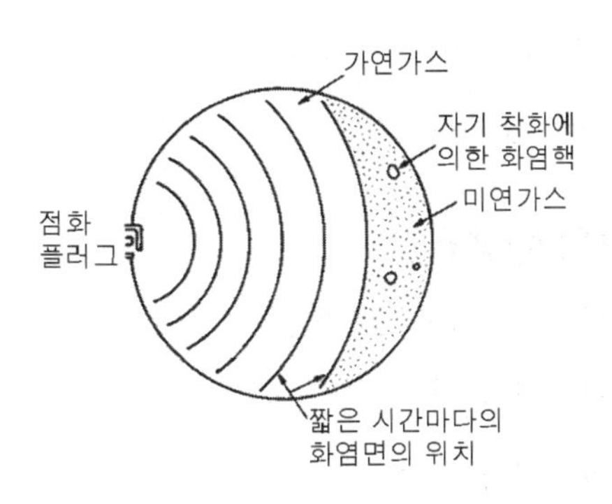


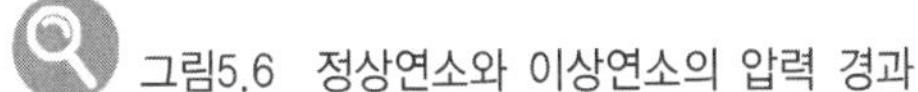
그림5.6 정상연소와 이상연소의 압력 경과

그림5.7 노크 발생 메커니즘의 형상

노크에 의해 실린더 벽에 고온의 열면이 생겨, 불꽃점화 이전의 열면에 의해 연소가 시작되는 조기점화를 유발하는 경우도 있다.

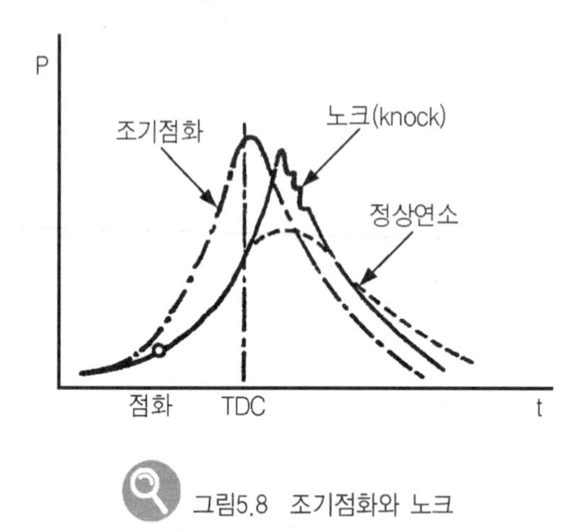


그림5.8 조기점화와 노크

이상연소는 급격한 압력파의 누적에 의해 충격적인 연소로 출력장애를 일으키는 연소형태로 다음과 같은 것이 있다.

① Detonation Wave : 실린더 내의 미연소 가스가 자연발화 온도를 넘어 발화를 일으켜 충격적인 노크를 일으키는 현상.

② Knock : 충격파가 실린더 속을 왕복하면서 격심한 진동을 일으키고, 실린더와 공진하여 금속을 타격하는 소리를 내는 현상

③ Pre-Ignition : 점화시기 도달 전 점화 플러그, 배기밸브, 과열 표면, 카본 퇴적 등에 의하여 점화되는 현상

④ Post-Ignition : 점화시기를 지나서 점화하는 현상

### (1) 노크의 발생원인

① 기관이 과열되었을 때

② 기관의 무리한 부하가 걸렸을 때

③ 점화시기가 빠를 때

④ 제동 평균 유효 압력이 높을 때

⑤ 흡기의 온도와 압력이 높을 때

⑥ 연소실에 적열의(열원) 원인이 있을 때

⑦ 기관의 회전속도가 낮아 화염 전파 속도가 느릴 때

⑧ 혼합비가 농후한(약 12.5)때

⑨ 연소실에서의 화염전파 거리가 멀게 생겼을 때

### (2) 노크의 피해

① 연소실의 온도 상승과 배기온도가 강하된다.

② 최고 압력의 상승과 평균 유효 압력이 감소된다.

③ 금속성의 타음을 발생하며 기관 각부의 응력이 증가한다.

④ 배기의 색이 변색된다(갈색, 흑색).

⑤ 프리 이그니션 발생으로 (−)일이 발생된다.

## 공연비, 회전속도와 연소속도

혼합기의 연소는 그 조성인 혼합비에 의해 크게 영향을 받으며, 혼합기의 연소성은 연소속도 또는 열 발생률에 의해 평가된다. 그림 5.9는 공연비에 의해 연소성이 변화하는 실험결과를 보여준 것이다. 이 그림은 기관실험에 있어서, 혼합기가 연소하는 비율(질량연소비율)을 측정하고 일정 연소 비율이 되는 시각, 즉 기관의 크랭크 각도를 조사한 결과이다. 스로틀 밸브의 개도, 점화시기, 회전수를 일정으로 하고, 공연비만을 변화시켜 질량 연소비율이 10% 및 90%가 되는 크랭크 각도를 보여준 것이다.

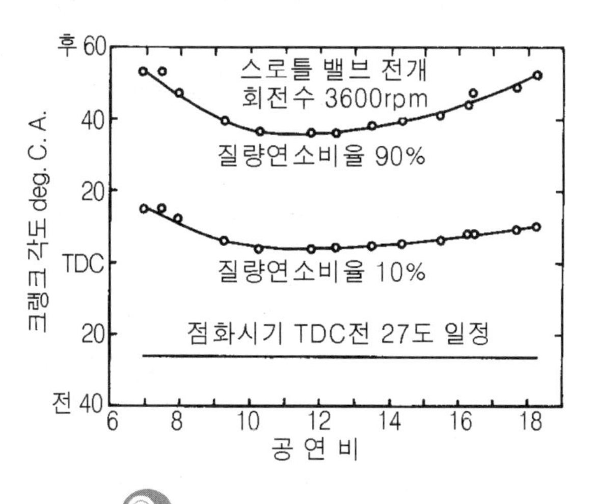


그림5.9 공연비에 의한 연소성

기관의 운전조건으로 최대출력이 얻어지는 공연비는 실험적으로 11~13인 것이 알려지고 있으나, 이것보다 연료가 농후한 공연비 7.0이나, 연료가 희박한 18.0에서의 연소비율이 90%가 되는 시기는, 최대출력이 얻어지는 공연비(11~13)의 경우보다 크랭크 각도에서 16~17° 늦어지고 있다. 그러므로 과농이나 희박역의 운전에서는 적정한 출력을 얻기 위해 점화시기를 앞당기지 않으면 안 된다.

그림 5.10은 연소성에 대한 회전수의 영향을 나타낸 것이며, 스로틀 밸브 개도, 공연비를 일정하게 하고 회전수만을 변화시켰을 때의 질량연소 비율이 10%가 된 점과, 90%가 된 점을 크랭크 각도로 나타내고 있다.

회전속도가 3600rpm의 경우의 질량연소 비율을 2000rpm의 경우와 비해보면, 질량연소 비율이 10%의 점에서 크랭크 각 4°, 90%점에서는 똑같이 6°늦어있다. 연소비율 10%에서 90%까지의 연소기간은 연소속도가 회전속도에 의하지 않고 동일하다고 하면, 3600rpm의 경우엔 20°이상 지연되지만, 실제로는 위에서 보여준 것같이 2°밖에 지연되지 않았다. 이것은 회전수의 증가에 따라 흡입 스월에 의한 혼합기의 와류가 크게 되어, 연소속도가 증가하기 때문이다. 연소의 초기인 질량연소 비율 10%점의 지연이 큰 것은, 화염핵이 성장해서 화염전파를 시작할 때까지의 시간이 거의 일정하기 때문이다.

이상의 실험결과에서 혼합비와 가스유동이 연소에 대한 영향을 크게 미치는 것을 알 수 있다.

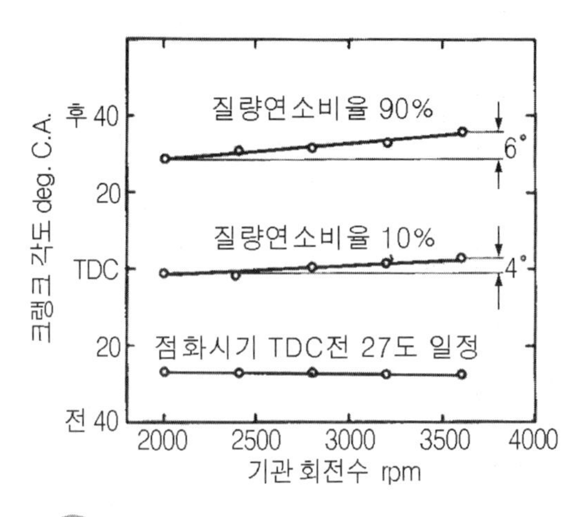


그림5.10 연소성에 미치는 회전수의 영향

## 소염층

연소실 내에서 화염의 전파가 진행되면 화염이 실린더 벽에 도달하는데 여기서 화염은 벽면에 의하여 냉각되기 때문에 벽면에서 어느 거리까지 근접하면 벽면의 냉각작용에 의해서 화염은 꺼져 버린다. 이 층의 두께는 약 0.8mm이며 혼합기가 짙거나 엷어도 두꺼워진다. 또한 압력이 높거나. 실린더내의 가스유동이 활발할수록 엷어진다. 이 소염층은 피스톤의 왕복 운동이 있는 간헐 연소기관에서만 있는 특별 현상이며, 고온의 연소가스가 연속적으로 쓰이는 가스터빈 등의 기관에는 존재하지 않는다.

연소과정에서 화염전파 후 연소실 벽에 생긴 소염층 중 배기밸브에 가까운 곳은 배기행정의 초기에 파괴되어 배기가스와 함께 배출된다. 또한 배기행정이 끝날 무렵에는 피스톤이 실린더 벽의 소염층을 밀어 올려서 배기에 HC를 공급하므로 대단히 짙은 HC가 배출된다.

# 04 혼합기의 형성

가솔린기관의 연료공급은 대개의 경우 흡기관 부분에 행해지며, 여기서 연료와 공기를 혼합해서 실린더로 흡입시킨다. 연료의 공급방식은 기화기(Carburetor)방식과 연료분사(Fuel Injection)방식으로 대별된다.

## 기화기

기화기의 기본구조를 그림 5.11에 나타냈다. 기화기의 목적은 공기의 유량에 비례해서 연료를 공급하는 것과, 연료를 무화 증발시켜서 공기와의 혼합을 촉진시키는 것이다. 이를 위해 연료유량이 기관의 흡입 공기량에 비례하도록, 공기의 유로를 일부 좁힌 벤츄리를 설치하여 이곳에 의해 생긴 부압을 이용해서 연료를 흡출해서 무화시켜 연료의 기화를 촉진시킨다.

공기유량과 연료유량과의 비율을 일정하게 하기 위해서는 연료의 기준압력(액면)을 일정하게 할 필요가 있으므로 연료의 액면을 뜨개(플로트)로 검출하기 위해 일정량의 연료를 모아두는 플로트실이 설치되어 있다.

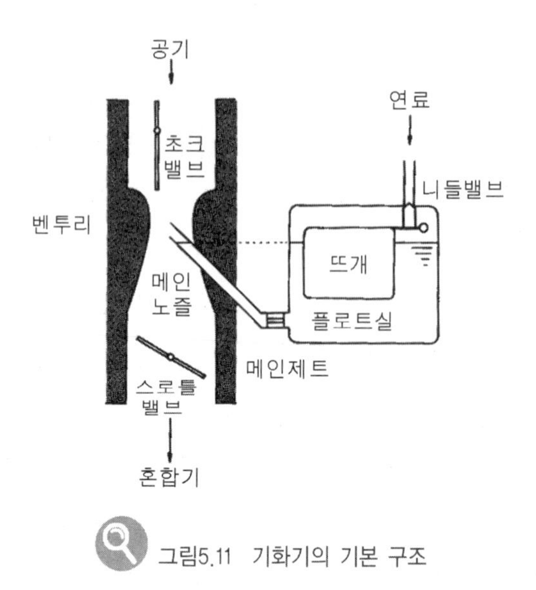


그림5.11 기화기의 기본 구조

기관의 출력을 제어하기 위한 혼합기의 량은 스로틀 밸브(Throttle Valve)에 의해 제어된다. 또 시동시나 냉간시에는 연료의 기화가 나쁘기 때문에 일시적으로 연료의 비율을 증가시켜 실질의 공연비를 적정하게 유지하기 위한 초크밸브가 설치되어 있다.

여기서 기화기에 있어서 공기유량과 연료유량의 관계를 구해본다.

공기유동에 의한 벤츄리부의 압력강하를 $\Delta P_a$, 공기의 유속과 밀도를 $v_a, \rho_a$로 하면 베르누이의 정리에 의해

$$\Delta P_a = \frac{1}{2} \rho_a v_a^{\ 2} \quad \cdots\cdots (5.2)$$

의 관계가 있으므로 유속은,

$$v_a = \sqrt{\frac{2}{\rho_a} \Delta P_a} \quad \cdots\cdots (5.3)$$

벤츄리의 유로 단면적을 $A_a$, 유량계수를 $C_a$로 하면, 공기유량 $G_a$는 다음식과 같이 된다.

$$G_a = C_a A_a \rho_a \sqrt{\frac{2}{\rho_a} \Delta P_a} = C_a A_a \sqrt{2 P_a \Delta P_a} \quad \cdots\cdots (5.4)$$

한편, 연료에 대해서는 노즐출구와 플로트실의 연료액면(대기압)과의 위치 차이를 h, 연료의 밀도를 $\rho_f$로 하면, 연료에 작용하는 차압은 벤츄리부에서 발생한 압력에서 압력 $\rho_f \cdot h$만큼만 작아진다. 이것을 $\Delta P_f$라 하면, 공기의 경우와 똑같이 연료유량 $G_f$는

$$G_f = C_f A_f \sqrt{2\rho_f(\Delta P_a - \Delta P_f} \quad \cdots\cdots (5.5)$$

가 된다. 여기서 $C_f$, $A_f$는 연료 노즐의 유량계수와 단면적이다. 따라서 공연비 A/F는 다음 식으로 주어진다.

$$\frac{A}{F} = \frac{C_a A_a \sqrt{2P_a \Delta P_a}}{C_f A_f \sqrt{2\rho_f(\Delta P_a - \Delta P_f)}} \quad \cdots\cdots (5.6)$$

일반적으로 흐름에 의한 벤츄리부의 압력강화는 연료액면과 노즐위치와의 차압에 비해서 충분히 크므로, $\Delta P_a \gg \Delta P_f$가 되고,

$$\frac{A}{F} = \frac{C_a A_a \sqrt{\rho_a}}{C_f A_f \sqrt{\rho_f}} \quad \cdots\cdots (5.7)$$

여기서, $C_a$, $C_f$, $A_a$, $A_f$, $\rho_a$, $\rho_f$는 각각 거의 일정하기 때문에 공연비 A/F도 거의 일정하게 된다. 실제의 기화기에서는 기관의 운전조건에 대해서 복잡한 제어가 요구되기 때문에 많은 보조기구가 사용된다. 예를 들면, 연료의 무화를 촉진하기 위해서 연료계통에 공기를 흡입하는 에어블리드 장치가 있으며, 또, 가속하는 경우에 연료의 응답지연을 보충하기 위해서 미량의 연료를 강제적으로 밀어내는 가속펌프가 설치된다.

그리고 저속에서 고속까지 기화에 있어서 유동저항을 지나치게 증가시키지 않게 하기 위해 저속용과 고속용의  두 개의 기화기를 일체화하여 저속시에는 저속용 기화기만을, 고속시에는 저속용과 고속용의 두개를 사용할 수 있도록 한 듀얼포트식의 기화기가 일반적으로 이용된다.

현재에는 소형 가솔린 기관이나 범용 가솔린 기관에만 기화기가  이용되고 있다.

## 연료분사

전자기술과 전자부품의 신뢰성 향상으로 기관에도 많은 전자기기가 이용하게 되어 전자제어에 의한 연료분사도 가능해졌다.

연료 분사장치는 그림 5.12에서 보는 바와 같은 시스템으로 되어 있다.

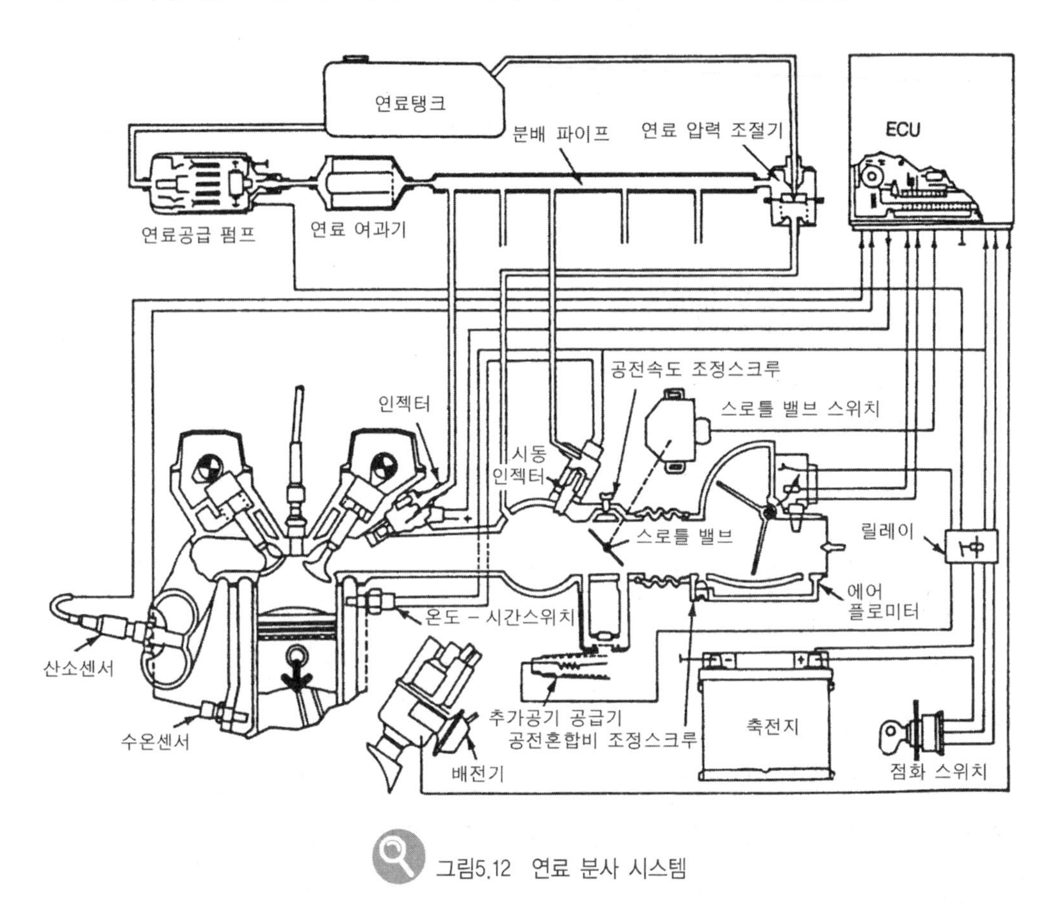


그림5.12 연료 분사 시스템

연료탱크에서 나온 연료는 그림 5.13에서 보는 것과 같이 연료펌프에서 수 기압으로 가압되어, 그림 5.14에서 보이듯이, 흡기관에 설치된 분사밸브(Injector)로 공급된다. 이 분사밸브는 전자적으로 개폐되며, 연료가 흡기관으로 분사된다.

자동차에 이용되고 있는 연료분사장치의 연료 분사량은 주로 흡입 공기유로에 있는 공기유량 센서의 검출신호에 의해 제어된다.

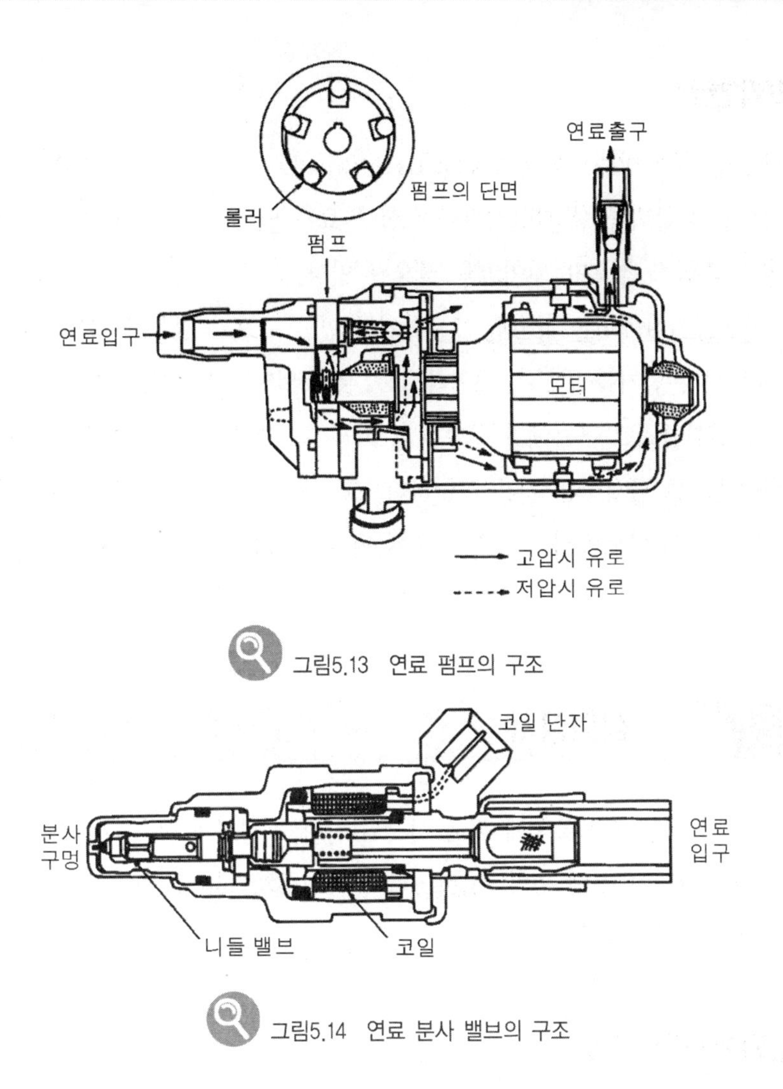


그림5.13 연료 펌프의 구조



그림5.14 연료 분사 밸브의 구조

공기유량 이외에도, 대기압력, 대기온도, 기관온도, 회전수, 점화시기, 부하 등이 제어계(ECU)에 입력된다. 연료 분사량의 제어방식에는 인젝터의 열림시간을 공기유량 등에 의해서 변화시키는 방식과, 단위 시간당의 분사회수를 변경하는 방식이 있으나, 전자의 편이 많이 이용되고 있다.

연료분사 밸브는 연소실의 흡기관에 설치되므로 연소실마다 혼합기 농도의 차이가 작고, 혼합비가 일정하게 되며, 부하조건의 변화에도 신속히 응답되기 때문에 기화기 방식보다 우수하다.

##  희박연소

열효율 향상을 위한 방법으로 희박연소(Lean Combustion)가 사용되고 있다. 희박연소의 효과를 높이려면 혼합비를 상당히 희박하게 할 필요가 있으나, 연소시작 부분에서는 착화가 가능한 적절한 혼합기 농도가 되어있을 필요가 있다.

즉, 일반 가솔린기관에서는 균일한 예혼합기를 만들 필요가 있으나, 희박연소에서는 연소실 내에 불균일한 혼합기를 만드는 것이다. 또, 운전조건이 바뀌어도 적절한 점화시기에 특정의 장소, 즉 점화플러그 부근에만 적절한 농도의 혼합기를 만들 필요가 있으며, 모든 운전조건에서 희박연소를 달성하는 것은 곤란하다. 그 하나의 방법으로서 연소실내로의 연료분사를 하는 것이다. 이 방법에서는 연소실 내에 연료를 직접분사 하기 때문에, 분사압력이 높을 필요가 있다.

# 05 점화장치

가솔린기관의 연소는 전기불꽃에 의해 시작된다. 불꽃점화의 목적은 혼합기를 적절한 시기에 확실히 점화시키는 것에 있다. 점화능력이나 점화시기는 출력이나 연비, 노크나 배기 유해성분의 억제 등에 관련된다.

##  점화장치의 구성

점화장치(ignition system)는 적절한 크랭크각도에서 연소실내의 혼합기를 점화시키는 장치로, 전형적인 구성 예를 그림 5.15에서 나타내었다.

점화장치는 고전압을 발생시키는 점화코일(고전압 발생), 단속기(1차 전류차단), 점화시기 제어부, 배전부(배전기, 고압 케이블) 및 점화 플러그로 되어 있다. 전원으로는 배터리를 이용하는 것이 일반적이지만 항공기용, 소형 오토바이용 등에는 마그네트로 불리는 자석식 교류발전기가 사용되고 있다.

① 점화코일(Ignition Coil)은 상호유도작용의 원리를 이용한 것이며, 철심위에 2차코일을 수 만회 감고, 그 위에 1차 코일을 수 백회 감은 것이다. 1차 코일의 전류를 차단

하면 2차 코일의 양단에 1차 코일과 2차 코일의 권선비에 비례한 고전압(3만 볼트 이상)이 발생한다. 이 고전압을 점화 플러그로 보내어, 점화플러그의 간극으로 불꽃을 방전시킨다.

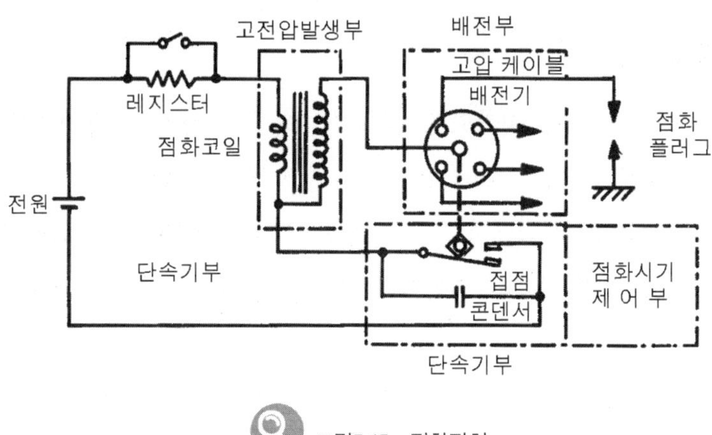


그림5.15 점화장치

② 단속부는 기계식 단속기 대신에 트랜지스터 스위칭에 의해 1차 회로의 차단을 행하는 방식의 트랜지스터 점화장치(Transister Ignition System)가 사용되고 있다.

③ 배전기는 2차 코일에서 발생한 고전압의 전기에너지를 점화순서에 따라 각 기통의 점화플러그에 배전하는 장치이다.

④ 그림 5.16은 점화플러그(Spark Plug)의 구조이다. 세라믹에 의해 절연된 중심전극과 접지전극의 사이에서 불꽃을 방전하여 혼합기를 점화시킨다. 운전중에 중심전극의 온도가 800℃를 넘으면 조기점화를 유발하기 쉬우며, 반대로 400℃ 이하가 되면 전극주변에 카본이 부착해서 잘 타지 않아 기관이 부조하게 된다. 이 때문에 어떤 기관이라도 중심전극이 일정한 온도 범위 내로 들어가도록 하는 중심전극의 냉각방법이 다른 종류의 점

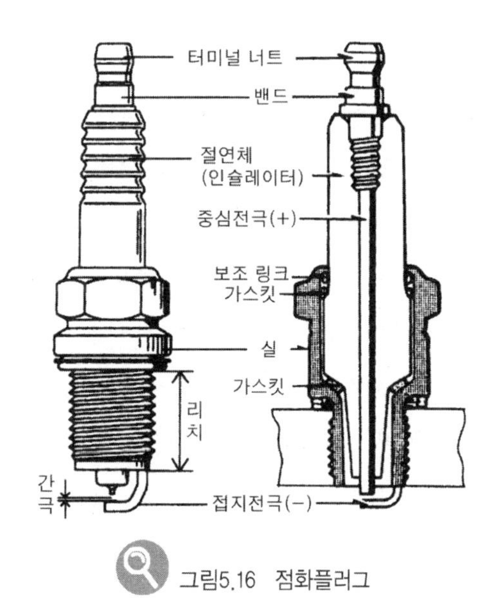


그림5.16 점화플러그

화플러그(열가)가 준비되고 있다.

불꽃간극은 전극의 소염작용을 없애기 위해서는 1.5~2mm 정도가 적당하지만, 2차 전압과의 관계에서 보통 1.0mm정도로 설정된다.

## 2 점화불꽃

복합불꽃(Composite Spark)이라고도 불리며, 최초의 방전은 용량불꽃(Capacitance spark)으로 시작해서 유도불꽃(Inductance Spark)의 방전이 행해진다.

용량불꽃은 2차 코일이나 하이텐션 코드, 점화플러그로 구성되는 2차 회로에 저장된 정전에너지가, 점화플러그 방전 간극의 혼합기의 절연을 파괴하는 형태로 행해지는 방전이며, 방전시간은 극히 짧다.

유도불꽃은 2차 코일에 저장된 전자에너지가 용량불꽃이 만든 방전경로를 통해 방전하는 것이다. 혼합기로의 점화능력은 용량불꽃이 크지만, 점화는 오직 용량방전으로 행해지고, 그 후의 유도불꽃 성분은 발생한 화염 핵을 보온해서, 화염 핵의 성장을 돕는 데에 유용하게 하고 있다.

### (1) 점화시기의 조정

혼합기의 연소속도는 혼합기의 조성(공연비, 잔류가스 농도), 온도, 압력, 가스유동의 상태(와류의 강도)에 의해 달라진다. 스로틀 밸브의 개도를 바꾸면 혼합기의 공연비, 잔류가스 농도, 혼합기 압력, 온도 등이 변화한다. 또, 기관의 회전수를 바꾸면 혼합기의 가스 유동상태가 크게 변화한다. 따라서 기관의 여러 가지 운전조건에서 최대출력이 얻어지는 적절한 연소를 행할 수 있도록 연소의 시작시기(점화시기)를 조정할 필요가 있다.

점화시기의 조정은 기본적으로는 회전수와 부하, 공연비에 대해서 행해지지만, 노크나 유해한 배기 성분의 억제도 고려된다. 제어의 방법에는 기계식과 전자제어식이 있다. 적정한 점화시기에 비해서 점화시기가 빨라지는 경우엔, 언뜻 보아 압력상승이 크고 출력이 커진 것 같이 생각되지만, 상사점전의 압력상승은 부(−)의 일이며, p-v선도를 그려보면 알 수 있듯이, 일로서는 증가하지 않는다. 또 점화시기가 너무 늦어지면, 연소가 팽창행정 후반까지 계속하며, 연소가스가 충분한 일을 하지 않았는데 배기밸브에서 배출되어 출력도, 열효율도 저하한다.

### (2) 점화에너지와 소염

연소는 점화불꽃에 의한 고온의 화염핵 형성에서 시작된다. 화염핵의 형성을 위해서는 어느 일정이상의 점화에너지가 필요하게 되며, 이것을 최소 점화에너지라 한다. 점화에 필요한 요소는 열 에너지적인 것과, 활성이 높은 화학층을 생성시키는 화학적인 것이 있으며, 어느 쪽도 점화에는 중요한 인자이다.

연소의 시작에 영향을 주는 인자는 주로 점화에너지와 혼합비이다. 혼합비는 연소가 일어날 수 있는 한계가 있으며 연료농도가 너무 농후해도, 희박해도 연소가 되지 않는다. 이론 혼합비 부근, 내지는, 약간 진한 혼합비에서 가장 연소가 잘 일어난다.

연소를 시작할 수 있는 가장 작은 점화 에너지를 최소 점화에너지라 하며, 탄화 수소계의 연료에서는 큰 차이가 없고, 0.2~0.3mJ 정도이다. 점화 플러그에서 불꽃을 튀게 하는 방전 간극을 좁게 해가면, 큰 점화 에너지를 주어도 연소가 개시하지 않게 되는 거리가 있다. 이것을 소염거리라 하며, 이 현상을 소염이라 부른다. 소염거리는 연료의 종류와 혼합비등에 의해 결정된다. 여기에서의 소염은 불꽃의 열에너지를 점화전극에 빼앗겨, 혼합기에 충분히 전해지지 않기 때문에 화염핵이 형성되지 않는 것이다. 이와 같이, 연소의 개시에는 화염핵의 형성이 중요하다.

## 06 노크의 대책

### 1 기관에 있어서의 대책

노크는 압축비를 높이면 발생하는 것과 연소속도가 늦으면 발생하기 쉬운 것 등을 고려해서 연소실의 형상·설계나 운전조건을 변경하는 등, 여러 가지 대책을 들 수 있다. 연소실에 관한 노크대책으로서는, 연소후반의 미연가스(엔드가스)의 온도가 자발화 온도 이상이 되지 않도록 냉각할 것, 자발화가 일어나지 않도록 연소를 빨리 완결시키는 연소실 형상으로 하는 것 등이 고려된다.

① 미연가스를 냉각하기 위해서는 냉각에 의해 기관온도를 내릴 것, 표면적/체적 비(s/v)를 크게 해서 열 이동량을 증가시켜, 미연가스의 온도를 내리는 등의 방법이 있다.

② 연소를 빨리 마치기 위해서는 흡기의 유동 등을 이용해서 연소속도를 높이고, 상대적인 화염전파 거리를 짧게 하기 위해서 점화플러그의 위치를 연소실 중심으로 배치하는 등의 방법이 있다.

③ 혼합비에 대해서는 최대출력을 주는 혼합비가 가장 노크를 일으키기 쉬우므로, 그와 같은 혼합비를 피해서 운전하는 것이나, 연소 최고압력을 내리기 위해서 점화시기를 늦추는 등의 대책을 행한다.

④ 연소실의 형상에 의해서도 노크의 발생확률은 변화한다. 연소실 형상의 내노크성을 나타내는 지표가 옥탄가이며, 이 숫자는 작을수록 그만큼 연소실 형상의 내노크성이 높은 것으로 한다. 실험에 의하면 그림 5.17에서 보이듯이, 압축비 9의 기관에 있어서, 편평한 원통형 연소실에서는 노크를 일으키지 않는 연료의 옥탄가가 95이며, 그 때의 도시평균 유효압이 0.84MPa 이었으나, 점화플러그 가까이에 연소실을 콤팩트로 집중시키면 옥탄가가 73이라도 노크는 일어나지 않으며 평균 유효압은 약 10% 올라간다.

그림5.17 연소실형상과 메커니컬 옥탄가

⑤ 노크 제어를 하지 않을 경우에는 최대토크를 발생시키는 점화시기 보다 훨씬 늦은 점화시기를 선택할 수밖에 없다. 그러면 기관의 발생 토크는 그만큼 낮아지게 된다. 그러므로 전자제어 기관에서는 노크 한계를 노크 센서로 검출하여 노크 한계 직전까지 점화시기를 최대로 진각시켜 기관의 출력을 증대시키고 그러면서도 기관의 손상을 방지할 수 있는데. 이러한 것을 MBT(Most effective spark advance for Best Torque)라고 한다.

##  연료에 의한 대책

연료로서의 노크대책에서 가장 중요한 것은 착화지연이 긴 연료를 사용하는 것이다. 여기에는 연료조성의 조합에 의한 방법과 첨가제를 이용하는 방법이 있다.

혼합기의 착화지연시간은 자연발화 온도에 달할 때까지의 온도·압력이나 혼합기 농도에 의해 변화하지만, 기본적으로는 연료고유의 특성식인 탄화수소연료의 착화지연은 직쇄 파라핀계에서는 짧고, 방향족에서는 길다.

첨가제로는 4에틸렌납(tetra etyle lead, $Pb(C_2H_5)_4$)이 이용되었으나, 배기가스를 정화하는 촉매 컨버터가 활성을 잃기 때문에 사용되지 않고, MTBE(Metyl-Tertiary-Butyl-Ether)가 제어제로서 일부 첨가되고 있다. 이들 첨가제는 어디까지나 자연발화에 대한 억제제이며 정상적인 화염전파에는 조금도 영향을 미치지 않는다.

# 07 가솔린기관의 연소실 형상과 밸브배치

연소실은 연료가 가진 화학적 에너지를 열에너지로 변환시키는 장소이므로, 연소에 적합한 형상이어야 하며, 연소실에는 흡기밸브, 배기밸브가 붙어 있으므로, 연소실의 형상은 기관이 1사이클에 상응하는 에너지의 최대값을 결정하는 인자도 포함하고 있다. 또한 열효율을 지배하는 압축비도 연소실 형상으로 결정된다.

따라서 연소실 형상을 설계할 때에는, 열효율을 높이기 위한 정상연소의 촉진과 노크의 제어, 가스교환 효율의 향상, 그리고 유해배기가스, 특히 탄화수소의 배출억제를 고려하지 않으면 안 된다. 이렇게 설계시 이들 요구를 고려해야 할 항목이 대단히 많으나, 여러 수단은 서로 반대인 경우도 있다.

4사이클 기관의 연소실의 형상으로는 그림 5.18에서 보듯이 흡배기 밸브가 실린더헤드에 설치되어있는 OHV식에서는, (a) 쐐기형(Wedge Type), (b) 욕조형(Bathtub Type), (c), (d) 반구형(Hemisphere Type), (e) 지붕형(Pentroof Type) 등이 주로 이용되고 있다.

사이드 밸브(SV)식에서는 (f) 리카도형(Ricardo Type)이다. 쐐기형이나 욕조형은 피스톤이 상사점에 근접했을 때 가스유동을 발생시키는 스퀴시 면적을 크게 할 수 있으며, 피스톤의 움직임에 의해 압축후기에 강한 혼합기 와류를 만들 수 있다. 반구형은 밸브면적을 비교적 크게 할 수 있는 것과, 점화플러그를 연소실 중심에 설치할 수가 있으므로 자동차용이나 항공기용에 널리 이용되고 있다.

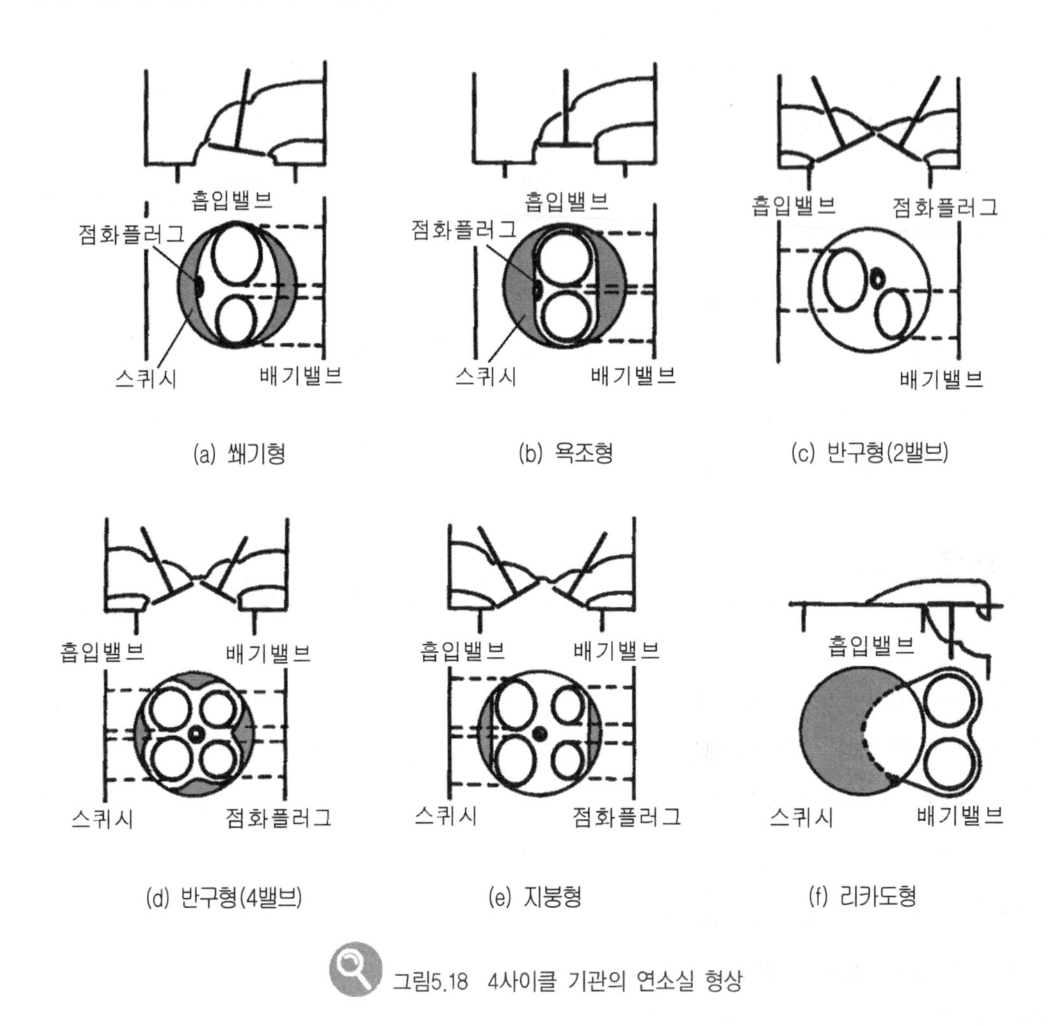


그림5.18 4사이클 기관의 연소실 형상

혼합기의 와류는 흡기포트를 실린더에 대해서 접선상이나 스파이럴상으로 설치하여 흡입스월(Induction Swirl)이라고 불리는 가스유동을 적극적으로 발생시킬 수 있다. 또한 연소실의 일부에 스퀘시류를 발생시키기 쉽게 하는 영역을 설치하는 경우도 있다. 스월에는 실린더 축에 직각인 수평스월과, 실린더 축을 포함한 종스월(텀블 : Tumble)이 있다. 그림 5.19에 각종 스월과 포트의 예를 보인 것이다.

최근 고출력 지향으로 흡배기 밸브의 다 밸브화의 경향이 많으며 밸브의 수를 증가시키면 연소실 상부는 거의 흡배기 밸브가 차지함으로, 연소실 형상의 자유가 없어지며, 반구형이

2평면으로 된 지붕형으로 되어 가고 있다.

사이드 밸브식(리카도형)은 구조상 압축비를 올릴 수 없어 연소실이 편평하게 되며, 현재에는 범용기관의 일부에서만 사용되고 있다.

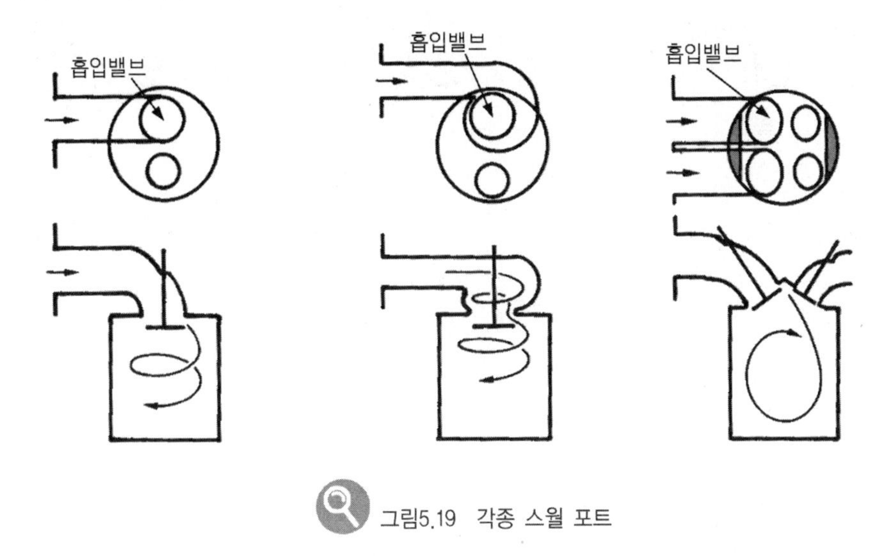


그림5.19 각종 스월 포트

# PART SIX

# 6 디젤기관

## 01 디젤기관

디젤기관은 공기만을 흡입하여 실린더 내에서 고온·고압의 압축공기를 만들고, 여기에 연료를 분사해서 자기 착화에 의해 연소를 시킨다.

이 때문에 압축착화 기관이라고도 불린다. 출력은 연료의 공급량만에 의해 제어되고, 연소는 연료의 공급상태와 그 후의 혼합기의 형성과정에 영향을 받는다.

디젤기관은 압축비가 높기 때문에 열효율이 높고, 연료 가격이 낮기 때문에 현재는 운전경비가 저렴하다. 한편, 연소압력이 높기 때문에 기관의 강도가 필요하고, 출력에 대한 중량비가 크다. 이와 같은 경제성과 기관의 중량과의 관계에 의해, 공공, 대량수송에 이용되는 자동차 선박, 발전기 등에 많이 이용된다.

## 02 디젤기관의 연소

### 1 디젤기관의 연소

디젤기관의 연소준비기간은 1~6ms정도이고, 연료의 자연발화온도는 200~300℃이다. 디젤기관의 연소가 가솔린기관의 연소와 가장 다른 점은 연소형태가 확산연소인 것이다. 기관에는 혼합기가 아닌 공기만이 공급되어, 피스톤에 의해 고온·고압으로 압축된다. 여기에 연료분사밸브에서 연료가 고압으로 분사된다.

연료가 노즐로부터 분사되면 연료입자가 압축공기에 의해 가열되고, 표면으로부터 기화되어 혼합기층을 형성하며 산화반응을 시작하고, 반응열에 의한 자연발화가 되는데 이 기간을 착화지연기간(Delay Period)이라 하며 이 기간이 길면 노킹을 일으킨다.

착화지연이 끝나며, 연료가 분사와 동시에 연소되어 실린더 내의 압력을 급상승시키는 정적연소과정을 하며 이 기간을 급격연소기간(Period of Raped)이라 한다. 이때의 압력 상승율은 착화지연기간 중에 분사된 연료의 양에 따라 달라진다.

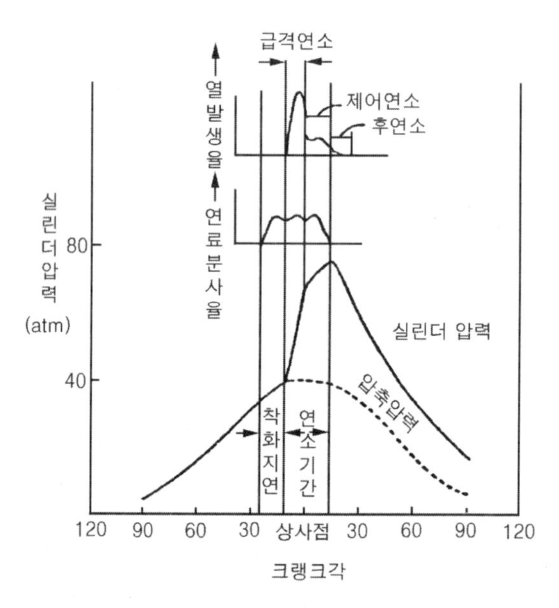

그림6.1 디젤 기관의 연소

실린더 내의 화염이 연소실내에 확산되면 연료는 분사 후 바로 기화 연소하여 거의 정압이 되는데 이 기간을 제어연소기간(Period of Controlled Combustion)이라 하며 이때의 연소속도와 압력 상승률은 연료 분사율에 의해 제어된다.

ATDC 20°~ 30°까지에서 연료분사는 완전 종료되나 후적 등 연료의 잔여분은 계속 연소되며, 단열 팽창을 하게 되는데 이 기간을 후기연소기간이라 한다. 이 기간에 착화지연이 긴 연료를 사용하거나 노즐의 밀착 불량이 있으면 배기온도가 상승하고 C, CO, HC가 배기가스와 혼합되어 스모그 현상 초래한다.

디젤 기관에 적용된 연소방식은 크게 직접 연소방식과 간접 연소방식이 있다.

### (1) 직접 연소 방식(Direct Injection Type)

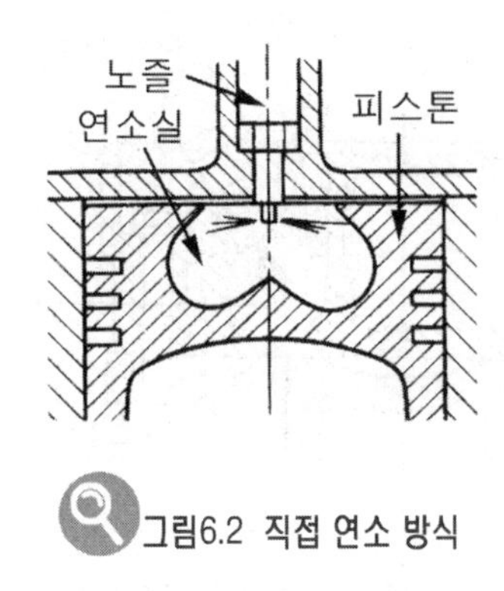


그림6.2 직접 연소 방식

직접 연소 방식(Direct Injection Type)이 적용된 기관은 연소실로 공급되는 연료를 직접 실린더에서 연소한다. 노즐은 실린더 헤드에 부착되어 있고, 주 연소실은 대부분 피스톤 헤드의 위에 구형이나 실린더형의 공간으로 되어있다.

직접 연소방식 기관은 연료소비가 낮고, 높은 출력을 요구하는 곳에 사용한다. 예를 들면 대부분의 화물차, 건설 기계 및 선박이며, 최근에는 승용차에도 높은 열효율 때문에 직접 연소방식을 사용하고 있다.

### (2) 직접 연소 방식(M 방식)

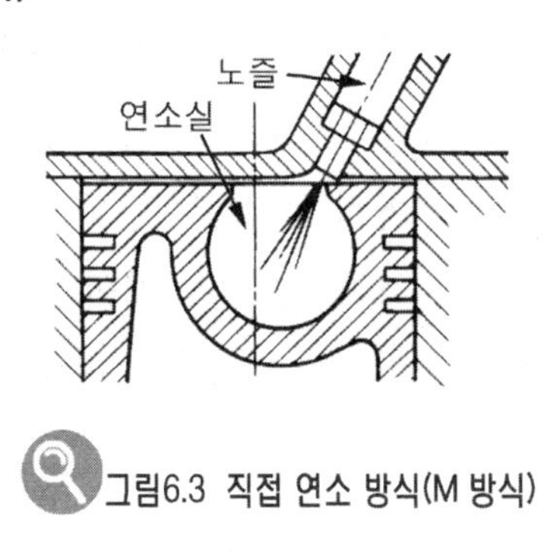


그림6.3 직접 연소 방식(M 방식)

이 방식은 직접 분사방식에서 연료를 분사하여 기화되지 않는 현상이 발생하는 경우가 발생하여 연소가 불량해지기 때문에 연소실에서 공기의 와류를 이용하여 연료를 기화성을 높인 방식이다. 또한 연료의 분무화에 의하여 공기와 연료의 혼합이 자연스럽게 형성되어 연소상태가 좋아진다. 이 방식은 낮은 연소 압력에서 연료 노즐이 동작하며, 연소되는 동안에 혼합 상태가 균일하고 압력이 약간 상승하는 특징이 있으며 매연이 적게 배출된다.

### (3) 간접연소방식(Indirect Injection Type)

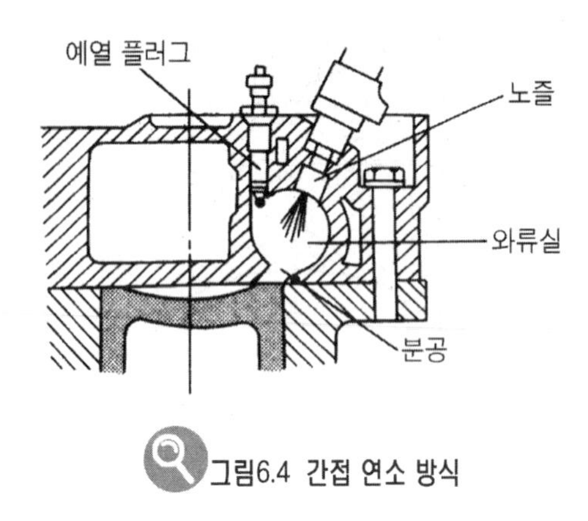


그림6.4 간접 연소 방식

간접 연소방식에는 와류실과 예 연소실 방식의 두 가지 형식이 있다. 혼합기는 작은 연소실에 착화되고 주연소실 내의 좁은 통로를 통해 연소하며 공급된 공기와 혼합하여 연소된다. 간접 연소방식은 주로 승용차나 경화물차에 사용된다.

### (4) 직접 및 간접 방식의 비교

직접 연소방식의 장점은 간접 연소방식에 비하여 연료 소비를 20%정도 경감할 수 있다는 큰 장점을 가지고 있다. 반면 단점으로는 한계 최대 회전수와 연소시에 발생하는 매연 문제이다. 특히 가속상태에서는 매우 많은 매연이 발생한다. 그와 함께 직접 연소방식의 경우 연료 압력을 높여야 연소상태가 양호해지므로 연료 압력을 높이기 위해 고가의 연료 장치가 필요하다. 간접 연소방식의 경우 기관에서 발생되는 진동이나 소음이 적은 반면에 보조 장치를 이용하게 되므로 인하여 연비가 악화되고 연소실의 구성이 매우 까다롭게 되어 제조단가가 상승한다. 또한 냉간 시동 직후에 많은 매연이 발생할 수 있다.

## 2 디젤노크

디젤 기관에서는 몇 가지의 이상연소가 있으며 연소에 영향을 주는 연료 분사장치나 연료와의 관련이 깊은 것이 많다. 여기서는 가솔린기관의 노크와 대비하는 의미로, 디젤노크(Diesel Knock)라는 현상을 설명한다.

디젤노크는 착화지연이 긴 경우에 일어난다. 착화지연이 길면, 연료가 분사되어도 비교적 긴 시간 연소가 개시하지 않기 때문에 연소개시 전에 보다 많은 연료가 분사되어, 증발,

혼합이 많이 행해진다. 즉 정상인 경우에 비해 예혼합기가 많이 형성된다. 자기착화에 의해 연소가 개시하면, 그때까지에 형성된 많은 예혼합기가 급속히 연소해서 연소압력이 급상승(dp/dθ=5～6kg/cm² 이상)하며 소음이 발생한다. 여러 곳에서 동시에 자기착화 하기 때문에 연소실내의 압력불균형에 의한 압력진동은 가솔린 기관의 노크와 같이 감지되지 않는다.

디젤노크는 착화지연을 짧게 하여야 하며, 그렇게 하기 위하여 기관 온도와 흡기 온도, 압축 압력을 높게 하고, 흡기를 와류 또는 난류 시켜 유동을 크게 하며, 발화점이 낮은 연료 즉, 세탄가가 높은 연료를 사용하고, 연료 분사시 입자를 무화, 분산시키고 관통력이 크도록 하여야 한다.

표6.1 가솔린기관과 디젤기관의 노트 방지책

| | 가솔린 기관 | 디젤 기관 |
|---|---|---|
| 압 축 비 | 낮 게 | 높 게 |
| 흡기 온도 | 낮 게 | 높 게 |
| 실린더 벽 온도 | 낮 게 | 높 게 |
| 회전 속도 | 높 게 | 낮 게 |
| 흡기 압력 | 낮 게 | 높 게 |
| 연료의 착화 온도 | 높 게 | 낮 게 |
| 연료의 착화지연 | 길 게 | 짧 게 |
| 실린더 체적 | 적 게 | 크 게 |

## 03 디젤 기관의 연소실

저속의 중/대형 디젤 기관에서는 혼합기 형성에 주어지는 시간이 길기 때문에 연료 분사만으로도 공기와의 접촉을 충분히 할 수 있으나 소형, 고속의 디젤 기관에 있어서는 공기 와류의 도움 없이는 짧은 시간에 연소를 끝나게 하기 어렵다.

디젤기관의 연소실의 형식에는 연소실에 직접 연료가 공급되는 직접분사식(직분식 ; DI ; Direct Injection Type)과 부실(Divided Chamber)이 있으며, 부실에 연료가 공급되는 간접 분사식(IDI ; In Direct Injection Type)이 있다.

대체로 직접 분사식은 대형기관에, 간접 분사식은 소형기관에 사용된다.

## 1 직접 분사식(Direct Injection Type) 연소실

### (1) 연소실 형상

실린더 헤드와 피스톤 헤드와의 사이에 형성되는 단일 연소실로 되어 있고, 그 속에 고압으로 연료를 분사하여 주로 분무 속도에 의해서 공기와 혼합시키는 형식으로, 부실식에 비해 교축 손실, 와류 손실이 없고 또 연소실의 냉각 면적이 작으므로 열 손실이 적으며, 따라서 연료 소비율이 적고 평균 유효 압력이 높다. 또 소형 기관에서도 압축비 13~15에서 냉시동이 용이하다. 그러나 실린더 내에 가열 부분이 없고 연료의 발화는 단순히 교축 온도만에 의하므로 소형 기관에서는 발화 지연이 길어서 저 부하에서 노크를 일으키기 쉬우며 최고 압력이 높고 또 연료의 성질에 민감하여 발화성이 좋은 연료를 필요로 한다. 또 부실식에 비해서 와류가 약하므로 공기 이용률이 나쁘고 고속 회전이 어렵다.

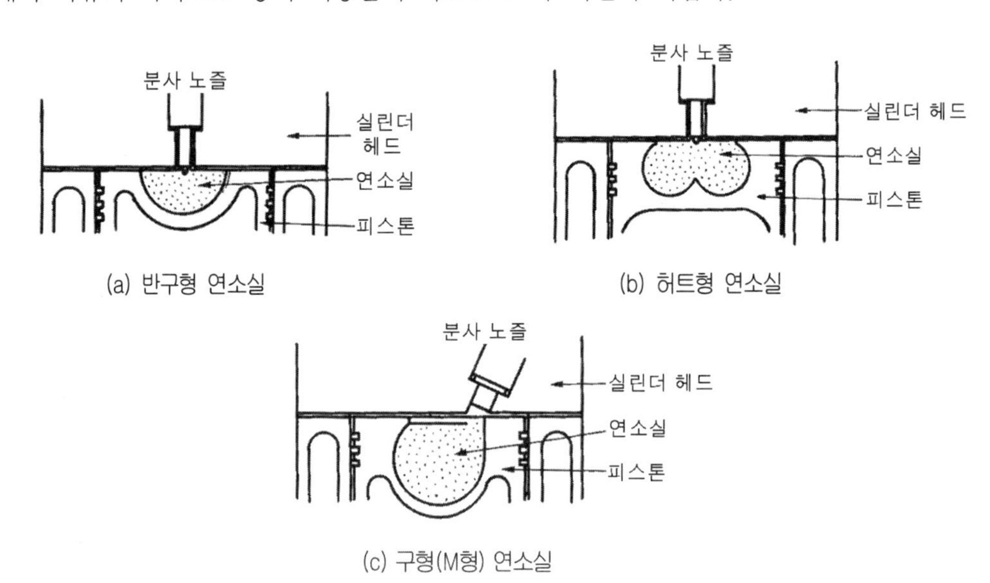


그림6.5 직접 분사식 연소실

선박용 등의 대형기관에서는 기관의 회전수가 낮고, 연료분사에서 혼합기 형성까지의 시간, 및 거리가 길기 때문에 고온, 고압이 된 공기 중에 연료를 분사하는 것만으로 양호한 연소가 된다. 단, 혼합기 형성을 연료분사에만 의지하고 있기 때문에 분사노즐의 구멍을 6~10개로 많게 하며 연소실을 편평하고 얕은 접시형으로 해서 연료를 연소실 전역에 균등하게 분산시킨다.

### (2) 연소실 형상과 가스유동

소형기관에서는 출력을 확보하기 위해서 사용회전수가 높고, 단시간에 혼합기를 형성해서 연소를 완료시켜야 하기 때문에 흡입공기에 강한 유동을 주어, 이것에 의해 분무를 연소실 내에 균등히 분산시켜 기화, 혼합과 연소를 촉진시키도록 한다.

가스유동을 적극적으로 이용하기 위해서 흡기포트를 실린더에 대해서 접선방향으로 설치하여 스월을 만든다.

흡기의 유동을 강제적으로 방향부착하기 위해서는 그림 6.6에서 보이는 밸브의 일부에 덮개를 붙인 슈라우드 밸브가 좋지만, 흡입저항이 크게 되어 체적효율을 저하시킴으로 실험적으로 밖엔 사용되지 않고 있다.

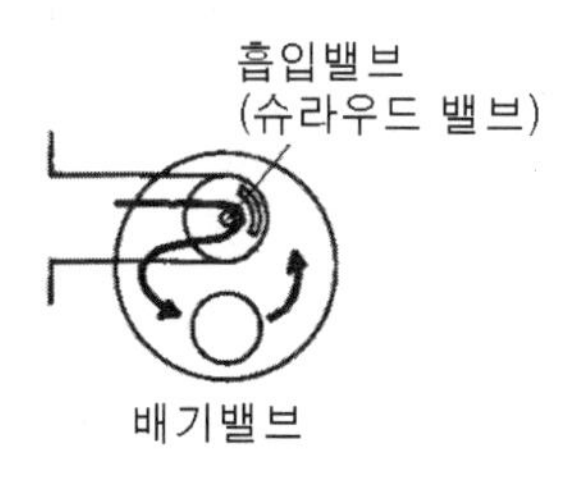


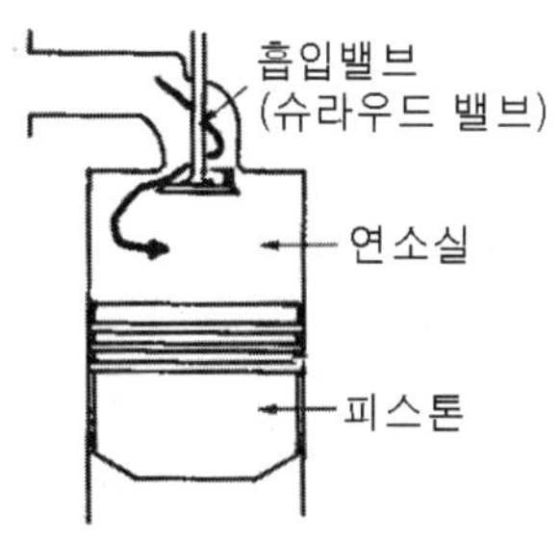

그림6.6 슈라우드 밸브

가스유동의 평가함수로서 스월의 회전수 $n_s$와 크랭크축 회전수 n의 비 $n_s/n$을 스월비(Swirl Ratio)로 정의한다. 스월비는 1~3이 적당하며, 이 이하에서는 연료의 확산이나 공기와의 혼합이 충분히는 이루어지지 않아 연료를 충분히 연소시킬 수 없다.

일반적으로 다공의 노즐이 이용되기 때문에 스월비가 3이상이 되면 분무가 서로 가까워 연소가스의 영향을 받아 오히려 연소를 악화시킨다. 이 때문에 스월을 이용하는 직접분식에서는 사용회전수 범위를 부실식과 같이 넓게 하는 것이 곤란하다.

연소실의 형상은 구형이고, 연소실의 벽면에 따라 단공 또는 2공의 노즐에서 연료를 분사해서 대부분의 연료를 벽면에 충돌시킨다. 공기 중에 머물러있는 미세한 연료입자는 곧바로 기화, 확산해서 예혼합기를 형성한다. 이 예혼합기가 자기착화 하지만, 착화지연의 사이에서 생기는 예혼합기의 양이 적기 때문에 연소초기의 압력상승이 적으며, 다른 연소실에 비하면 연소음이 작고 조용하다.

한편 연소실벽에 충돌한 대부분의 연료는 얇은 액막으로 되어 연소실 벽면에서의 열전도와 화염에서의 복사열에 의해 가열되어 증발한다.

원심력에 의해 밀도가 큰 공기는 벽면 근처를 선회하고 벽면에서 증발한 연료는 공기와 혼합해서 연소하므로 공기부족에 의한 매연의 발생이 적다.

## 부실식 연소실

부실식 연소실은 실린더 헤드에 설치된 분사노즐을 가진 부실과 주연소실(주실)로 되어 있으며 양쪽은 연결포트로 이어져있다.

부실에서는 압축행정으로 주실에서 가스의 유입에 의해 가스유동이 생성되므로 직접분사식과 같은 흡입스월을 필요로 하지 않는다.

압축에 의한 가스유동이 이용되기 때문에 혼합기 형성이나 연소는 회전수의 영향을 받기 어렵고, 사용회전수 범위가 넓은 소형 기관으로서 많이 사용되고 있다. 또 연소음이 직접분사식보다도 작은 것도 부실식의 이점이다. 한편, 연결포트 등에서의 냉각손실, 주실과 부실간의 가스의 유동에 따른 교축 손실이 있기 때문에 직분식에 비하면 열효율이 낮다.

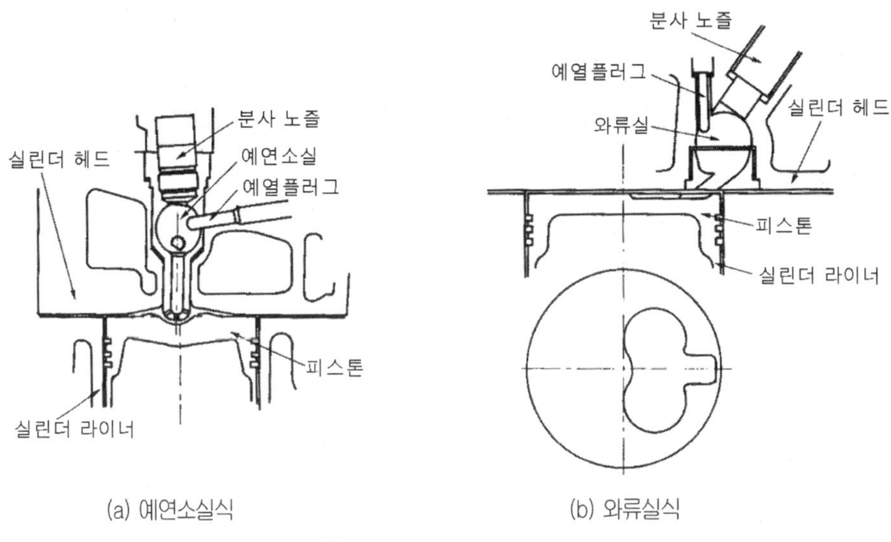


(a) 예연소실식　　(b) 와류실식

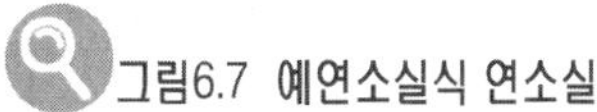
그림6.7 예연소실식 연소실

부실식 기관의 전부하 운전시 최저 연비율은 직분식 디젤 기관과 가솔린 기관의 중간 정도이다. 또 기관이 냉각되어 있는 상태에서의 시동이 곤란하므로 전기적으로 가열하는 시동용 예열 플러그를 갖추고 있다.

### (1) **예연소실식**(Pre-Combustion Chamber Type)

예연소실식 부실의 체적비율은 연소실체적의 30~40%이고, 주연소실과 예연소실의 연결포트 면적은 피스톤 면적의 0.4~0.6%이다.

분사노즐은 단공이며 주로 핀틀 노즐이 주로 사용되고 예연소실 중심축 상에 설치된다.

피스톤의 상승에 의해 예연소실 내로 공기가 유입해서 강한 와류를 만든다. 예연소실에 분사된 연료는 약간의 착화지연 후 분무의 근원부분에서 착화한다.

예연소실의 압력은 급상승하지만 연결포트의 교축 때문에 주실의 압력상승률은 낮고 억제된다. 그러나 분무의 관통력은 크고, 주실까지 연료가 도달하는 경우에는 주실이라도 착화해서 직분식과 같은 소음을 발생하기 때문에 이것을 방지하기 위해서 여러 가지 대책이 취해진다. 예연소실 내에서는 공기부족 때문에 연소가 완료되지 않고 연소중간 생성물과 고온고압으로 된 연료증기가 주실로 분출한다. 분류는 강한 와류를 만들고 주실의 공기와 혼합해서 남은 연료가 주실에서 연소한다. 예연소실에서의 분류에 의해 직분식보다도 공기이용률이 높다. 주실의 최고 압력은 6MPa 정도이고, 디젤 기관 중에서 가장 조용하다.

연료는 먼저 예연소실에 분사되어 일부가 연소하고 그에 의해서 생긴 압력에 의해서 나머지 연료를 실린더 내로 분출하여 연소 와류에 의해서 공기와 잘 혼합시키는 형식으로서, 예연소실의 체적은 너무 크면 교축 손실이 크고, 너무 작으면 분출 에너지가 부족하다. 또 연결포트가 작으면 예연소실과 주연소실의 압력차가 커져서 예연소실로부터 주연소실로 분출하는 가스 속도는 커지나 이 연결포트를 지나서 유입, 유출하는 가스의 교축 손실이 커진다. 이 형식에서는 주연소실에서 연소가 일어나면, 압력차가 작아져서 분출이 거의 정지되고 피스톤에 의한 팽창에 의해서 압력이 저하하면 다시 분출이 일어난다.

이렇게 되면 주연소실의 연소가 늦어지므로 되도록 연료를 연결포트 가까이에 모아놓고 그 배후에서 발화시켜 최초의 분류에 의해서 주연소실로 분출시켜야 한다. 따라서 분무는 잘 퍼지지 않도록 하고 공기 분류는 벽면을 따라서 유입하도록 하는 것이 좋다.

예연소실 내로 공기가 유입될 때 연결포트에서 가열되고 또 벽면 온도도 높으므로 압축행정 말기의 온도가 높으며, 따라서 발화 지연이 짧기 때문에 노크가 적고 연료의 성질에 대해서 둔감하며, 또 부하, 회전 속도에 의해서 분사시기를 조정하는 일이 적어도 된다. 그러나 시동할 때는 유입 공기가 연결포트에서 압축되므로 예연소실 내의 압력 상승이 늦어지고, 벽에 의한 냉각이 크기 때문에 압축 온도가 오래가지 않는다. 따라서 높은 압축비를 사용하여도 시동이 곤란하기 때문에 예열 장치가 필요하다.

이 형식은 주연소실 내에서의 공기와 연료와의 혼합이 양호하므로 공기 과잉률 $\lambda$ = 1.2까지 사용할 수 있고, 따라서 높은 평균 유효 압력이 얻어지나 예연소실의 교축 손실이 커서 연료 소비율은 비교적 적다.

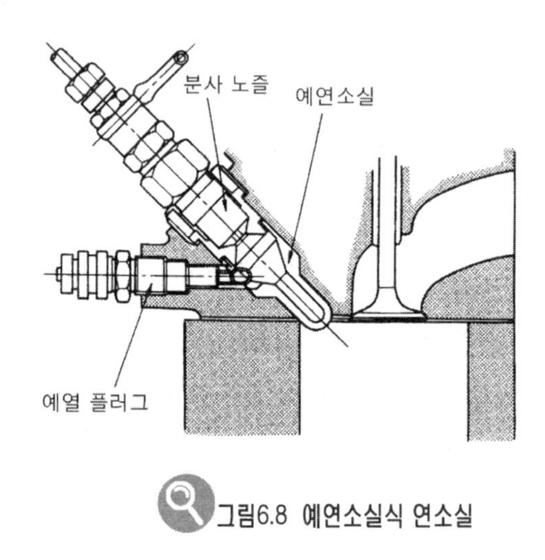


그림6.8 예연소실식 연소실

## (2) 와류실식(Turbulence Chamber Type)

연소실을 특수한 형상으로 하여  피스톤의 상승에 의해 주실 내의 공기가 부실로 유입해서 부실 내에는 디젤 기관 중에서 가장 강한 와류가 형성되며, 그 속에 일어난 공기 와류 중에 연료를 분사하여 완전 연소를 시키기 위한 것이다.

예연소실에서는 부분적 연소를 목적으로 하는 데 비하여 이 형식에서는 와류실 내에서 완전 연소를 시키려고 하기 때문에 와류실은 전체 연소실 체적의 70~80%를 차지하며, 실린더로 통하는 통로는 1개이고 그 단면적은 2~3.5%에 달하며 와류실에 접선 방향으로 설치되어 있다.

피스톤 와류는 회전 속도가 높아질수록 강해지므로 고속 회전이 가능하나 실린더 내의 공기 대부분이 와류실로 밀어 넣어지고, 연소 가스가 고온일 때 분기공으로부터 분출하므로 열손실, 교축 손실이 크다.

분사노즐은 단공이며, 주로 핀틀 노즐이 이용되고 연료는 와류에 대해서 순방향으로 분사된다. 연료 분무의 대부분은 벽면에 충돌하지만 연소는 분무의 근원부근에서 시작하고 벽면에서 증발한 연료가 벽면부근을 선회하는 공기와 혼합해서 연소한다.

예연소실식과 동일하게 공기부족 때문에 와류실내에서는 연소가 완료되지 않고 연소중간 생성물이 주실로 분출해서 연소하고, 예연소실과 비교하면 최대 평균 유효압은 거의 같으며 최저연비율과 소음은 약간 크다.

주실의 연소 최고압은 6~8MPa 이고, 경우에 따라서는 직분기관처럼 높아질 수 있으며, 예연소실식보다 고속화가 용이하므로 승용차용 기관에 널리 사용되며, 대표적인 연소실은 다음과 같다.

① 리카도형 연소실(Ricardo Conet) : 와류실을 50% 정도로 하고 와류실 내에서의 연소 와류와 실린더 내에서의 연소 와류에 의해서 연소를 촉진하여 좋은 성과가 있다.

② 허큐리스형 연소실(Hercules) : 압축 행정 말기에 피스톤에 의해서 통로가 교축되어 와류 속도가 증가되도록 하였다.

③ 퍼킨스형 연소실(Perkins) : 2개의 분무를 사용하며 1개는 역류로 분사하여 와류실을 작게 하고 열손실, 교축 손실의 저감을 도모하고 있다.

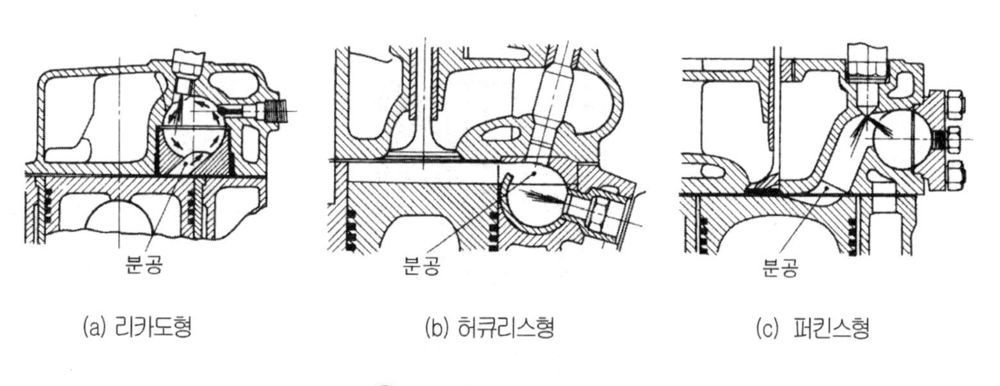


(a) 리카도형　(b) 허큐리스형　(c) 퍼킨스형

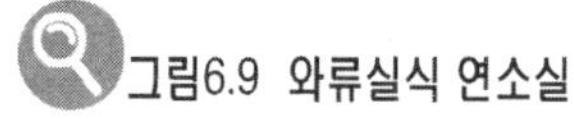
그림6.9 와류실식 연소실

와류실식은 와류실에서 공기와 연료가 혼합되고 다시 분출에 의해서 이것을 완전히 혼합하기 때문에 공기 과잉률 λ = 1.3 까지 가능하며 회전수도 높일 수 있으나, 연료의 성질에 대해서 민감하다.

예연소실과 직접 분사식의 중간에 속하는 특성을 갖고 있고, 직접 분사식 다음으로 노크가 일어나기 쉬우며, 시동은 예연소실식 다음으로 보조 열원 없이는 냉시동이 어렵다.

### (3) 공기실식(Air-cell Combustion Chamber Type)

압축 행정 중에 공기를 밀어 넣고, 이것을 향해서 연료를 분사하여 공기실 내에서 연소를 일으켜 그에 의해서 생긴 압력에 의해서 주연소실로 가스를 분출시켜 와류를 발생시키는 것이다.

공기실 및 주연소실의 압력 변화는 예연소실의 경우와 같으나 예연소실식에서는 전체 연료가 예연소실을 통과하고 공기 부족의 상태에서 연소하는데 비해서 공기실식에 있어서는 공기실로는 일부의 연료가 들어갈 뿐이고 공기 과잉의 상태에서 연소한다. 공기실의 크기는 전체 연소실 체적의 15~30%가 사용된다.

공기실식의 장단점으로는 예연소실과 마찬가지로 분기공이 가열되므로 발화 지연이 짧으며 연료의 성질에 대해서 둔감하고 노크가 없으며 최고 압력이 낮고, 다른 어떤 형식보다도 정숙한 운전을 할 수 있다. 그러나 예연소실에 비하여 분출에너지가 작아서 연소가 완만하기 때문에 열효율, 평균 압력이 저하하는 경향이 있으나 교축 손실이 적기 때문에 어느 정도 보상이 된다.

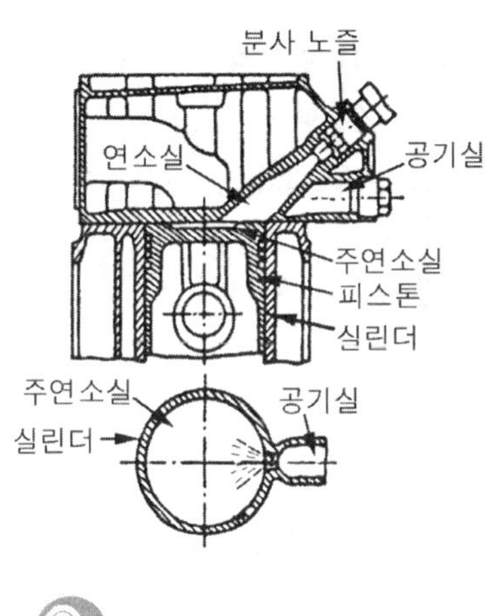


그림6.10 공기실식 연소실

# 04 디젤 기관의 연료공급

## 연료공급의 필요조건

디젤기관에서의 연소는 연료와 공기가 혼합하면서 연소하는 확산연소이기 때문에, 연료와 공기를 충분히 혼합해서 효율 좋게 연소를 행하게 하는 중요하다. 따라서 연료의 무화, 연료 입자가 압축 공기를 뚫고 나가는 관통력, 연료의 공간적인 분포가 연소상태를 지배한다.

연료가 압축된 밀도 높은 공기중에 고압으로 분사되면, 공기와의 상대속도에 의해 액상연료의 표면이 빗으로 빗겨낸 듯이 작은 체적으로 되어 분리된다. 이것이 표면장력에 의해 구형화 되어 연료의 미립자를 형성한다. 연료입자의 크기에 관한 이론식은 없으나, 실험적으로 노즐직경에 비례하고 분출속도에 역비례한다고 되어 있다. 연료입자가 크면 질량이 크기 때문에 공기 중을 나가는 관통력은 크고, 연료가 연소실내에 넓게 분포한다고 하는 점에서는 유리하지만, 체적에 대한 표면적이 작아져서 기화가 불리하다.

연료의 분사압력은 연료입자의 크기에 크게 영향을 주고, 동시에 연료의 초속도를 주므로 고압으로 분사하는 경향이 있다.

디젤 기관의 연료장치는 연소실안의 고온, 고압 공기에 연료를 고압의 분무상태로 분사하는 일을 한다. 연료의 분사는 분사시기, 분사기간, 및 분무상태, 즉 연소실안에서 분무의 도달거리 또는 관통력(Penetration), 분포(Distribution), 미립화(Atomization)의 정도 등은 연소실의 모양과 더불어 혼합기의 형성과 연소패턴을 결정하기 때문에 기관의 성능에 큰 영향을 준다.

## 2 연료 공급장치

기본적인 연료공급장치는 연료를 가압해서 송출하는 연료 분사펌프(Fuel Injection Pump)와 연소실 내에 연료를 분사하는 분사노즐(Injection Nozzle)로 되어 있다.

노즐에는 펌프와 노즐의 사이에 연료를 막는 밸브가 없는 구멍형 노즐과, 분사가 행해질 때에 분사밸브가 열리는 밀폐형 노즐이 있다.

### (1) 연료 분사펌프

자동차용 디젤 기관의 연료 분사장치는 무기 분사식(Airless Injection Type)을 사용하며, 연료에 압력을 가하여, 분사노즐을 통해 고압으로 연료를 분사하게 하는 형식으로 독립식, 분배식, 유닛 분사식 및 공동식이 있다.

① 독립식 : 펌프 제어식이라고도 하며, 독립식 열형분사펌프를 사용한 형식이다. 이 형식은 실린더 수와 같은 수의 플런저가 일렬로 배열된 열형펌프를 사용한 것으로, 디젤 기관의 연료장치 중 가장 많이 사용되는 형식이다.

② 분배식 : 1개의 플런저로 각 실린더에 분배하는 펌프를 사용하는 형식으로, 주로 소형(중형) 자동차의 연료장치에 사용된다.

③ 유닛 분사식 : 펌프와 노즐이 일체로 된 유닛 인젝터를 각 실린더마다 설치하는 형식으로, 2사이클 디젤 기관이나 건설장비의 일부에 사용한다.

④ 공동식 : 1개의 펌프에서 만들어진 고압의 연료를 분배기를 통해 각 실린더에 분배하는 형식으로 기계식 가솔린 연료분사장치에 사용하는 형식과 같다.

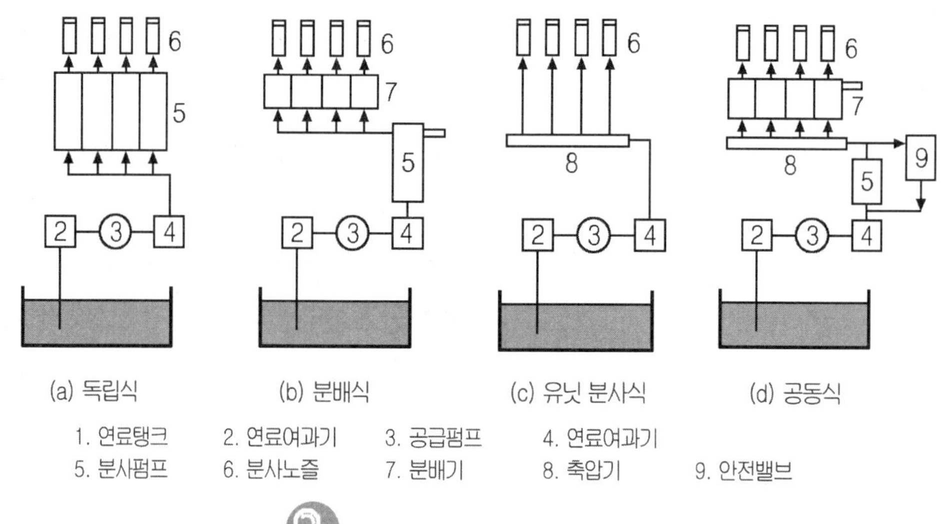


그림6.11 디젤 연료분사장치의 형식

그림6.12는 소형기관에 많이 이용되고 있는 연료분사펌프의 개략도이고, 그림6.13은 연료펌프의 플런저에 대한 그림이며 연료의 송출은 다음과 같은 방법으로 이루어진다.

연료는 연료탱크에서 펌프의 흡입구까지 유입되어 펌프의 피스톤에 상당하는 플런저

(plunger)가 내려가면 연료가 분사펌프내로 흡입되고, 플런저가 상승해서 흡입구 이상으로 올라가면 연료가 압축되어 노즐로 송출된다. 연료의 송출은 플런저의 상부에 있는 경사홈이 배출구와 일치할 때까지 행해진다. 경사홈이 배출구와 일치하면, 가압된 연료는 배출구에서 펌프 밖으로 나옴으로 압력이 내려가고 연료의 송출이 종료된다. 따라서 연료의 송출량은 경사홈의 위치로 결정된다.

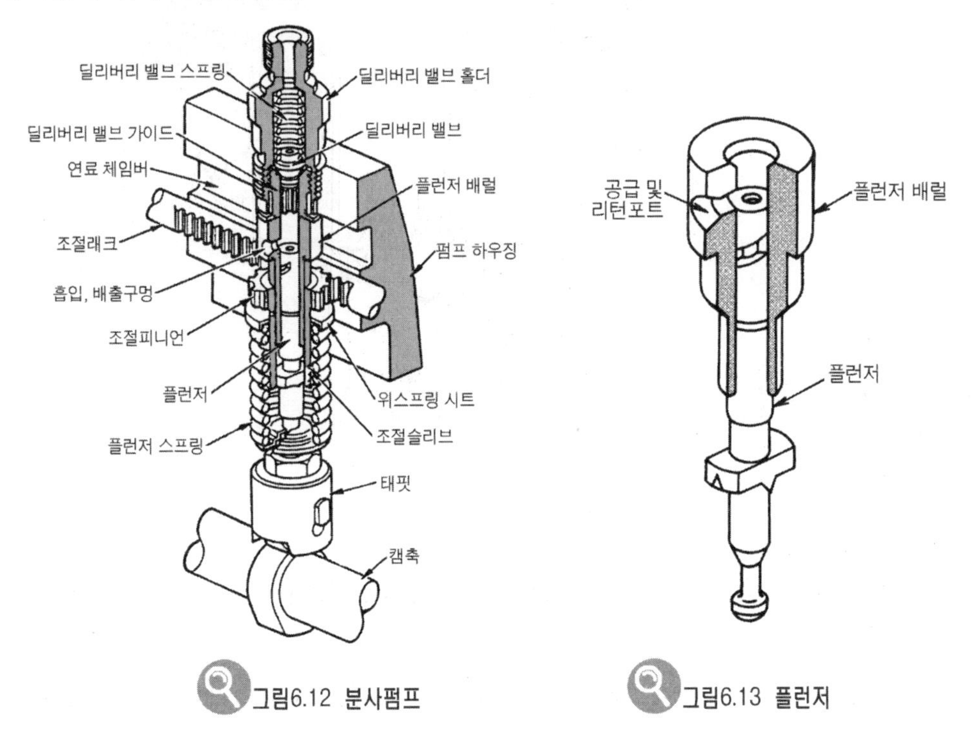


그림6.12 분사펌프

그림6.13 플런저

디젤 기관의 출력은 연료의 공급량에 의해 제어되지만 구조도에서 보듯이 배럴을 통하여 플런저 자신이 펌프 내에서 회전할 수 있도록 되어 있으므로 경사홈과 배출구의 구멍이 맞는 시기가 운전중에 변경되면 연료공급량이 변경된다.

배럴 상부에는 래크 피니언기구가 있으며, 래크에 의해 배럴을 회전시킬 수 있다.

이 래크기구는 연료공급량을 제어한다고 하는 의미로 컨트롤 래크(control rack)라고 불린다. 플런저는 펌프 최하부에 있는 캠으로 밀어 올려지는 것에 의해 연료를 송출하고, 플런저 스프링에 의해 원래의 위치로 돌아간다.

연료분사의 종료 시기를 정확히 하기 위해서 펌프출구에는 딜리버리 밸브가 설치되어 불필요한 연료는 흡입되어 되돌아가도록 되어 있다.

## (2) 연료 공급펌프(Feed Pump)

디젤 기관에서의 연료 공급펌프는 연료탱크에 있는 연료를 분사펌프에 공급하는 일을 한다. 공급펌프는 분사펌프의 옆면에 부착되어 있으며, 분사펌프의 캠축에 부착된 편심캠에 의해 구동된다.

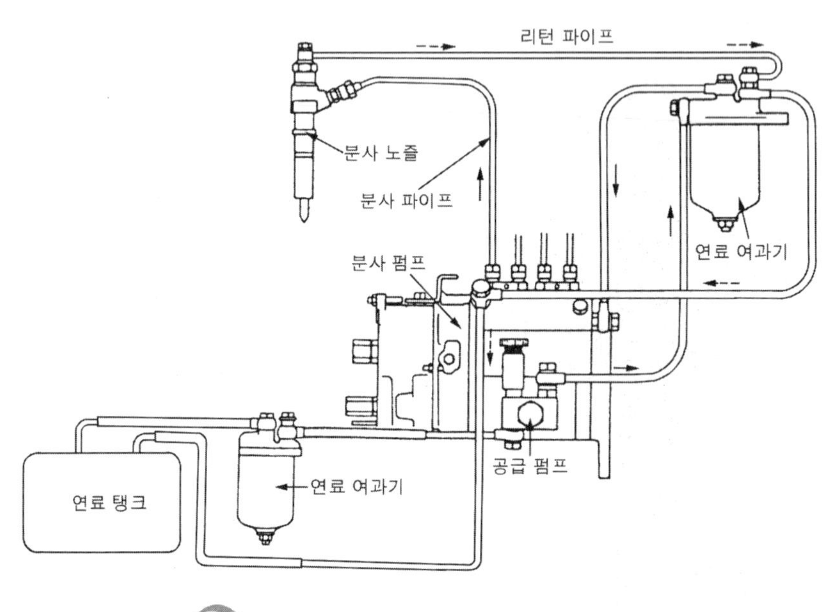


그림6.14 독립식 연료분사장치에서의 공급펌프

공급펌프의 배출량은 최대 분사량의 1.3~1.5배가 필요하며, 기관 정지 중 연료장치 내의 공기빼기 등에 사용되는 수동용 플라이밍 펌프(Priming Pump)를 갖고 있다.

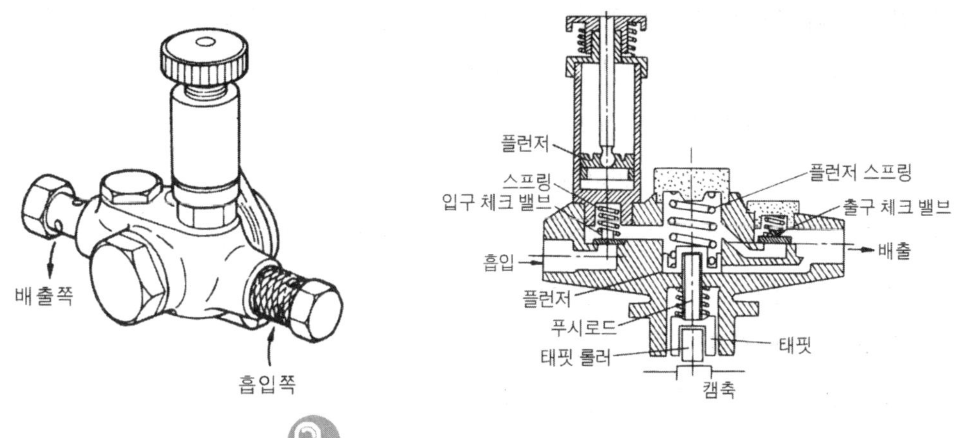


그림6.15 연료 공급펌프의 구조

공급펌프의 작동은 분사펌프의 편심 캠에 의해 피스톤이 밀리면 흡입 쪽의 체크밸브가 닫혀, 내실의 연료는 배출쪽 체크밸브를 누르고, 일부는 배출구에서 분사펌프로 압송되며, 대부분이 외실을 충만시킨다. 캠이 더 회전하여 피스톤 스프링의 힘으로 피스톤이 밀리면 외실의 연료는 배출구에서 분사펌프로 압송된다. 이때 실내의 압력이 내려가므로 배출쪽 체크밸브는 닫히고, 흡입쪽 체크밸브가 열려 새로운 연료가 내실로 흡입된다.

이러한 작동을 되풀이하여 연료가 공급되며, 배출압력(3kg/cm²)이 피스톤 스프링의 힘(장력)보다 커지면 피스톤 스프링은 압축된 상태로 되어, 피스톤과 태핏이 떨어져 연료압력이 내려갈 때까지 연료는 배출되지 않아 지나친 압력의 상승을 방지한다.

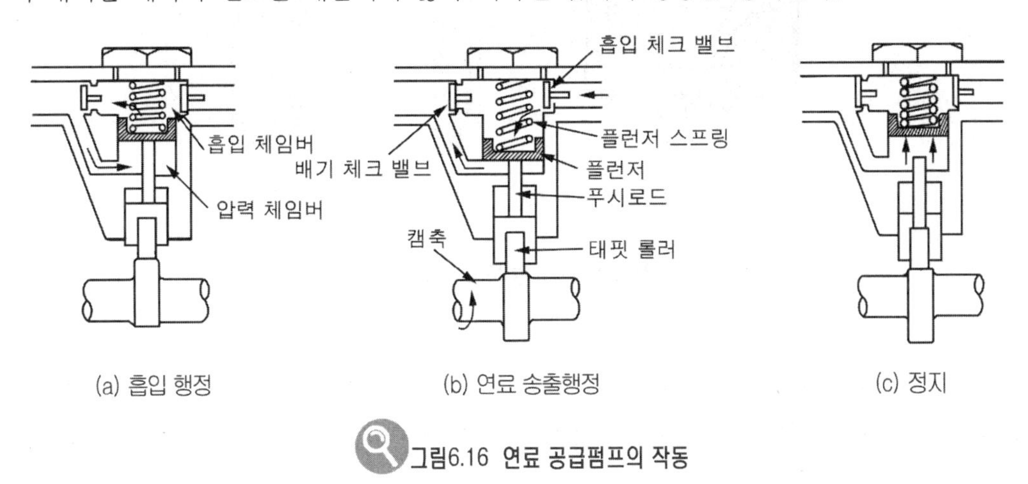


그림6.16 연료 공급펌프의 작동

## (3) 연료 분사노즐

연료 분사노즐 앞 끝의 기본적인 구조는 그림 6.17처럼 노즐내부에 있는 니들밸브(Needle Valve)가 스프링에 의해 밸브시트에 밀착되어 있다.

노즐 끝의 연료가 모인 곳에 연료펌프에서 연료가 압송되면 연료의 압력이 올라가 니들밸브를 밀어 올리는 힘이 된다. 연료압력이 니들밸브를 누르고 있는 스프링 장력보다 높아지면 니들밸브가

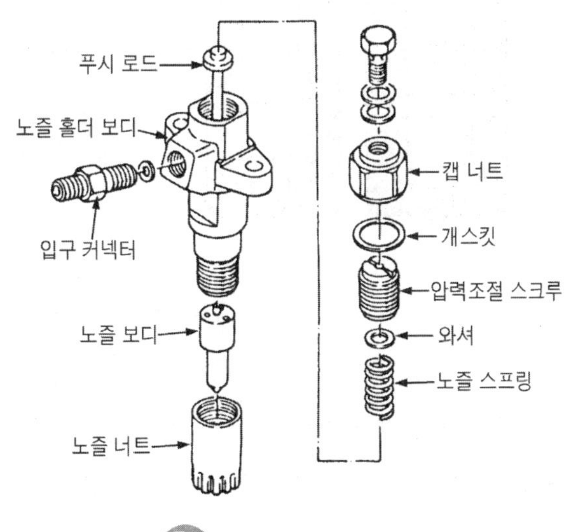


그림6.17 연료분사노즐

올라가고 구멍에서 연료가 분사되며, 연료펌프에서 연료의 압송이 끝나면 연료의 압력이 내려가고 밸브스프링의 힘에 의해 밸브가 닫히고 연료분사가 끝난다.

그림 6.18에서는 디젤기관에 이용되는 노즐의 앞 끝 부분의 구조를 나타낸 것이며, 연소실의 형태에 따라 분출구멍이 하나인 노즐과 다공형 노즐이 사용된다.

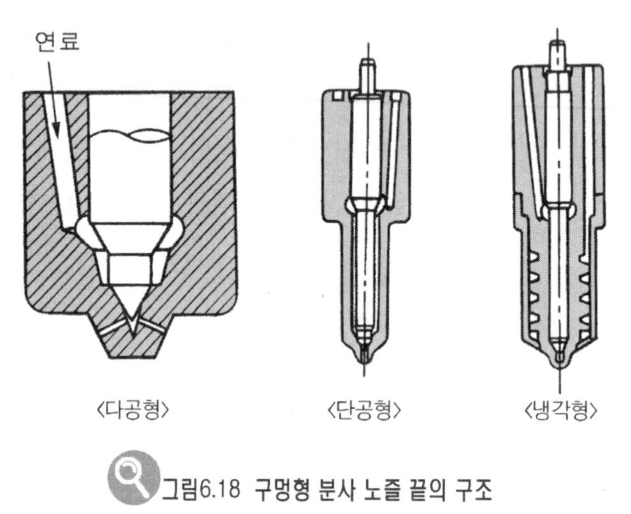


그림6.18 구멍형 분사 노즐 끝의 구조

핀틀노즐(Pintle Nozzle)은 니들밸브의 앞끝이 돌출되어 있으며, 분사시에는 중공 원추상의 분무가 된다. 또, 니들밸브가 왕복하여 매 분사마다에 구멍이 청소되므로 연소에 의해 생기는 카본 등에 의한 구멍의 막힘이 적다.

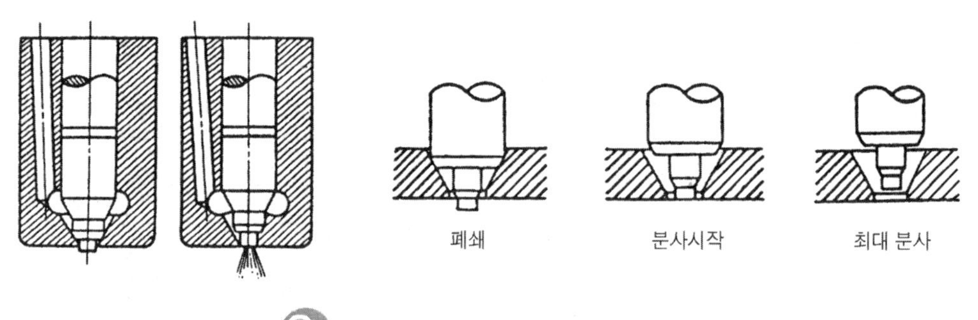


그림6.19 핀틀형 분사 노즐 끝의 구조

스로틀 노즐(Throttle Nozzle)은 니들 앞 끝에 교축용의 테이퍼 부분이 추가되어 있으며 연소 개시시기의 초기연소의 양을 제한할 수 있음으로 디젤노크의 대책으로서 효과가 있다.

그림6.20 스로틀형 분사 노즐 끝의 구조

그림 6.21은 각각의 노즐에 있어서의 니들 밸브의 리프트와 구멍의 개구면적 관계이다.

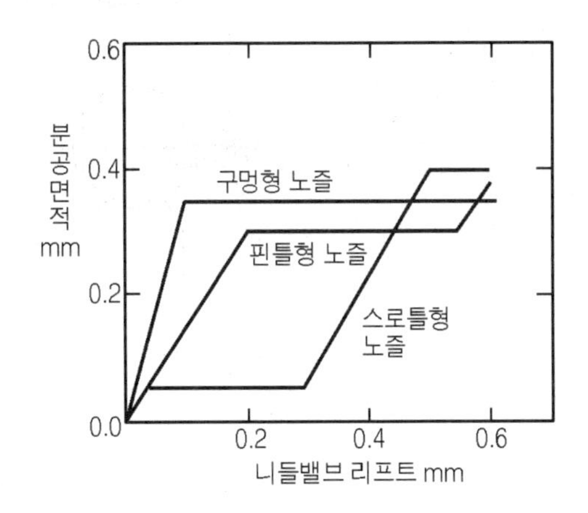


그림6.21 니들 밸브의 리프트와 구멍의 개구 면적

### (4) 예열장치

예열장치는 겨울에 외기의 온도가 낮을 때나 기관이 냉각되어 있을 때, 공기의 압축열이 실린더 및 실린더 헤드에 흡수되어 연료가 착화할 수 있는 고온이 되지 않으므로 예연소실 안의 공기를 미리 가열하여 시동이 용이하게 하는 장치이다.

예열장치에는 일반적으로 직접 분사식에 사용하는 흡기가열식(Intake Air Heater Type)과 복실식(예연소실식, 와류실식, 공기실식) 연소실에 사용하는 예열 플러그식(Glow Plug Type)이 있다.

### 1) 흡기 가열식 예열장치

흡입공기를 가열하는 열원(熱源)에 따라 흡기히터를 분류하면 연소식과 전열식으로 구분할 수 있다.

① 연소식 히터 : 연료탱크와 흡기히터로 구성되어 있으며, 연료여과기에서 보낸 연료를 흡기다기관안에서 연소시켜 흡입공기를 가열하여, 기관의 온도가 낮을 때 시동이 잘 되게 한다. 각 구성품의 위치는 흡기히터용 연료탱크가 흡기다기관의 윗부분에 부착되어 있고, 히터는 흡기다기관안에 부착되어 있다.

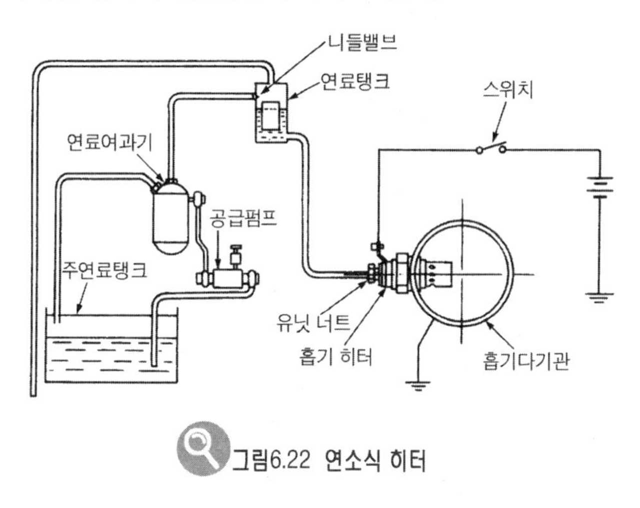


그림6.22 연소식 히터

② 전열식 흡기히터 : 흡입공기의 통로에 설치한 흡기히터와 히터의 전원을 제어하는 히터 릴레이, 히터의 적열(赤熱)상태를 운전석에 표시하는 표시등(Indicator)으로 구성되어 있다. 흡기히터는 흡기다기관의 중간에 설치되어 있으며, 적열된 히터코일로 흡입공기를 데워준다.

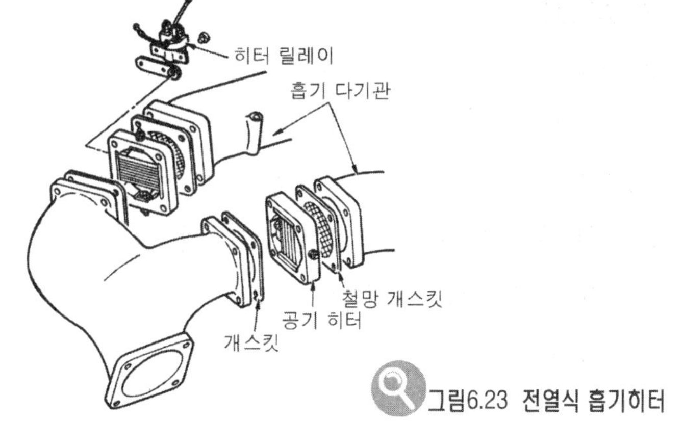


그림6.23 전열식 흡기히터

## 2) 예열 플러그식 예열장치

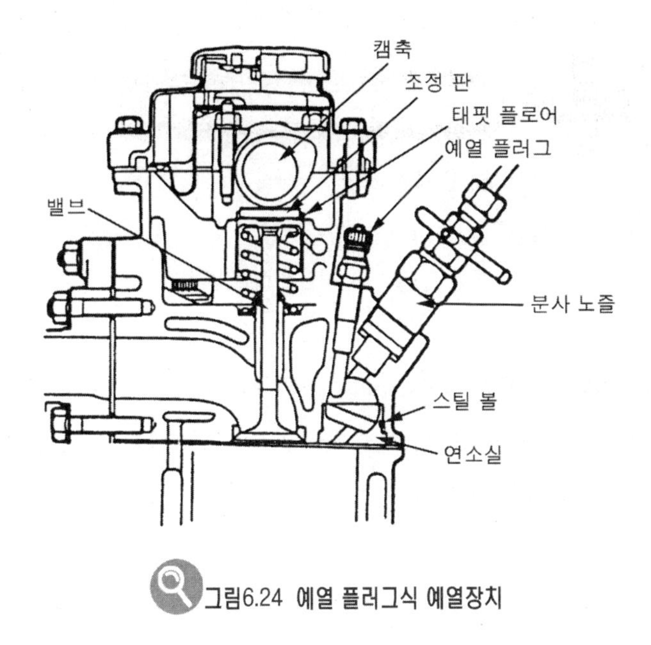


그림6.24 예열 플러그식 예열장치

예열 플러그식 예열장치는 실린더 헤드에 있는 예연소실에 부착된 예열 플러그와 예열 플러그의 적열(赤熱)상태를 운전석에 표시하는 예열 플러그 파일럿 및 예열 플러그 릴레이 등으로 구성되어 있다.

① 예열 플러그 : 예열 플러그는 보호 금속관안에 히터코일을 결합한 것으로 코일과 금속관 사이의 틈새에는 내열성 절연 분말을 충전하여 절연 및 히터코일을 지지하는 역할을 하고 있다. 이와같이 금속제 보호관에 코일이 들어 있는 예열 플러그를 시드형(Sheathed Type)예열 플러그라고 한다. 그리고 히터코일이 노출된 코일형 예열 플러그도 있으나, 현재는 내구성이 좋은 시드형이 많이 쓰이고 있다.

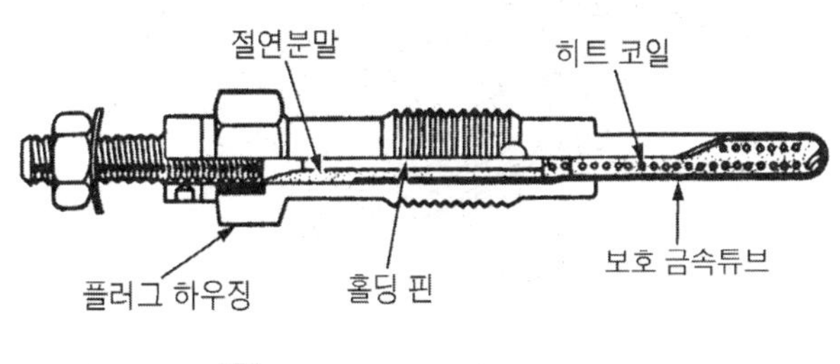


그림6.25 시드형 예열 플러그

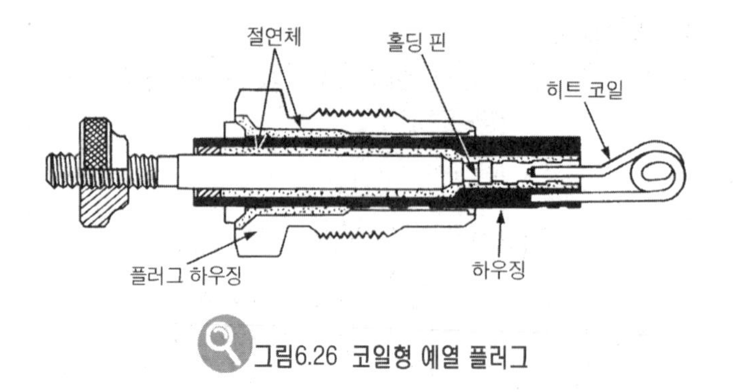


그림6.26 코일형 예열 플러그

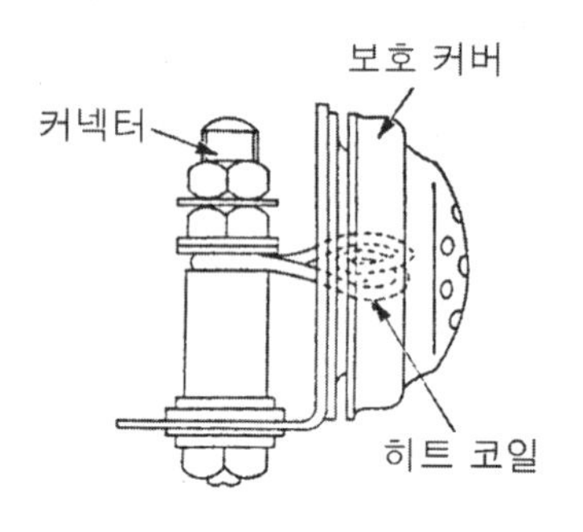


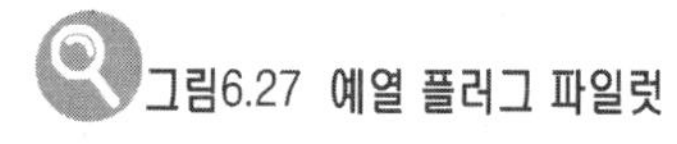
그림6.27 예열 플러그 파일럿

② 예열 플러그 파일럿 : 예열 플러그 파일럿은 히터코일과 이것을 지지하는 단자 및 보호커버로 구성되어 있으며, 전류에 의해 예열 플러그와 함께 적열하도록 되어있다.

③ 예열 플러그 릴레이 : 예열 플러그 릴레이에는 예열용 릴레이 및 기동용 릴레이의 독립된 두 릴레이가 하나의 케이스에 들어있어, 각각 점화스위치의 조작에 의해 작동하고, 예열 플러그의 양쪽 끝에 가해진 전압이 예열시와 기동전동기를 작동할 때 양호한 적열상태가 유지되도록 회로를 절환한다. 그리고 이 릴레이를 사용하므로써 전동기 릴레이의 회로에 예열장치로 가는 큰 전류가 흐르지 않아도 되므로 점화스위치의 접점을 보호하는 역할도 한다.

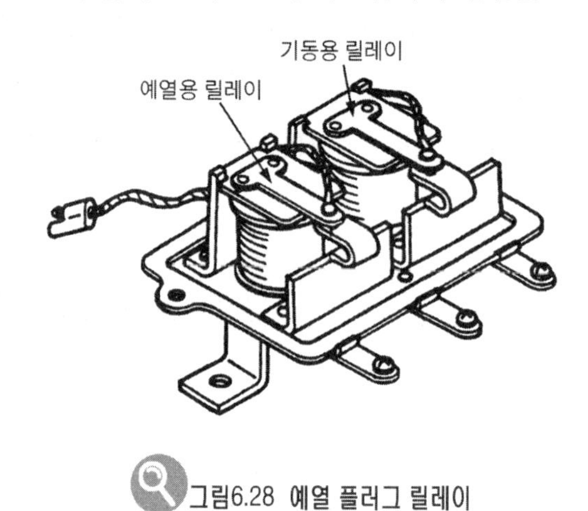


그림6.28 예열 플러그 릴레이

## 05 디젤 연료 분사장치의 최근개발동향

$CO_2$의 배출저감 측면에서 디젤기관은 가솔린 기관에 비하여 유리하지만, PM 이나 NOx등의 유해물질의 배출면에서는 불리한 것이 사실이다. 따라서 디젤 기관에서의 배기 규제치를 만족시키기 위하여 직분화, 연료분사 장치의 개량, EGR, NOx 촉매, PM 트랩 필터 등이 연구되고 있고, 직분식이 부실식에 비하여 같은 배기량으로 높은 출력과 양호한 연비의 실현이 가능하기 때문에 디젤 기관은 급격히 직분으로 진행되고 있다. 이러한 직분화의 경향에 따라서 연료 분사장치 기술은 현재 디젤 기관의 배출가스 저감 기술의 주역이 되고 있고, 직분식 디젤 기관에서의 착화 및 연소는 전 단계의 연료분사, 분무형성에 크게 좌우되기 때문에 장래에도 당분간은 연료분사 장치의 기술이 디젤 기관의 배기가스 저감에 크게 기여를 할 것이다 .

연료 분사를 위한 변수에는 분사압력, 분사율, 분사기간, 분사 시기 등이 있고 이러한 변수를 자유롭게 변화시켜 기관의 운전 조건에 따라 최적의 분사를 하고자 하는 것이 분사장치 궁극의 목표라고 할 수 있다. 현재 및 장래의 분사장치에 요구되고 있는 기능들에는 기관 회전수에 의존하지 않는 고압분사, 소리 및 진동 저감을 위한 파이롯트 분사, NOx 촉매 이용을 위한 포스트 분사, NOx 생성 저감을 위한 Ramp 및 Boot형 분사 등이 있고 최근 주목을 받고 있는 커먼레일 시스템도 이러한 분사자유도의 확대를 목표로 하고 있는 것이다.

이와 같은 분사자유도의 확대 및 분사정확도의 향상, 그리고 기관의 다른 구성요소와의 협조 제어 등이 더욱 필요하게 되어 분사 장치의 제어도 점차 복잡해지고 있다. 분사타이밍 및 분사량의 제어를 전자식으로 하는 분사 펌프의 전자제어 범위가 확대됨에 따라, 액추에이터의 응답성 및 정밀도의 향상, 각종 센서의 증가 및 정밀도의 향상, 또한 이에 따른 제어 로직의 고도화 등의 요구가 높아지고 있다.

현재 사용되고 있는 커먼레일 시스템은 크게 나누어 고압 공급 펌프, 커먼레일, 전자 밸브 제어의 인젝터, 그리고 컨트롤 유닛 등으로 구성되어 있다. 공급 펌프로 사전에 고압화된 연료는 커먼레일에 축압되고 그것을 인젝터로부터 방출함으로써 분사를 한다. 종래의 져크식 분사장치에 비하여 분사의 자유도가 높기 때문에 향후 소형 승용차로부터 대형트럭까지 폭 넓게 보급될 것으로 생각된다. 그러나 보급된지 4~5년 정도밖에 경과하지 않았고 더욱 고압화를 위한 200Mpa 분사압을 달성하기 위해서는 해결해야 할 점이 많다고 지적되고 있다. 그러나 향후의 디젤 기관의 개발에 있어서 연료 분사장치가 차지하는 역할은 점차 커지고 그 가운데 커먼레일 방식은 구조가 개선되면서 당분간 주역을 지킬 것으로 예측되고 있다.

커먼레일 시스템은 분사 타이밍, 시기, 분사압력을 독립적으로 변화시키는 것이 가능하고, 다단 분사가 가능하며, 기관회전수에 의존하지 않고, 고압분사가 가능하고, 구동 토크가 작으며, 기계적 소음이가 적다.

PART SEVEN

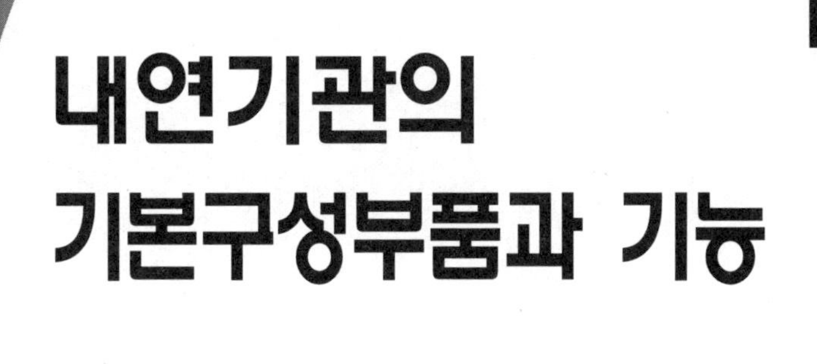

# 7 내연기관의 기본구성부품과 기능

# 7 PART 내연기관의 기본 구성부품과 기능

내연기관을 이루는 각 구성부품은 그 기능과 용도에 따라 다양한 재료로 만들어지며 사용 재료에 따라 수명이나 특성에 많은 차이가 있다.

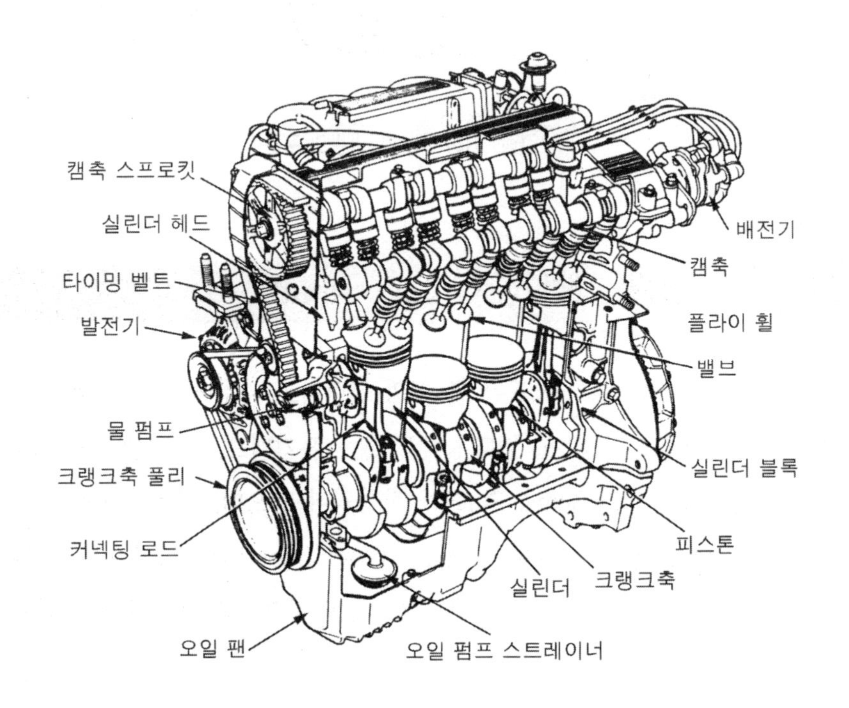


그림7.1(a) 가솔린 기관의 구조

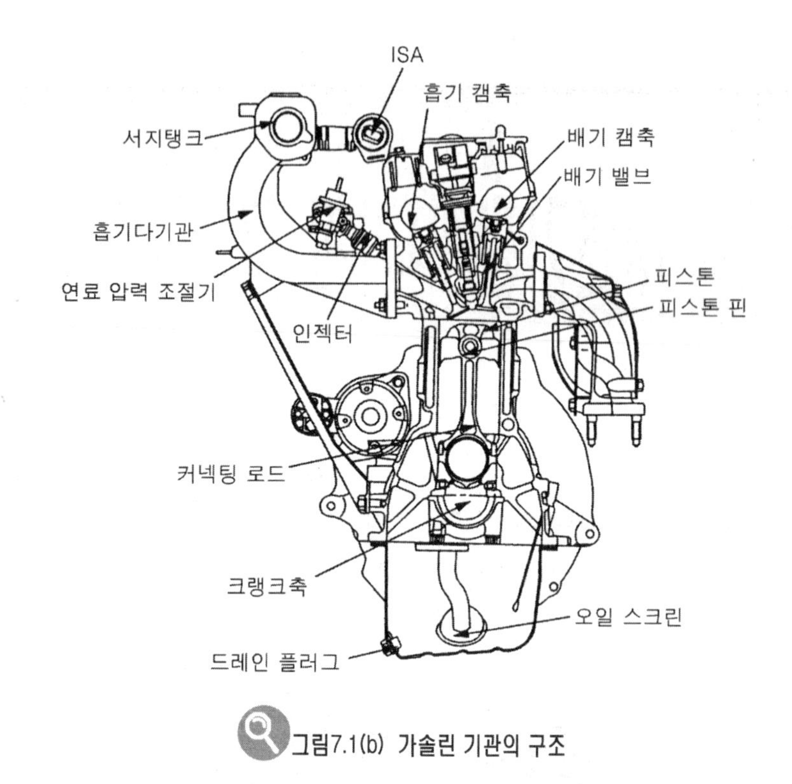


그림7.1(b) 가솔린 기관의 구조

## 01 실린더 헤드(Cylinder Head)

수냉식 기관의 실린더 헤드는 1개 또는 몇 개의 실린더로 나누어 주조 되며, 공냉식 기관은 실린더 마다 별개로 주조되어 있다. 헤드에는 흡기밸브, 배기밸브(Intake Valve, Exhaust Valve)와 점화플러그(Spark Plug)가 장착되어 있으며, 디젤기관에서는 점화플러그 대신에 연료를 연소실내에 분사하는 분사노즐(Fuel Injection Nozzle)이 장착된다.

흡배기 밸브의 수는 실린더 당 각각 1개씩이 기본이지만, 출력의 향상을 위해 다(多 ; Multi) 밸브의 구조로 설계된 것도 있다.

실린더 헤드는 가스켓(Gasket)을 사이에 두고 실린더 블록(Cylinder Block)위에 볼트로 설치되며 피스톤(Piston), 실린더와 함께 연소실을 구성하며, 연소실의 높은 온도(250 ~ 450℃)와 압력(40~60kg/cm$^2$)에 견딜 수 있도록 높은 강성, 고온 강도, 높은 열전도율, 열팽창이 적은 재질의 알루미늄 또는 주철로 만든다.

알루미늄 합금은 주철에 비해 가볍고 열전도가 높기 때문에 연소실의 온도를 낮게 할 수 있어 조기 점화(Pre-Ignition)의 원인이 되는 집열 부분(열점 : Hot Spot)이 생기지 않는 이점이 있다. 그러나 열팽창이 크므로 풀리기 쉽고 부식이나 내구성이 떨어지는 결점이 있으며 충격이나 마모에 약하기 때문에, 밸브 시트(Valve Seat)부분은 연소가스가 통과하여 고온 상태에서 밸브의 충격 하중을 받으므로 기계적인 강도가 저하되지 않도록 내부식 및 내마모성이 높은 내열강이나 소결 합금을 압입한다.

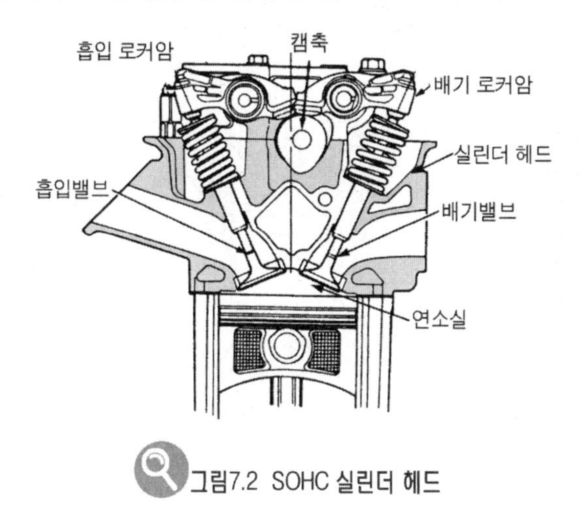


그림7.2 SOHC 실린더 헤드

연소실은 화염 전파에 요하는 시간이 짧도록 표면적이 최소가 되며, 가열되기 쉬운 돌출부가 없어야 하고, 흡·배기 밸브를 설치할 수 있는 충분한 여유가 있으며 혼합기에 와류를 일으키는 구조이어야 한다.

## OHV(I-Type) 연소실

① 반구형 연소실(Semi-Spherical Type) : 연소실 체적당 표면적이 작아 열 손실이 적고, 점화 플러그 위치가 알맞아 점화 플러그 중심전극 에서부터 연소실 끝 부분까지 거리, 즉 화염 전파 거리가 짧으므로 노킹을 방지 할 수 있다. 또한 지름이 큰 밸브의 설치 및 배열이 알맞아 체적 효율을 높일 수 있다.

② 쐐기형 연소실(Wedge Type : 20°정도) : 밸브를 일렬로 배열하므로 밸브 기구가 간단하고, 혼합기의 와류(Counter Flow)가 양호하여 혼합기의 완전연소로 저 옥탄가 연료를 사용할 수 있으며, 카본 퇴적에 둔감하다.

③ 지붕형 연소실(Pentroop Type) : DOHC 기관에서 주로 사용하며, 꼭지각을 90°로 하면 반구형과 비슷하지만 스퀘시 영역(Squash Area)이 있어 압축말 강한 와류를 일으켜 연소가 좋으며, 캠축의 설치에 따라 밸브 설치각을 자유로이 설계할 수 있어 흡배기를 원활히 할 수 있는 공기흐름으로(Cross Flow)하면 고속용 기관으로 설계가 가능하다.

④ 욕조형 연소실(Bath Tub Type) : 반구형과 쐐기형 중간으로 연소실 모양이 간단하여 정밀한 치수의 주조 또는 기계 가공이 가능하다.

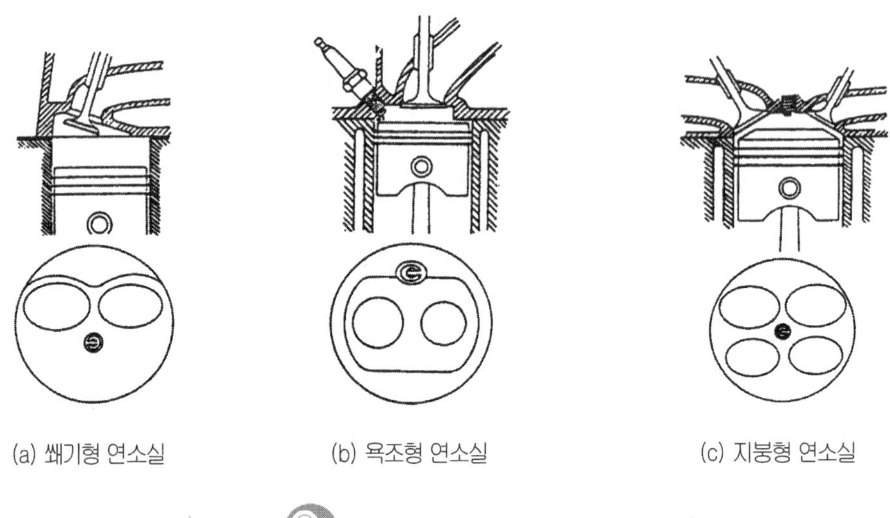

(a) 쐐기형 연소실　(b) 욕조형 연소실　(c) 지붕형 연소실

그림7.3 I헤드형 연소실

## 2 L - 헤드형 연소실

구조가 간단하여 소음 및 진동이 적고, 엔진의 높이를 낮게 할 수 있지만, 체적 효율, 열효율, 출력이 낮아 별로 사용치 않는다.

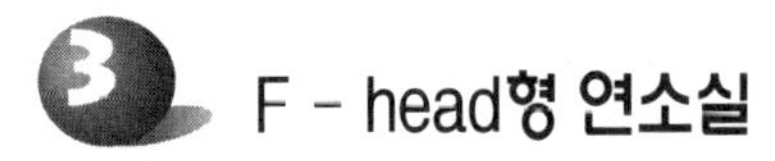

## 3 F - head형 연소실

밸브 설치가 양호하여 흡입 효율이 좋고, 밸브 냉각이 잘되지만 밸브 기구가 복잡하고 압축비가 낮아 현재는 별로 사용치 않는다.

## 디젤 기관의 연소실

직접 분사식은 가솔린 기관처럼 단실식을 사용하며, 예연소실식, 와류실식, 공기실식은 부실식(복실식)을 사용한다.

**표7.1 디젤기관 연소실의 특성 비교**

(숫자는 정도 순위)

| 비교사항 | 직접분사식 | 예연소실식 | 와류실식 | 공기실식 |
|---|---|---|---|---|
| 연소실형태 | 1. 간 단 | 4. 복 잡 | 2. 약간 복잡 | 3. 복 잡 |
| 열 손 실 | 1. 적 다 | 3. 많 다 | 2. 약간 많다 | 3. 많 다 |
| 한냉시 시동성 | 1. 곤란(예열플러그無) | 1. 쉽 다 | 3. 약간 곤란 | 2. 약간 곤란 |
| 노 즐 | 1. 다공식 | 4. 핀틀식 | 3. 핀틀식 | 2. 핀틀, 다공식 |
| 분사 압력 | 1. 200~700 Kg/cm² | 4. 70~100 | 2. 80~150 | 2. 80~150 |
| Knock | 1. 많 다 | 3. 거의 없다 | 2. 약간 발생 | 4. 아주 적다 |
| 회 전 수 | 3. 낮 다 | 2. 약간 높다 | 1. 높 다 | 4. 낮 다 |

# 02 헤드 가스켓(Cylinder Head Gasket)

헤드와 블록과의 기밀유지와 냉각수나 오일 등이 새는 것을 방지하고, 내열성과 내압성을 동시에 만족해야 한다.

가스켓은 기관의 지속적인 변천과 발전에 따라 그 적용되는 소재의 개발 및 구성, 조합 방법의 개선이 사용 부위와 조건에 따라 다양하게 개발되어 적용되고 있다.

동판이나 강판으로 석면을 싸서 만든 보통 가스켓과 강판의 양쪽면에 돌출물을 만들고 흑연을 섞은 석면을 압착하고 표면에 흑연을 발라 만든 스틸 베스토 가스켓(Steel Besto Gasket), 강판만으로 얇게 만든 스틸 가스켓(Steel Gasket)이 있으며, 최근에는 컴팩트화, 고성능화, 적은 배출가스 배출, 장기 내구성을 확보하기 위해 메탈 가스켓에 고무 코딩을 한 방식이 점차 일반화 하고 있다.

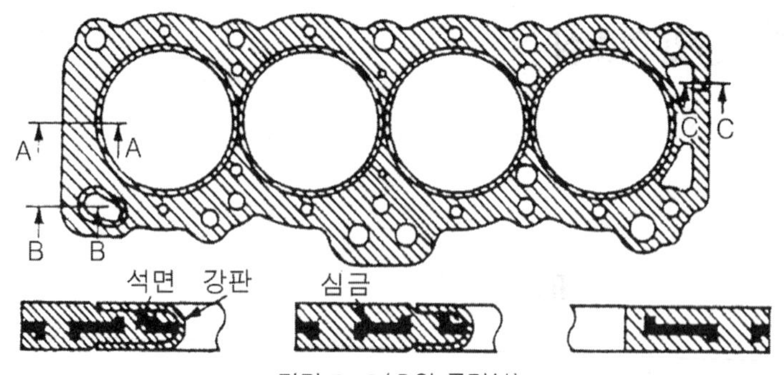


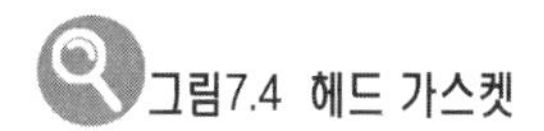
그림7.4 헤드 가스켓

## 03 실린더 및 실린더 블록(Cylinder Block)

실린더 블록은 특수 주철 또는 알루미늄으로 되어 있고, 내부에 실린더가 있어 피스톤(Piston)과 크랭크축(Crank Shaft)를 지지하며, 각 보조 장치를 부착할 수 있는 기초가 된다. 상부에는 헤드, 하부에는 오일팬(Oil Fan)이 부착되며 내부에는 냉각수와 윤활유 통로가 각각 마련되어 있다.

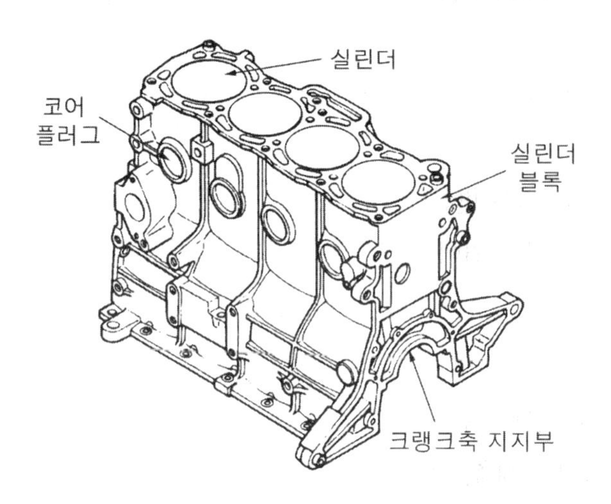


그림7.5 실린더 블록

실린더는 그 속에서 피스톤이 왕복운동을 하며, 행정의 약 2배이고 정밀하게 진 원통으로 가공되어 있으며, 피스톤의 섭동에 의한 마모를 줄이기 위해 크롬도금 된 것도 있다.

라이너는 보통 주철과 알루미늄의 실린더 블록에 특수 주철의 라이너(Liner)를 삽입한 것이 있다. 일체형에 비교하여 라이너 식은 원심 주조에 의해 실린더에 가장 적합한 재료를 선정 할 수 있고 적합한 금속 조직으로 할 수 있으며, 도금이 용이하고, 보링 작업의 번거로움이 없이 라이너만 교환하면 된다.

##  건식 라이너(Dry Type)

주철제 블록은 블록 안쪽 둘레와 라이너 바깥둘레의 마찰력으로 지지하거나, 라이너 윗면에 플랜지(Flange)를 두어 이 플랜지를 헤드로 지지한다.

경합금제 실린더 블록은 바깥둘레에 홈이 있는 라이너와 실린더 라이너를 일체로 주조하며, 어느 경우이든 열전도가 잘 되도록 완전 접촉이 되어야 하고, 라이너의 두께는 2 ~ 4mm 정도이다.

##  습식 라이너(Wet Type)

라이너 위 끝 부분에 플랜지가 있어 블록의 홈에 끼워져 위치가 정해지고, 아래, 위 2개소는 열팽창으로 인한 실린더 변형과 누수 방지책으로 내열, 내유성 고무링(gun ring)이 사용된다.

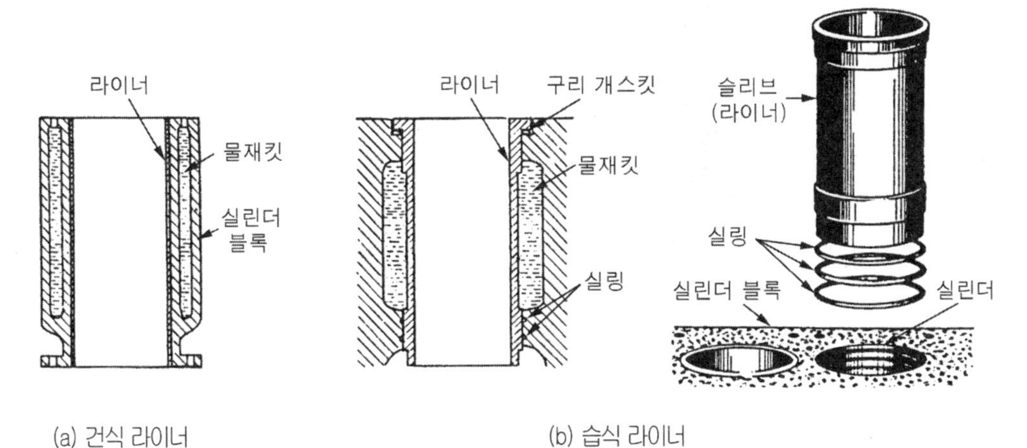


(a) 건식 라이너 (b) 습식 라이너

그림7.6 실린더 라이너

## 04 피스톤(Piston)

피스톤은 실린더 안을 왕복 운동하면서 동력 행정에서 생긴 고온고압의 가스 압력을 받아 커넥팅 로드를 통해 크랭크샤프트에 회전력을 발생시키는 일을 한다.

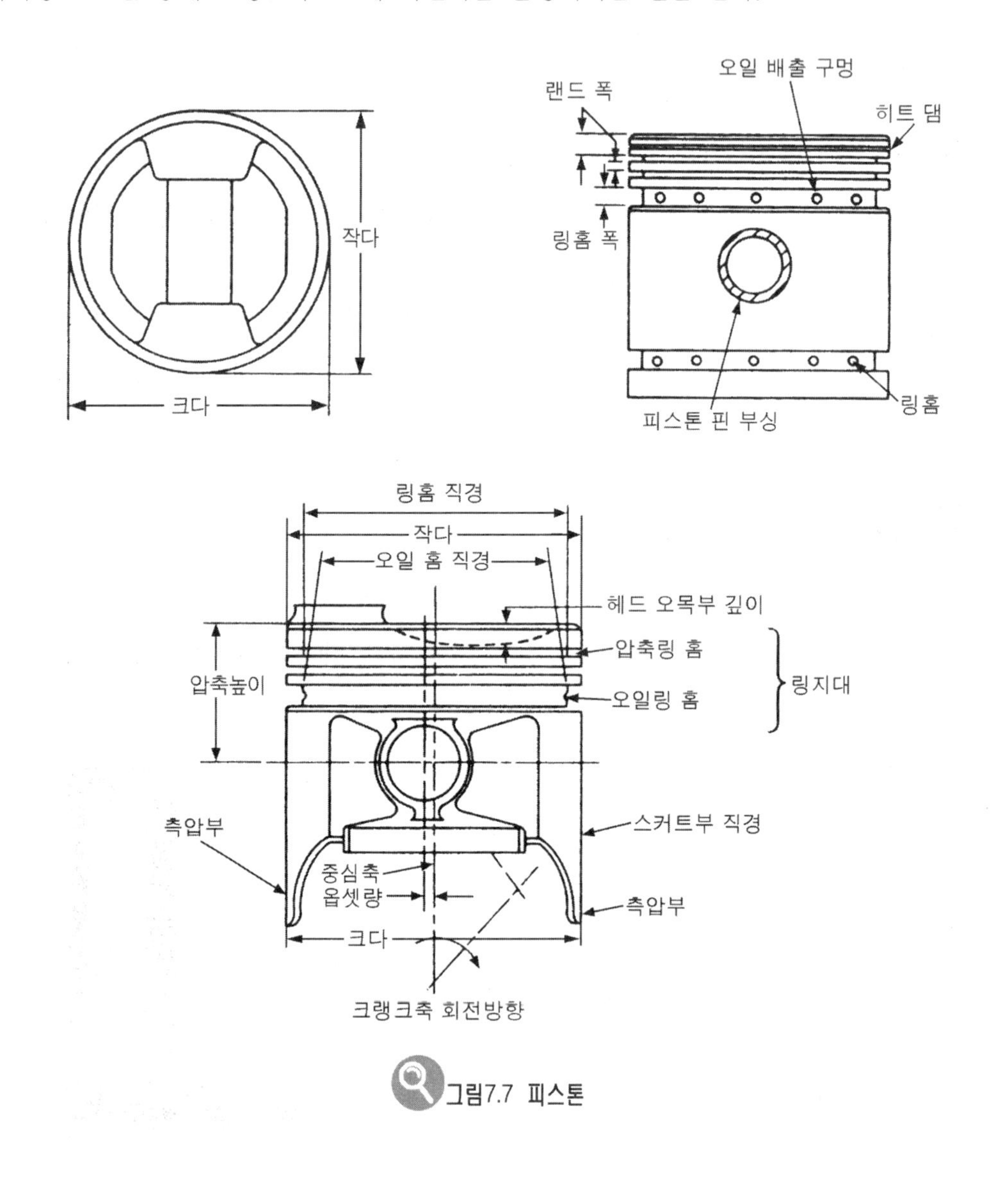


그림7.7 피스톤

피스톤 헤드는 고온(2,000℃ 이상)의 연소 가스에 노출되고, 고압(40~60kg/cm²)을 충격적으로 받으며 실린더 안에서 고속운동(약 20m/s)을 하기 때문에 실린더 벽과의 사이에 큰 마찰이 생긴다.

따라서 실린더 안의 폭발가스 압력을 유효하게 이용하도록 하고, 어떤 온도 조건에서도 가스가 새지 않는 구조라야 하며, 실린더 벽과의 마찰을 감소하고 기계적인 손실을 최소로 하기 위해 적당한 윤활을 할 틈새가 필요하다. 실린더 벽을 윤활하는 오일이 연소실 안으로 들어가지 않는 구조라야 하고, 열을 받아 재질의 강도가 저하되거나 과열로 인한 이상 연소가 일어나는 것을 방지하기 위해 열전도가 좋고 또한 충분한 강도를 가져야 하며, 실린더 안에서 고속으로 왕복운동을 하므로 관성에 의한 동력 손실을 감소하고 순응성을 좋게 하기 위해 될 수 있는 대로 가벼운 것이 좋다.

피스톤과 실린더의 간극(Piston Clearance)은 실린더 내경의 0.05% 정도로, 간극이 크면 압축 압력의 저하, 블로-바이(Blow-By)가스 증대, 연소실의 오일 상승, 오일 희석 및 소비량 증가, 피스톤 슬랩(Slap), 노킹(Side Knocking)이 발생 할 수 있으며, 간극이 적으면 피스톤이 소결될 수 있다.

피스톤의 구조는 온도의 변화에 따른 팽창을 고려하여 헤드 부분의 지름은 스커트 부분의 지름보다 적게 되어있고, 윗부분 둘레에는 3~4 개의 피스톤 링을 끼워 기밀을 유지하고 오일을 연소실로 들어가는 것을 방지하며, 오일링을 끼우는 홈에는 과잉된 오일을 피스톤 안으로 빼내기 위한 배유구가 있다.

또한 헤드의 안쪽에는 리브(Rib)가 있어 헤드의 열을 빨리 피스톤링이나 스커트 부분으로 전달하고 피스톤을 보강하며, 헤드 모양은 연소실의 형상에 따라 결정되고, 기관의 성능을 향상하도록 압축시 피스톤 헤드와 실린더 헤드 안쪽 면과의 사이에 틈새가 작은 부분(Squish Area)을 만들어 피스톤이 상사점에 가까워졌을 때 혼합가스가 그 부분에서 밀려나가 소용돌이를 일으키도록 한다.

## 피스톤 열팽창의 보완책

① 헤드는 열을 받아 팽창하는 비율이 크므로 스커트 부분보다 작게 만든다.

② 보스부분은 살이 두껍고, 작동 중 열을 받으면 다른 부분보다 팽창이 크기 때문에 보스방향의 지름이 작다.

③ 열팽창을 적게 하기 위해 열팽창 계수가 적은 인바아 강을 보스 부분에 넣어 주조한다.

##  피스톤의 재질

알루미늄 합금 피스톤은 가볍고 고속회전에 적합하며 열 전도가 좋으나 열팽창계수가 커 피스톤 틈새(실린더 안지름의 0.05%)를 크게 해야 한다.

① Low 합금(Low-Expansion ; Al, Si, Cu, Ni) : 알루미늄과 규소에 소량의 구리와 니켈을 첨가한 경합금이며 Y합금보다 내열성은 떨어지나 비중과 열팽창 계수가 적고 주조성이 좋다.

② Y 합금(Y - Alloy : Al, Cu, Ni, Mg) : 알루미늄과 구리, 니켈을 주성분으로 한 경합금이며 열전도가 잘 되고 내열성(고온 강도, 경도의 감소가 적다)이 우수하나 Ro-Ex에 비해 비중과 열팽창계수가 크다.

③ 특수 주철

##  피스톤의 종류

① Solid Piston : 스커트 부분이 통 모양으로 되어 열팽창으로 인한 여유가 없으므로 모든 운전 조건에서 적절한 피스톤 간극을 유지할 수 없으나 기계적 강도가 높아 가혹한 조건에 사용하는 기관에 주로 사용한다.

② Slipper Piston : 측압이 가해지지 않은 쪽의 스커트 부분을 따낸 것으로 무게를 늘리지 않고 접촉면적을 크게 하여 피스톤 슬랩(Slep)을 적게 하여 고속기관에 널리 사용한다.

③ Split Piston : 측압이 적은 쪽의 스커트 부분으로 오는 열의 흐름을 제한하여 온도가 올라가지 않도록 한 것이며 열팽창이나 측압으로 인한 변형을 막고 피스톤 틈새를 적게 할 수 있다. U-slot, T-slot형이 있으며 끝부분을 둥글게 파서 응력의 집중을 피하도록 했으나 강도면에서는 불리하다,

④ Inver Strut Piston : 열팽창 계수가 극히 적은 니켈계 합금강의 스트럿을 보스부분이나 또는 링 모양으로 만들어 스커트 윗부분에 일체 주조한 것으로 제작은 곤란하나 열팽창으로 인한 변형이 적어 피스톤 간극이 항상 일정하다.

⑤ Offset Piston : 피스톤의 중심에 대해 피스톤 핀의 중심을 압축, 또는 동력 트러스트(thrust) 쪽으로 1.0~2.5 mm정도 편심 한 것으로 슬랩을 방지한다.

⑥ Cam Ground Piston : 보스부는 하중(피스톤에 작용하는 압력)에 의한 변화를 일으키고 Pin의 마찰에 의한 온도가 높아져 트러스트 쪽보다 열팽창이 크다. 그러므로 상온에서 보스 방향의 직경이 짧은 타원형으로 가공하여 온도가 올라감에 따라 진원이 되도록 한다. 현재의 경합금 피스톤은 대부분 이 형식이며 장경과 단경과의 차이는 대략 0.125～0.325mm이다.

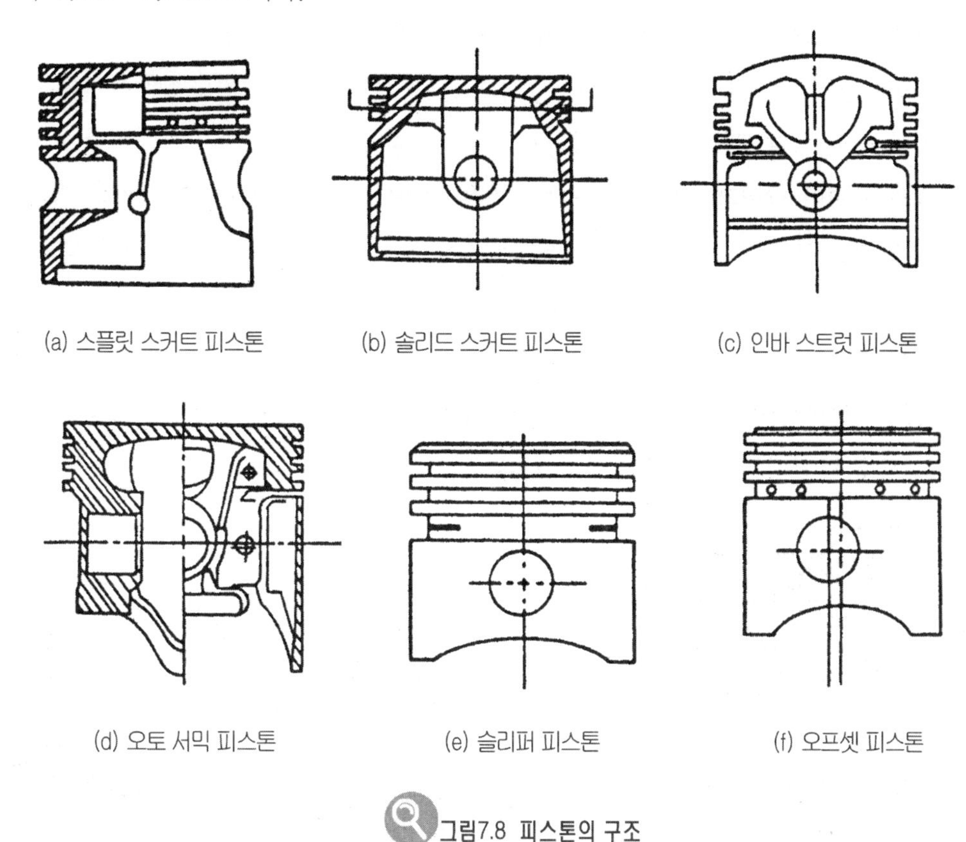

(a) 스플릿 스커트 피스톤 (b) 솔리드 스커트 피스톤 (c) 인바 스트럿 피스톤

(d) 오토 서믹 피스톤 (e) 슬리퍼 피스톤 (f) 오프셋 피스톤

그림7.8 피스톤의 구조

## Piston Head 모양에 따른 분류

- Flat Head Type
- Dome Head Type
- Concave Head Type
- Irregular Head Type
- Wedge Head Type
- Notched For Valve Type

## 05 피스톤 링

피스톤 링은 기밀유지, 오일제어, 열전도 작용을 하며 압축 링(Compression Ring)은 압축가스 및 연소가스의 누설을 방지하고 연소로 인해서 피스톤이 받는 열을 실린더에 전하는 역할을 한다. 오일 링(Oil Ring)실린더 안 벽을 윤활한 나머지 오일을 긁어내리기 위한 역할을 하며, 긁어 내려진 오일의 일부는 링의 오일 구멍에서 피스톤의 구멍을 통하여 피스톤 안쪽에서 다시 오일 팬으로 보내진다.

링의 단면이 테이퍼(Tapper Type)인 것은 실린더와의 접촉면을 작게 하여 단위 면적에 대한 압력을 크게 하고, 언더컷 식(Under Cut Type)은 피스톤의 상하운동에 따라 링이 약간 경사지게 되어 오일을 효과적으로 긁어내린다.

링은 바깥 둘레가 진원으로 실린더 벽에 균일하게 면압이 가해져야 하고, 고온에서 탄력을 잃지 말아야 한다. 따라서 링의 재질은 내열, 내마모성, 오일 유지성을 감안하여 특수철 또는 특수 주철에 크롬 도금된 것이 사용된다.

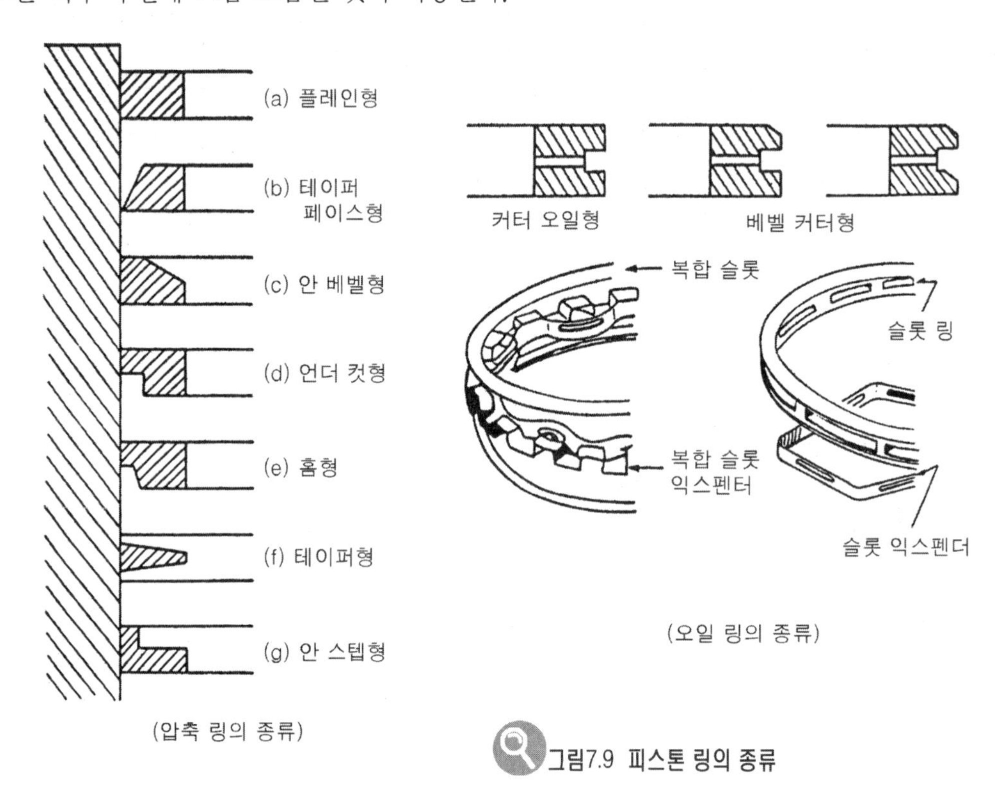


그림7.9 피스톤 링의 종류

절개구의 틈새는 실린더 안지름 100mm에 대하여 0.3mm정도로, 너무 크면 가스가 새고, 너무 작으면 팽창했을 때 절개구가 서로 접촉하여 파손되며, 바깥지름이 커져 실린더 벽에 상처를 내거나 소결된다.

## 06 피스톤 핀(Piston Pin)

피스톤과 커넥팅 로드 소단부(Small End)를 연결하여 피스톤이 받은 동력을 커넥팅 로드를 거쳐 크랭크축에 전달한다.

피스톤과 함께 실린더 내를 고속으로 왕복 운동하기 때문에 가벼워야 하고(중공), 수시로 변하는 큰 하중에 견디는 강도가 요구되며, 핀의 표면은 내마모성이 좋아야 한다.

이러한 조건을 만족키 위해 탄소강이나 니켈크롬강을 쓰며, 표면 경화하여 마모에 견디게 하고 내부는 경화하지 않고 인성을 갖도록 한다.

피스톤 핀의 설치 방법은 다음과 같은 것들이 있다.

① 고정식(Lock Type) : 커넥팅 로드에 구리 합금의 부싱(Bushing)이 끼워져 있고, 피스톤 핀이 피스톤 핀 구멍(boss)에 고정(압입)되어 있다.

② 반부동식(Semi Floating Type) : 피스톤 핀과 커넥팅 로드의 소단부가 고정되어 있기 때문에 핀이 구멍 부분에서 움직인다. 커넥팅 로드 소단부에 갈라진 곳을 만들어 핀을 볼트(Clamp Bolt)로 죄는 형식이 있지만 주로 프레스로 압입하는 형식이다.

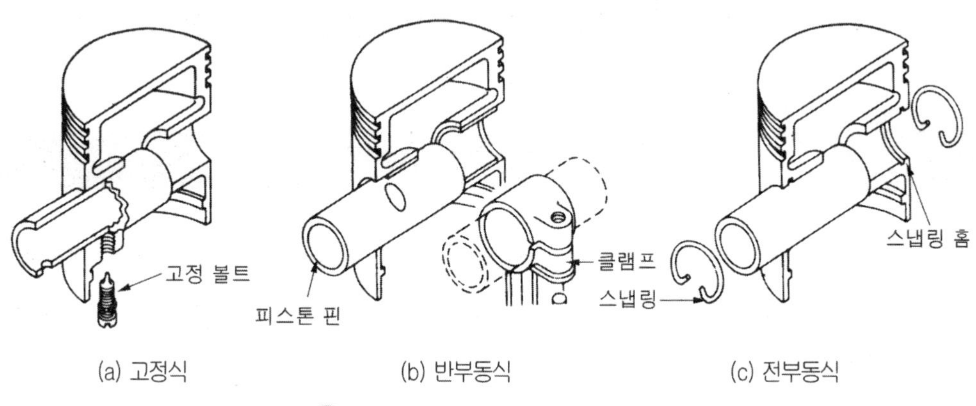


그림7.10 피스톤 핀의 고정방법

③ 전부동식(Full - Floating Type) : 핀이 피스톤이나 커넥팅 로드에 고정되지 않고 자유로이 회전하도록 된 것으로 핀이 빠져서 실린더 벽에 손상을 주지 않도록 양쪽 피스톤의 핀 구멍 부분에 틈을 만들어 스냅 링(Snap Ring)을 끼운다.

전부동식과 반부동식의 부싱은 Al합금 피스톤의 경우, Al 자체가 질이 좋은 베어링이 될 수 있으므로 별도로 부싱을 쓰지 않는다.

## 07 커넥팅 로드(Connecting Rod)

커넥팅 로드의 작은 쪽(소단부)은 핀을 통하여 피스톤에 연결되고, 대단부(Big End)는 분활식 평면 베어링을 거쳐 크랭크축 핀 저널에 연결된다. 기관 운전 중 압축, 인장, 휨 등의 하중을 되풀이하여 받으므로 이것에 충분히 견딜 수 있는 강도와 강성이 필요하며, 재질로는 중탄소강, 니켈크롬강, 크롬몰리브덴강 등의 특수강을 형 단조하여 만들며, 강도를 크게 하고 무게를 가볍게 하기 위해 I형 단면을 한다.

작은 끝의 중심과 큰 끝의 중심 사이 길이를 커넥팅 로드의 길이라 하며 보통 행정의 1.5 ~ 2.3배 정도이다.

길이가 긴 것은 실린더 벽에 가하는 측압이 적어지고, 실린더의 마모를 적게 하는 장점이 있으나 강도와 무게 면에서 불리하며 기관의 높이가 높아지고, 짧은 것은 기관의 높이가 낮아지며 무게가 가벼우므로 최근 많이 사용한다.

커넥팅 로드의 작은 쪽의 끝과 큰 쪽의 끝을 관통하는 오일 통로가 뚫려 있는 것도 있으며 이것은 오일에 의한 피스톤의 냉각과 작은 끝 부분의 윤활을 겸한 것이다.

## 08 크랭크축(Crank Shaft)

크랭크축은 크랭크 케이스 안에 메인 베어링으로 지지되어 각 실린더의 동력 행정에서 발생한 피스톤의 직선동력을 커넥팅로드를 통해 회전 동력으로 바꾸고, 반대로 다른 행정에서는 피스톤에 운동을 가해 동력을 발생시킨다.

크랭크 핀, 크랭크 암, 크랭크 저널의 구조로 되어 있으며, 회전의 밸런스를 유지키 위한 밸런싱 웨이트가 부착되어 있고, 뒤쪽에는 플라이휠을 설치시키기 위한 플랜지(Flange)와 클러치 입력 축 끝을 지지하는 파일럿 베어링을 끼우기 위한 자리가 마련되어 있으며, 앞쪽에는 캠축을 구동키 위한 타이밍 기어(Timing Gear) 또는 스프로켓(Sprocket)과 물 펌프(Water Pump) 및 발전기(Alternater)를 구동하는 풀리(Pulley)가 부착된다.

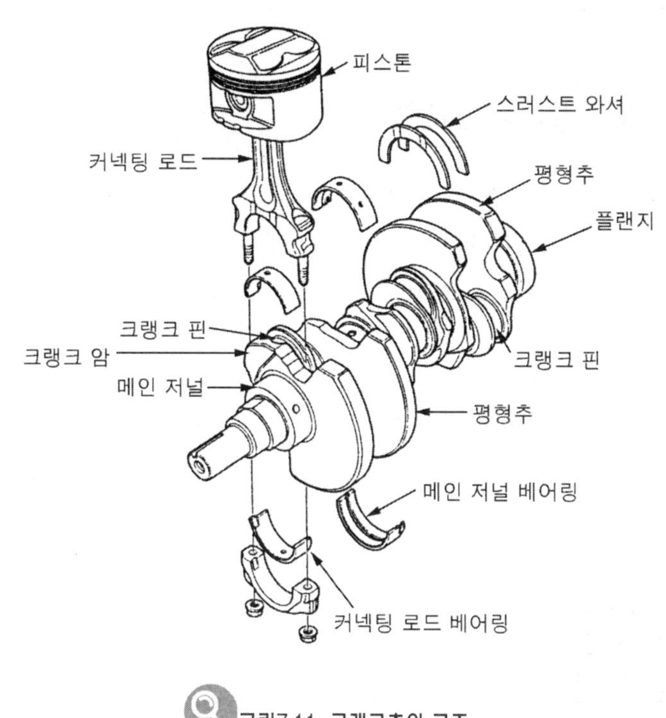


그림7.11 크랭크축의 구조

내부에는 커넥팅 로드 베어링으로 오일을 공급하는 윤활유 통로가 있고, 양끝에는 크랭크 케이스(Case)의 오일 누설 방지를 위한 오일시일이 있다.

크랭크축은 정적 및 동적 평형이 잡혀 있어야 하고, 내 마멸성이 커야하며, 강도나 강성이 충분해야 하고, 성형 및 가공이 쉬워야 한다.

따라서 크랭크축의 재질은 고 탄소강, 크롬 몰리브덴 강, 니켈크롬강, 미하나이트 주철, 구상 흑연 주철로 만든다.

① 고 탄소강 : C 0.4~0.5% 의 탄소강

② 미하나이트 주철 : 주철에 다량의 강철과 Ca를 가하여 용해하고 미세한 흑연을 균일하게 분포한 주철로 강과 맞먹는 강도가 있으며 담금질, 풀림 등이 가능하다.

③ 구상 흑연 주철 : 질이 좋은 주철에 Mg을 혼입하여 흑연을 구상으로 석출시킨 주철이며 가단주철, 주강에 상당하는 성질이 있다.

④ 가단주철 : 주철에 인성을 증가시키기 위해 주철을 가열하여 노속에서 천천히 냉각시킨 것.

⑤ 주강 : 탄소 함유량 0.2 %, 용융 온도가 높다. 강도를 요하는 기계 부품에 적합

## 크랭크축의 형식과 점화순서

### (1) 점화 순서를 정하는데 있어 고려할 사항

① 연소가 동일간격으로 일어날 것

② 한 베어링에만 연속적인 폭발 하중이 걸리지 말 것

③ 혼합기가 각 실린더에 균등하게 배분될 것

④ 크랭크축에 비틀림 진동을 일으키지 말 것

점화순서 1-5-3-6-2-4

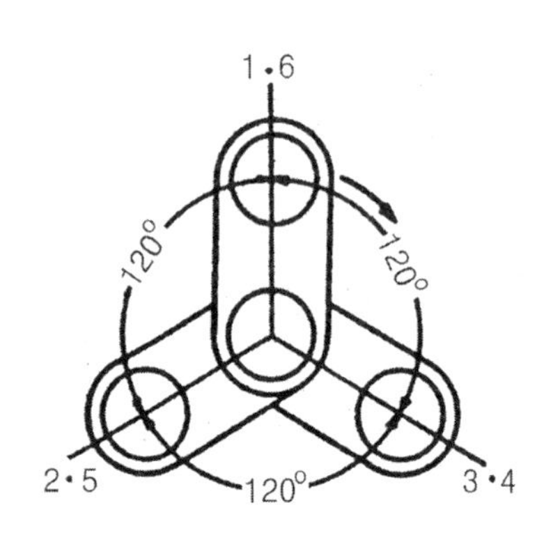


<table>
<tr><td rowspan="2">크랭크축의 회전각도<br>실린더 번 호</td><td colspan="6">1 회 전</td><td colspan="6">2 회 전</td></tr>
<tr><td colspan="3">0~180°<br>60° 120°</td><td colspan="3">180~360°<br>240° 300°</td><td colspan="3">360~540°<br>420° 480°</td><td colspan="3">540~720°<br>600° 660°</td></tr>
<tr><td>1</td><td colspan="3">동력</td><td colspan="3">배기</td><td colspan="3">흡기</td><td colspan="3">압축</td></tr>
<tr><td>2</td><td>흡기</td><td colspan="3">압축</td><td colspan="3">동력</td><td colspan="3">배기</td><td colspan="2">흡기</td></tr>
<tr><td>3</td><td colspan="2">배기</td><td colspan="3">흡기</td><td colspan="3">압축</td><td colspan="3">동력</td><td>배기</td></tr>
<tr><td>4</td><td colspan="2">압축</td><td colspan="3">동력</td><td colspan="3">배기</td><td colspan="3">흡기</td><td>압축</td></tr>
<tr><td>5</td><td>동력</td><td colspan="3">압축</td><td colspan="3">배기</td><td colspan="3">압축</td><td colspan="2">동력</td></tr>
<tr><td>6</td><td colspan="3">흡기</td><td colspan="3">압축</td><td colspan="3">동력</td><td colspan="3">배기</td></tr>
</table>

그림7.12 6실린더의 점화순서

### (2) 크랭크축의 형식

① 2메인 베어링 식 : 양끝에만 메인 베어링이 설치되는 형식

② 3메인 베어링 식 : 양끝과 중앙에 베어링이 설치되는 형식

③ 5메인 베어링 식 : 크랭크 핀 저널 1개마다 베어링이 설치되는 형식

④ 메인 베어링의 수 : N + 1, N/2 + 1 (N : 실린더 수)

##  평형추(Balancing Weight)

크랭크축은 진동 없이 원활히 회전해야 하는데 저널중심과 핀의 중심은 편심으로 되어있기 때문에 그대로 회전시키면 균형을 유지할 수 없다. 그러므로 핀의 반대쪽에 평형추를 달아 회전중의 균형을 유지하도록 하였다.

소형기관은 일체로 제작하여 가공하고 대형기관은 따로 제작하여 볼트로 결합한다. 이와 같은 방법으로 하여 축 자체의 균형은 잡히지만 폭발 행정에서 생기는 기관의 진동은 실린더 수나 배열에 따라 다르게 나타난다.

기관의 진동이 일어나면 기관 지지(Engine Mounting) 부분을 통해 진동이 전달되어 실내 소음이 되므로 평형 축(Balance Shaft)을 설치하여 진동을 감소시키는 방법도 있다.

##  토셔널 바이브레이션 댐퍼(Torsional Vibration Damper)

크랭크축은 주기적으로 회전력이 작용하므로 비틀림 진동이 생긴다. 이 비틀림 진동은 회전력이 클수록 축이 길수록 또 강성이 적을수록 커진다. 비틀림 진동은 어느 회전수가 되면 축의 고유진동과 공진을 일으켜 심한 진동이 되어 승차감을 나쁘게 할뿐만 아니라 타이밍 기어나 축을 파손시키는 원인이 될 수도 있다.

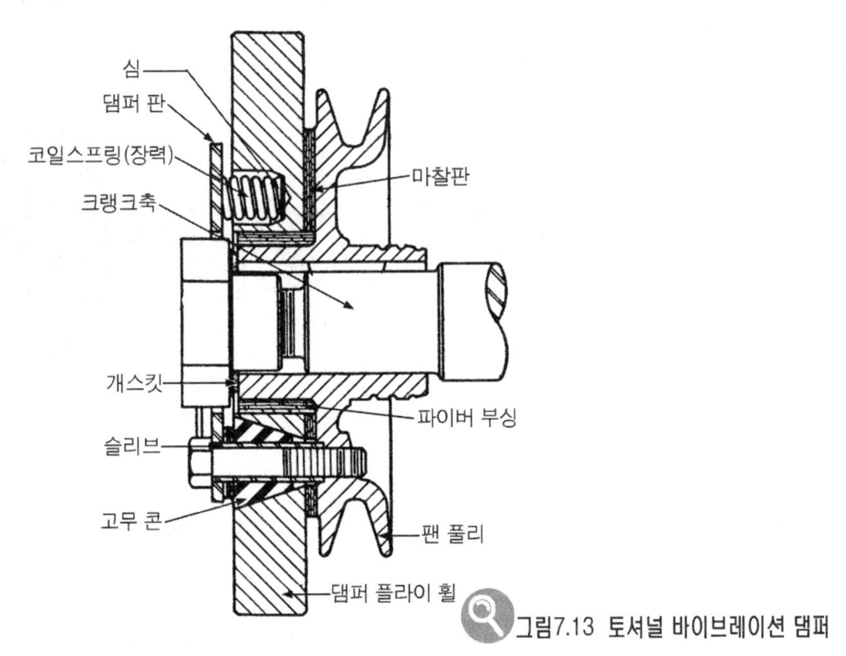


그림7.13 토셔널 바이브레이션 댐퍼

크랭크축이 일정한 회전 속도를 유지할 때 댐퍼 매스(Damper Mass)는 축과 일체가 되어 회전하나, 만일 축의 비틀림 진동이 생기면 댐퍼 매스는 관성에 의해 회전을 그대로 하려고 하기 때문에 중간 고무가 변형하여 이것에 의해 감쇠 작용을 하도록 되어 있다.

## 09 플라이 휠(Fly - Wheel)

기관의 회전력은 크랭크 축의 크랭크 각도에 따라 달라지는데 폭발 행정에서 가장 큰 회전력이 크고, 점점 감소되는 맥동이 발생하게 되는데 4행정 사이클 기관에서는 720°, 2행정 사이클에서는 360°의 주기로 변동을 반복하기 때문에 회전력의 차이로 인한 회전 속도의 변화가 발생한다.

만약 기관의 실린더 수가 적은 경우 주기의 변동 때문에 운전불능이 될 가능성도 있다. 플라이휠은 이것을 막고 회전 속도를 고르게 하여 작동을 원활하게 하기 위하여 설치하는 것이며 크랭크축의 뒤끝에 볼트로 장착한다.

기관의 출력은 동력 행정에서만 발생하고 타 행정에서는 소비가 된다. 따라서 크랭크축의 원활한 회전을 위해 동력 행정시 동력을 저장하였다가 타 행정에서도 쓸 수 있도록 하기 위한 장치가 플라이 휠이다. 자동차가 주행할 때는 자동차의 무게가 플라이휠의 역할을 하는데 기관이 공회전 할 경우에는 플라이휠이 있어야 한다.

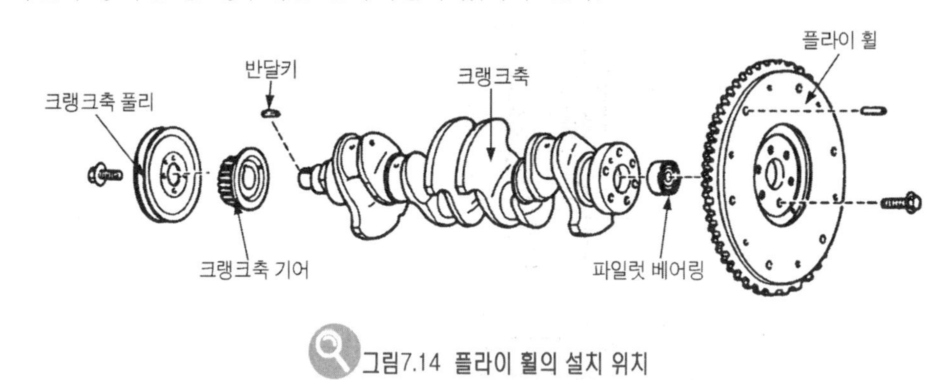


그림7.14 플라이 휠의 설치 위치

플라이휠은 회전 중에 회전 관성이 커야 하지만 중량이 가벼워야 하므로 플라이휠 중심부의 두께는 얇으며 주위의 두께는 두꺼운 원판으로 하여 구비 조건을 만족시키며, 원심력과 인장력이 작용하기 때문에 플라이휠의 재질은 수동 변속기를 장착한 차량에서는 주철제 플라이휠을 사용하고, 자동 변속기 차량에서는 강제의 플라이휠을 사용한다. 또한 설치 위치를 일정하게 하기 위해 핀을 두거나 볼트 구멍 위치를 다르게 한다.

플라이휠의 뒷면에는 기관의 동력을 전달하거나 차단하는 클러치가 설치되고, 바깥 둘레에는 기관의 시동을 위하여 기동 전동기의 피니언 기어와 맞물려 회전력을 전달받는 링기어가 250~300℃의 열박음이 되어 있다. 시동을 끄면 기관은 압축 행정이 겹쳐지거나 압축 행정이 끝날 때 정지되므로 항상 일정한 위치에서 정지된다.

따라서 링기어는 4실린더 기관에서는 2곳, 6실린더 기관에서는 3곳, 8실린더 기관에서는 4곳이 현저히 마모된다. 링 기어의 일부분이 마멸되었을 때는 링 기어의 주위를 가열한 후 가볍게 두드려 빼낸 후 위치 변경을 하여 조립하면 된다. 열로 가열한 상태에서 조립하는 것을 열 박음이라고 한다.

플라이 휠 링 기어는 열박음으로 하여 교환이 가능하며, 뒷면은 클러치의 마찰면으로 이용하며, 플라이 휠이나  크랭크축 풀리의 가장 자리에 점화표시나 상사점 표시를 한다.

DMF(Dual Mass Flywheel)는 플라이 휠 내부에 토션 스프링(Torsion Spring) 및 윤활제를 삽입하여 공진 주파수를 미사용(未使用) 영역(500RPM이하)으로 낮추어 엔진 소음(Rattle Noise)을 극소화하였으며, 토션 스프링에 의하여 플라이 휠 53.5°까지 회전(Long Wide Angle)하게 함으로 인해 출발, 가속, 변속 순간의 울컥거림(Jerk, Surge) 등의 현상을 줄인 것도 있다.

## 10 기관 베어링(Engine Bearing)

크랭크축의 저널 부분이나 크랭크 핀 부분에 사용하는 베어링은 평면 베어링으로 분할형(Split Type)을 사용하고, 캠 샤프트 저널 부분의 베어링은 원통형의 삽입식 미끄럼 평 베어링(Inset Type Bush or Busing)을 사용한다.

베어링은 그 표면에 적당한 유막을 만들어 동력행정에서 회전 부분이 받는 큰 하중이나 충격을 흡수하고 회전으로 생기는 고체 마찰을 유체 마찰로 바꾸어 눌어붙는 것을 방지하며, 접촉면의 마모나 출력의 손실을 작게 한다.

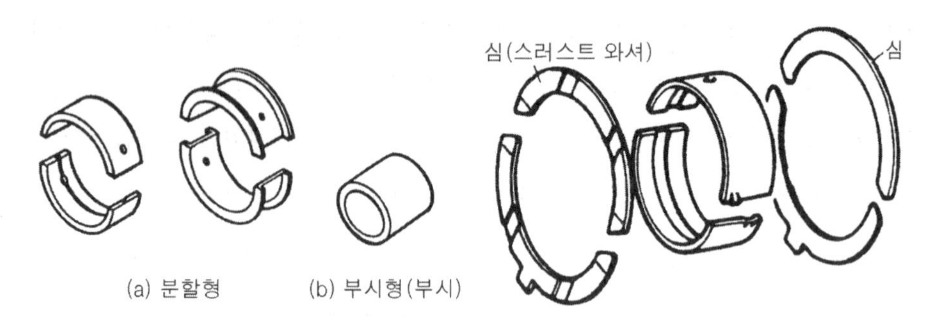


그림7.15 기관 베어링의 종류

## 베어링의 필요조건

베어링이 충격적인 고하중과 마멸에 견디며 원활하게 작용키 위해서는 다음과 같은 조건을 만족시킬 수 있어야 한다.

① 하중 부담 능력(Load-Carring Capacity) : 충분한 기계적 강도로 찌그러들거나 눌어붙지 않는 성질

② 추종 유동성(Conformability ; 길들임성) : 베어링과 축의 정열이 바르지 못하여 국부적인 접촉이 이루어 졌을 경우 접촉부분의 메탈이 다른 부분으로 밀려 나가는 것

③ 매입성(Enbed Clability) : 쇳가루나 윤활유 속의 이물질 등을 메탈 자체 속으로 매몰하는 성질

④ 내 피로성(Fatique Resistance) : 충격적인 폭발력에 베어링은 쉬 피로해 진다.

⑤ 내식성(Corrosion Resistance) : 작동 중 오일은 연소 생성률과 자체의 산화에 의해 산화된다.

⑥ 열 전도성

## 베어링의 재질

① 배빗 메탈(Babbitt Metal) : 주석(Sn), 납(Pb), 안티몬(Sb), 아연(Zn), 구리(Cu) 등의 백색 합금이며 내부식성이 크고 무르기 때문에 길들임과 매몰성은 좋으나 고온에서 강도가 적고 피로강도, 열전도율이 좋지 않다.

② 켈밋 메탈(Kelmit Metal) : 구리(Cu), 납(Pb)의 합금이고 내피로성이 크기 때문에 고

속 고하중을 받는 베어링으로 적당하며 열 전도성이 좋고 눌어붙는 일이 적으나 길들이기와 매몰성이 나쁘다.

③ 알루미늄 합금(Aluminum Alloy) : Al과 Sn의 합금으로 강판에 녹여 붙였고, 길들임과 매몰성은 Babbitt과 Kelmit 중간 정도이며, 내 피로성은 켈밋 보다 크기 때문에 최근에 많이 사용한다.

## 베어링의 종류

① Babbitt Metal Bearing : 강제의 셀에 0.1~0.3mm의 배빗을 부착한 것.

② Tri - Metal Bearing : 셀에 0.2~0.5mm의 켈밋을 부착한 후 그 위에 길들임성을 양호하게 하기 위해 배빗을 0.01~0.2mm 코팅한 것.

③ 4층 메탈(Fourth - Metal Bearing) : 3층 메탈의 배빗층위에 마멸 방지를 위해 0.05~0.02mm 정도의 니켈을 코팅한 것.

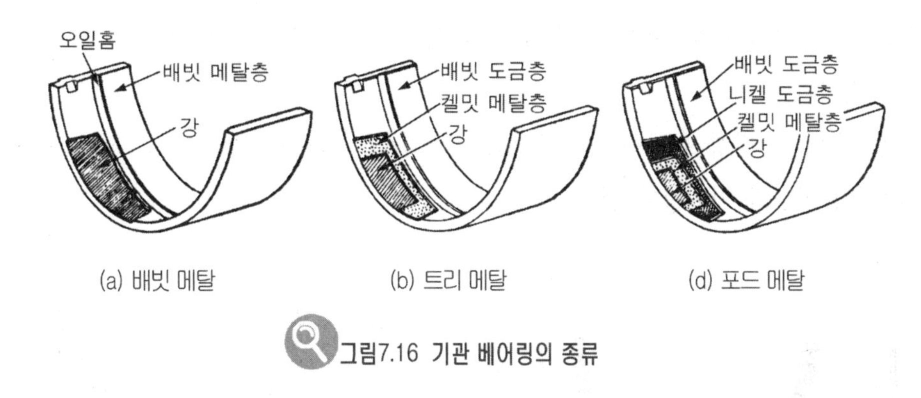


그림7.16 기관 베어링의 종류

## 기관 베어링의 구조

축이 회전하며 베어링이 따라 돌지 못하도록 러그(Bearing Lug)를 두며, 오일 홈과 오일 구멍(Oil Groove & Oil Hole)을 두어 오일이 충분히 윤활하도록 한다. 또한 하우징 보다 크게 만들어(크러시 ; Bearing Crush) 베어링이 하우징에 밀착하여 열전도가 좋게 한다.

그리고 베어링 하우징의 반경보다 자유 상태에서의 베어링 반경을 크게 한 스프레이드(Bearing Spread)를 만들어 베어링과 하우징의 밀착을 양호하게 하고, 조립시 크러시에 의해 베어링이 안쪽으로 찌그러지는 것을 방지하며, 기관 조립시 베어링이 하우징에 꼭 끼이

게 되므로 취급이 편리하도록 한다.

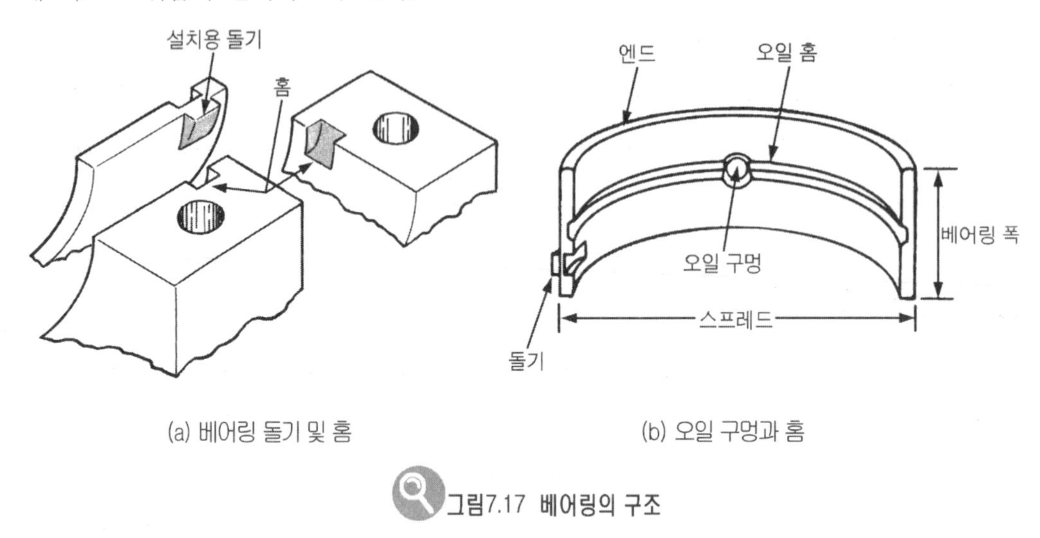


(a) 베어링 돌기 및 홈 (b) 오일 구멍과 홈

그림7.17 베어링의 구조

베어링의 두께(Bearing Thickness)는 베어링 반원의 중앙부 두께로 표시하며, 중앙부가 두껍고 양끝부분을 얇게 하여 크러시에 의해 찌그러지는 것을 보상하여 유막이 파손되지 않도록 제작한다.

크랭크축의 축 방향 유격을 보상하기위해 스러스트 베어링(Thrust Bearing)을 1개소 이상 두며, 분리형과 일체형이 있다.

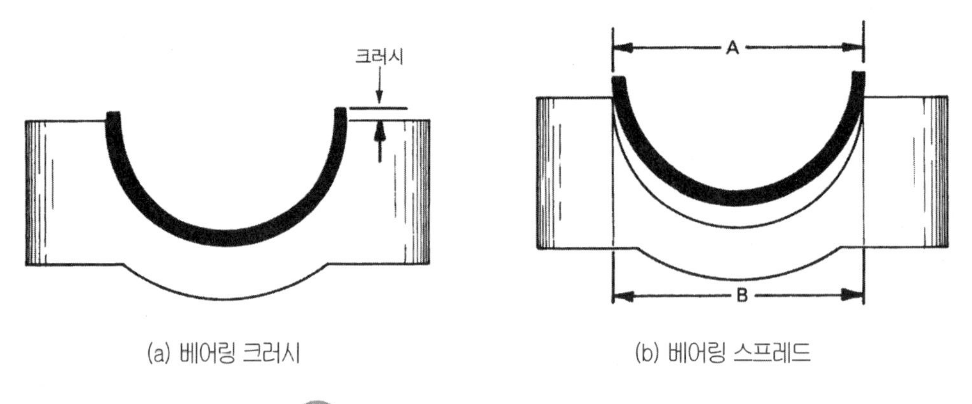


(a) 베어링 크러시 (b) 베어링 스프레드

그림7.18 베어링 크러시와 스프레드

PART EIGHT

# 8 흡기 및 배기장치

## 01 기관의 흡 · 배기

열기관은 연료의 연소에 의해 열에너지를 발생시켜 기계적 에너지로 변환하는 시스템이다. 따라서 연료를 충분히 연소시키기 위해 필요한 새로운 공기 또는 혼합기를 흡입하는 흡기계와 연소가 끝난 연소가스를 계 외로 배출하기 위한 배기계가 대단히 중요한 의미를 갖는다.

신선한 공기 또는 혼합기와 연소가스와의 교환을 가스교환(Gas Exchange)이라고 한다.

흡기계에는 흡입측의 입구에서 흡입공기의 먼지를 제거하는 에어클리너, 과급 기관인 경우 과급을 위한 터보차저, 가압된 공기를 냉각하는 인터쿨러, 공기유량을 검출하는 공기유량 검출 센서, 흡입 공기의 유량을 제어하는 스로틀 바디가 있으며, 흡기 매니폴드(Intake Manifold)에는 인젝터가 장착되어 있다.

배기계통에는 배기 매니폴드, 배기 터보차저, 유해한 배기가스를 정화하는 촉매컨버터(Catalytic Converter), 배기음 감소와 온도를 낮추는 소음기(Exhaust Muffler)가 장착되어 있다.

여기서는 흡기 및 배기행정이 독립되어 있으며 가스교환의 원리를 알기 쉬운 4사이클 가솔린 기관으로 설명한다.

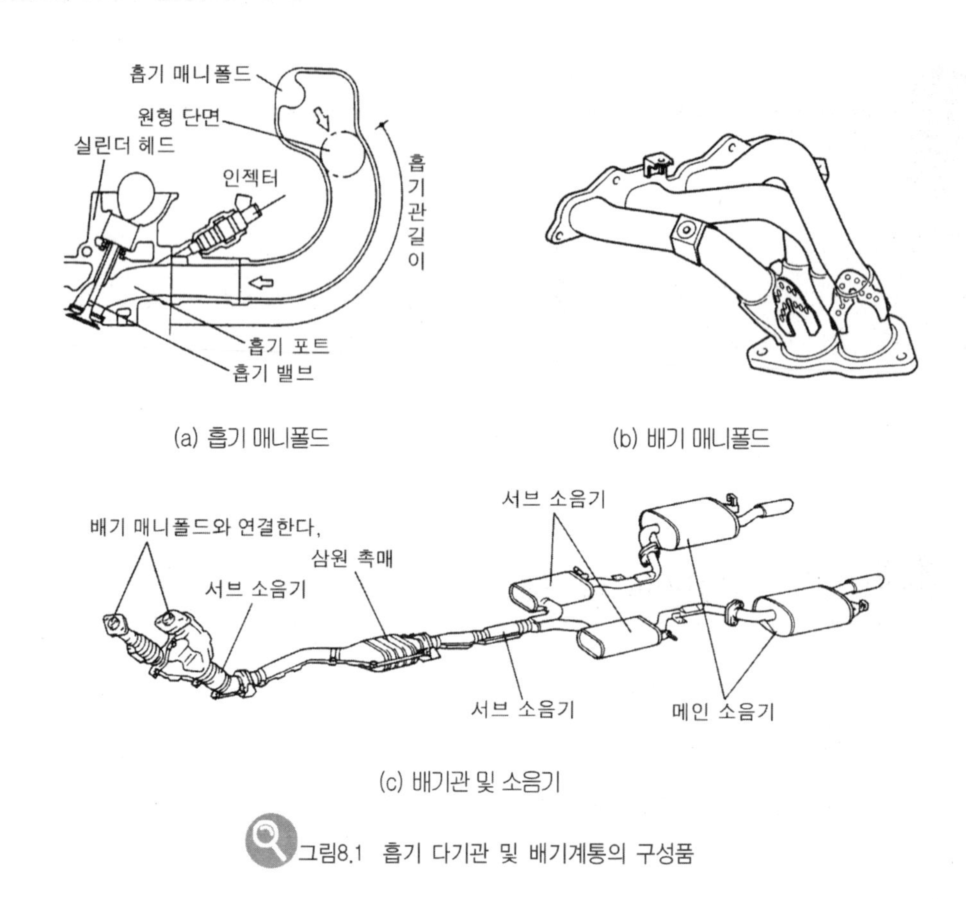


그림8.1 흡기 다기관 및 배기계통의 구성품

## 02 흡기장치

흡기장치는 흡기 청정 기능과 흡기 소음 감쇄기능을 가지고 있으며 흡기장치의 설계에 따라 기관 성능을 향상 시킬 수 있다. 따라서 흡기장치는 전 회전역에 걸쳐서 흡입효율이 좋고, 가솔린과의 혼합이 좋아야 하며(양호한 무화와 와류), 균일한 분배성, 응답성이 좋으며, 안정된 운전성이 얻어질 수 있어야 한다.

흡기저항을 작게 하기 위해 흡기통로를 각 기통마다 독립시키며, 저속에서는 흡입공기의 유속이 느리고, 무화가 악화됨과 동시에 강한 와류를 얻기 어렵기 때문에 안정성을 개선하기 위해 내경과 흡기밸브의 지름과 리프트를 가능한 크게 한다.

고속고성능용 흡기장치가 되려면 흡기저항을 작게하기 위해 단면적은 크고 곡률을 부드럽게 함과 동시에 전체의 길이를 짧게 하여 고속 회전시에 많은 혼합기가 흡입되도록 한다.

저·중속 토크 중시형 흡기계통은 기통마다의 다기관 길이를 길게 하여, 기관내의 압력변동이 다른 기통에 영향을 주지 않도록 한다.

흡입효율은 흡기관의 압력과 온도, 흡기통로의 저항, 밸브의 개폐시기, 잔류가스량이 결정하는 요인이 된다.

흡기관내의 부압은 회전수가 일정하고 스로틀 밸브 개도가 최저일 때 흡입부압이 하강하며, 고장(Trouble)의 원인이 되는 부압변화는 EGR 때문에 흡기 밸브, 흡기 포트, 서지 탱크, 스로틀 밸브 뒷면까지 새까만 카본이 쌓여 출력부족 및 출발시 "꿀럭꿀럭"거리는 것 등이다.

## 흡기장치 구성부품

① **주름관**(Elbow Hose) : 기관의 진동을 흡수하기 위해 주름관으로 설치한다.

② **공기 여과기** : 흡기소음 감쇄기능도 하며, 전자제어 연료분사장치의 기관은 여과기를 기관으로부터 분리되어 설치(Remote Type)한다.

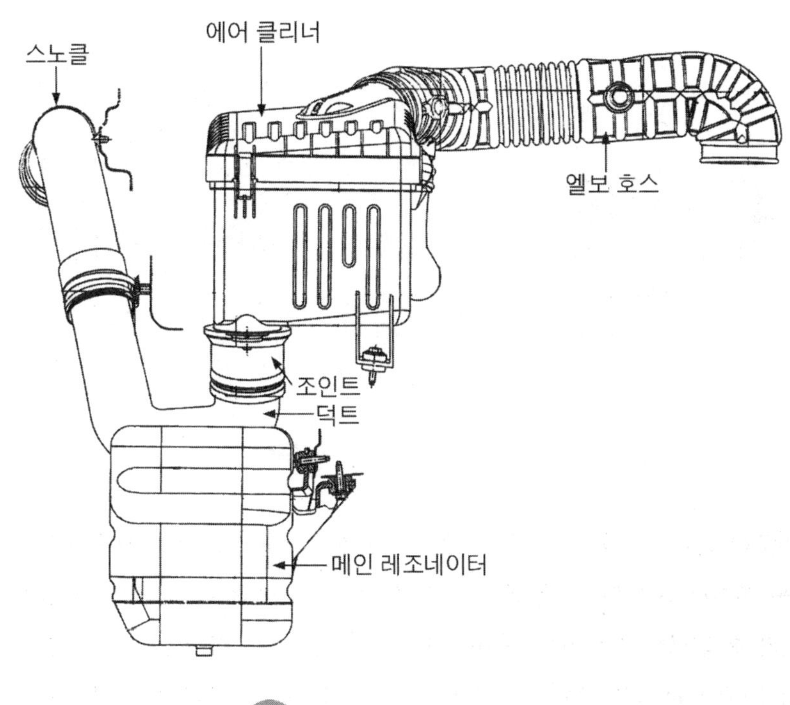

그림8.2 흡기장치 구성부품

③ 공기 여과지 : 부직포를 사용하여 필터를 통과하는 공기속도가 빠른 것은 여과면적을 작게 할 수 있다.

④ 흡기관(Inlet Duct, 스노클 ; Snorkel) : 길이가 길면 소음은 감소하고 성능도 저하되며 직경이 크면 성능은 향상되나 소음(Noise)은 증가한다. 기관실 밖에 설치하여 에어컨 등의 무리한 부하시에도 기관의 성능을 발휘하도록 한다.

⑤ 레조네이터(Resonator) : 특정구간에서 소음이 증가될 때 그 영역에서의 소음을 감쇄시키는 기능을 한다. 레조네이터가 크면 낮은 주파수의 소음을 저감시키며 작으면 높은 주파수의 소음을 저감시킨다.

##  공기 여과기(Air Cleaner)

① 건식(Dry Type Air Cleaner) : 매우 작은 입자의 먼지도 걸러지며 비교적 구조가 간단하고 엘리먼트의 설치나 교환이 용이함과 동시에 기관의 회전수 변동에도 안정적인 여과 효율을 얻을 수 있다.

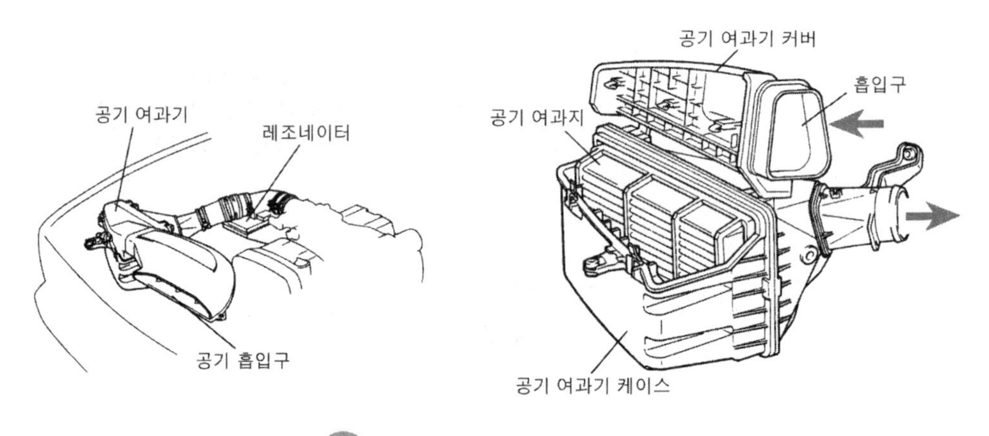


그림8.3 건식 공기 여과기

② 습식(Wet Type or Oil Bath Type Air Cleaner) : 2중의 케이스 내에 오일을 머금은 철망(Steel Wool) 엘리먼트가 들어 있고 바깥 케이스 하부에는 규정량의 윤활유가 들어있다. 공기가 흡입되면 먼저 바깥 케이스 하부의 윤활유에 접촉하면서 다소 큰 입자의 무거운 먼지가 Oil Bath 내의 윤활유에 흡착되고 여기를 통과한 먼지는 다시 Steel Wool 엘리먼트를 통과하면서 먼지나 이물질이 재차 걸러진다.

## 공기 여과지(Air Element)

여과지는 여지(Paper Element)에 비해 여과능력이 3~4배 우수한 부직포(Non Wovon Fabric)를 사용하며, 부직포는 공기의 통과 속도가 빠르고, 먼지를 표면에서뿐만 아니라 내부에서도 여과를 하며, 파열강도가 높고 내수, 내유성이 우수하다.

## 흡기 소음

공기가 실린더로 들어가면서 흡기밸브의 빠른 개폐로 인해 나타나는 공기의 압력과 속도 변화에 기인한다.

## 흡기 맥동음

흡기 행정 중 관성력에 의해 들어가는 공기가 흡기밸브가 닫히면서 압력이 가해지고, 반대의 흐름을 발생시키면서 들어오는 공기와 부딪쳐서 발생하는 유체음으로 흡입밸브 개폐시기와 동일한 주파수를 갖는다.

주로 차량 실내에서 운전자 또는 승객에게 불쾌감을 주는 저주파음(Booming Noise)을 발생시키며, 이를 제거하기 위해 사용되는 것이 레조네이터(Resonator)이다.

## 서지 탱크(Surge Tank)

가솔린 분사 기관의 흡기 다기관은 기화기 기관과는 달리 공기만 통과하므로 기관의 충진효율을 증대시키기 위해서는 기화기 기관의 흡기 다기관과는 완전히 다른 형상의 서지 탱크가 흡기 다기관과 일체로 제작된다.

## 흡기 다기관(Intake Manifold)

자연 흡기식에서 실제로 흡·배기 할 수 있는 양은 60% 전후이며, 흡기관의 단면적, 길이, 곡면부등의 변화에 의해 기관의 성능향상을 꾀할 수 있다.

흡기 다기관의 재질은 알루미늄 합금 또는 특수 플라스틱을 사용하며 형상은 공기의 흐름이 양호하면서 흡기맥동이나 유체의 관성 등을 충분히 고려하여, 기관의 전 회전속도 범위에서 높은 충전효율을 얻을 수 있도록 흡기 다기관의 직경, 단면의 형상, 휨부의 곡률반경(가능한 크게) 등을 고려하여 설계되어야 한다.

## 흡기포트(Port)

혼합기는 와류를 주어 연소속도를 빠르게 해야 하며, 흡입 효율을 높이기 위해 급격한 포트형상을 피하고, 내면의 상태도 흡기관과 아울러 면조도를 깨끗이 하는 것이 효과적이며, 혼합기에 강한 와류를 주기 위해서는 연소실 입구의 유속이 저하되지 않도록 서서히 내경을 좁히고, 형상도 다소 커브로 하는 것이 바람직하다.

## 가변 흡기 장치

흡기관내의 맥동류 주기는 기관 회전이 늦을수록 길고, 빠를수록 짧게 된다. 따라서 기관 회전이 낮을 때에 흡기관 길이를 길게 하고, 고속 회전시에 짧게 하면, 넓은 회전 범위에서 공기 밀도를 올리는 것이 가능하게 된다. 이 흡기관의 길이를 조절하여 기관 회전에 맞추어 자동적으로 행하는 것이 가변 흡기 장치이다.

흡기 다기관 길이와 기관의 토크 특성의 관계는 밀접하다. 다기관 길이를 짧게 하면 고속에서의 토크는 나오지만, 저중속 영역에서 토크는 작게 되어, 시가지(市街地)등의 발진, 정지가 많은 곳에서는 토크(힘)가 부족하다.

또 길이를 길게 했을 때 저중속 영역에서의 토크는 나오지만, 고속영역에서는 흡입저항이 커짐으로 출력 부족현상이 온다.

흡입공기량에 대해 다기관의 길이와 직경을 동시에 가변(可變)하면 이상적인 토크 특성을 얻을 수 있지만 현재 기술로는 불가능하다. 따라서 각 실린더의 흡기관을 2계통으로 나누어 기관 회전수와 부하에 맞추어 흡입공기의 통로를 변환하는 방법을 채용한다.

그 예를 들면 스로틀 밸브를 통과한 공기는 분기관(컬렉터 ; Collector)에 들어가 컬렉터로부터 각 실린더의 흡기 포트로 나뉘어 들어가는데, 플랜지는 경이 작고 길이가 긴 저속용 통로와 길이가 짧은 고속용 통로로 나뉘어지게 되어 있으며, 고속용 통로 도중에는 셔터 밸브(Butterfly Valve)가 설치되어 있다. 셔터 밸브는 기관의 회전속도와 흡입 부압을 검출하여 개폐되는 구조를 가지고 있다.

저속시는 셔터밸브가 닫혀져서 실린더에 흡입되는 공기는 저속용(길이가 긴 Flange)을 통해서 흡입되고, 고속에는 셔터밸브가 열려 고속용(경이 크고 길이가 짧은 Flange)으로부터 다량의 공기가 흡입하게 되어있어, 저속으로부터 고속까지 큰 토크가 얻어진다.

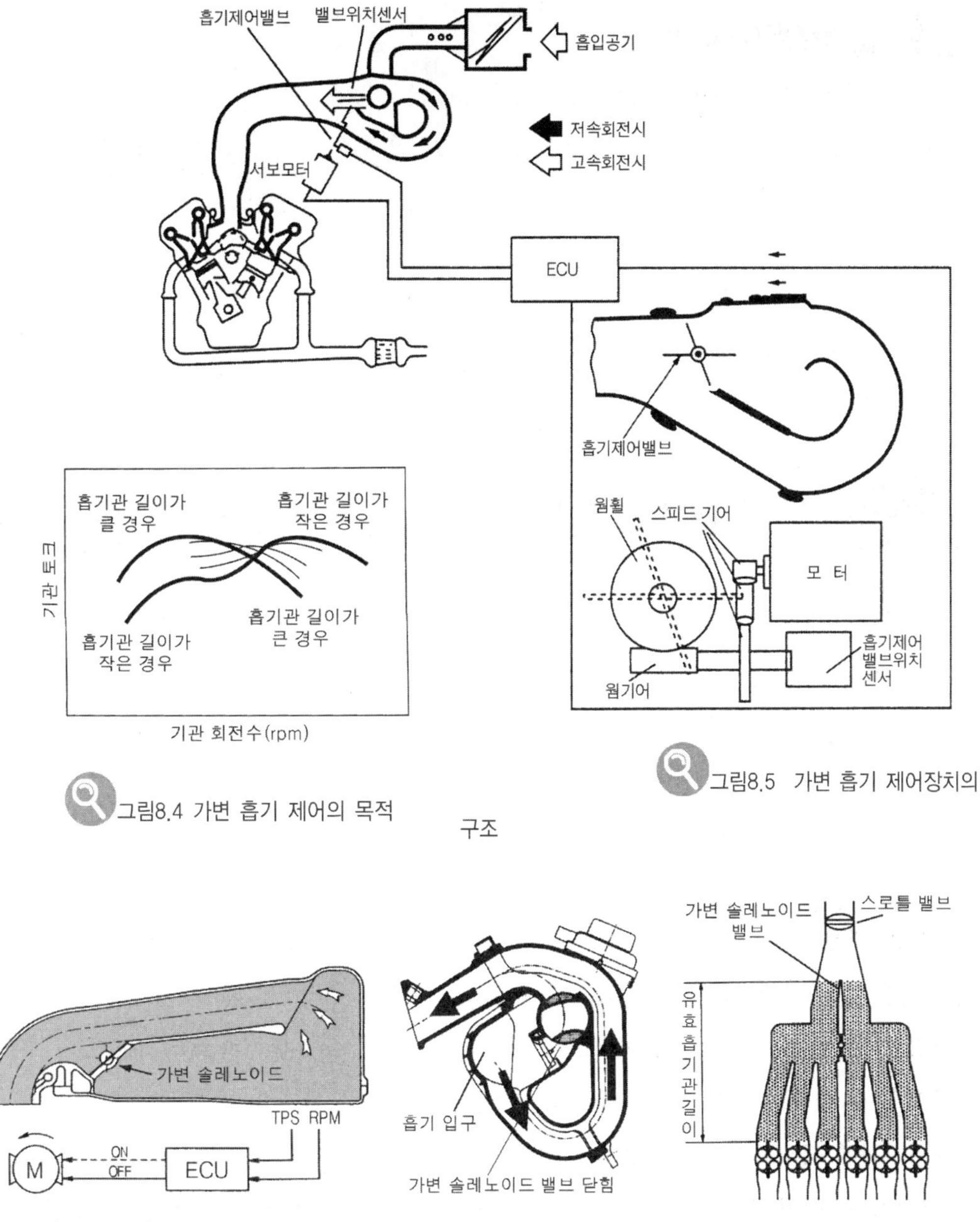


그림8.4 가변 흡기 제어의 목적

그림8.5 가변 흡기 제어장치의 구조

기관 회전수가 4500rpm 이하 또는 스로틀 밸브의 개도가 70% 이하시 VIS 밸브를 닫는다. VIS 밸브가 닫히면 흡입 통로가 길어지게 되므로 흡입 관성력이 증가되어 흡입 효율이 증대된다.

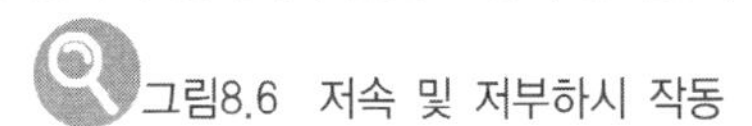
그림8.6 저속 및 저부하시 작동

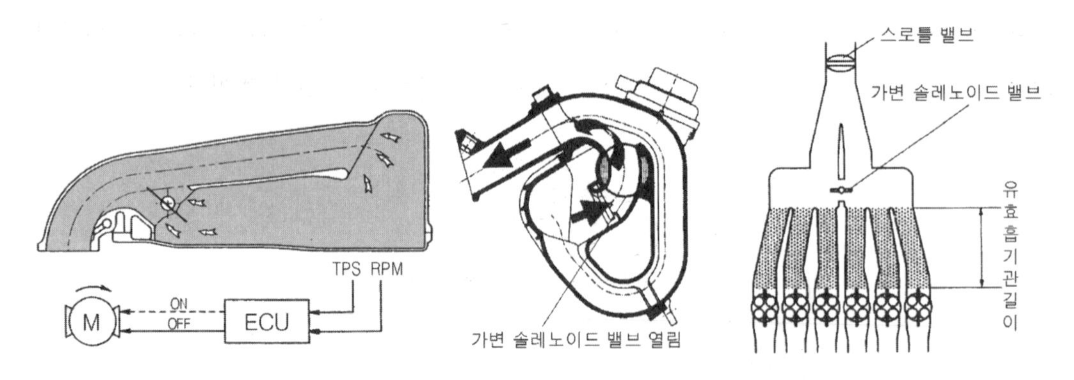


기관 회전수가 4500rpm 이상 또는 스로틀 밸브의 개도가 70% 이상시 VIS 밸브가 열려 흡입 통로가 짧아지므로 흡입 저항이 감소되어 흡입 효율이 증대되고 기관의 출력이 증대된다.

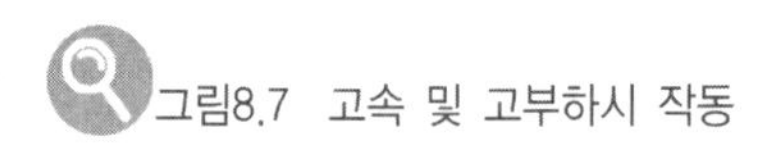
그림8.7 고속 및 고부하시 작동

## 03 밸브 타이밍

가스교환을 정확히 하기 위해서는 밸브의 개폐시기가 중요하며 이것을 밸브 타이밍(Valve Timing)이라고 한다.

일반적으로 흡입행정에서는 될 수 있는 한 많은 공기 또는 혼합기를 흡입하고, 배기행정에서는 연소가스를 될 수 있는 한 모두 기관 외부로 배출해서 연소실 내에 연소가스를 남지 않게 하는 것이 중요하다. 이 때문에 작동유체인 기체의 압축성과 관성을 고려할 필요가 있으며, 밸브를 구동하는 밸브 구동계의 강도나 응답성도 문제가 된다.

밸브의 개폐시기는 신기의 흡입과 연소가스의 배출에 영향을 미쳐, 기관의 출력 등에 직접 영향을 주므로 체적효율을 최대로 하여야 동일한 행정체적에서 연료량을 그만큼 많이 연소시킬 수 있으므로 최대 출력이 발생한다. 또한 흡입공기나 배기가스처럼 흐르는 물질의 관성력을 잘 이용하면 짧은 시간에 많은 양의 유체를 흐르게 할 수 있다.

내연기관에서는 동작유체는 모두 기체이고, 압축성 물질이다. 즉, 압축하면 그 체적이 극히 적어진다. 이런 점을 고려하여 이론기관과 달리 실제기관에서는 흡기밸브, 배기밸브의 열고 닫음의 시기를 결정해야 한다.

기관의 흡기밸브, 배기밸브의 열고 닫는 시기를 표시한 그림을 밸브개폐 선도(Valve Timing Diagram)라고 한다. 4사이클 기관의 흡기밸브는 상사점전에서 미리 열리고 배기밸브는 상사점을 지나서도 열려있게 되어 그림 8.8처럼 흡배기 행정의 상사점을 사이에 두고 어느 각도 구간에서는 흡기밸브와 배기밸브가 동시에 열려있는 기간이 있다. 이 상태를 밸브의 중첩(Valve Overlap)이라 부른다.

고속형의 기관에서는 밸브의 중첩기간을 길게 하는 경우가 많다. 또한 밸브의 중첩기간의 길고 짧음에 의해 가스교환이 확실하게 행해지는지의 여부가 결정되는 것과 함께 운전조건에 따라 한번 배출된 연소가스가 재흡입 되기도 하고, 흡입 신기가 연소실을 통과해서 연소되지 않고 배출되기도 한다. 또, 과급기나 디젤 기관에서는 밸브중첩기간을 길게 해서 공기를 통과시켜 기관의 냉각에 이용하기도 한다.

그림 8.8은 가솔린 기관의 밸브개폐 선도의 예이다. 이 선도를 기준으로 하여 밸브개폐 시기를 설명한다.

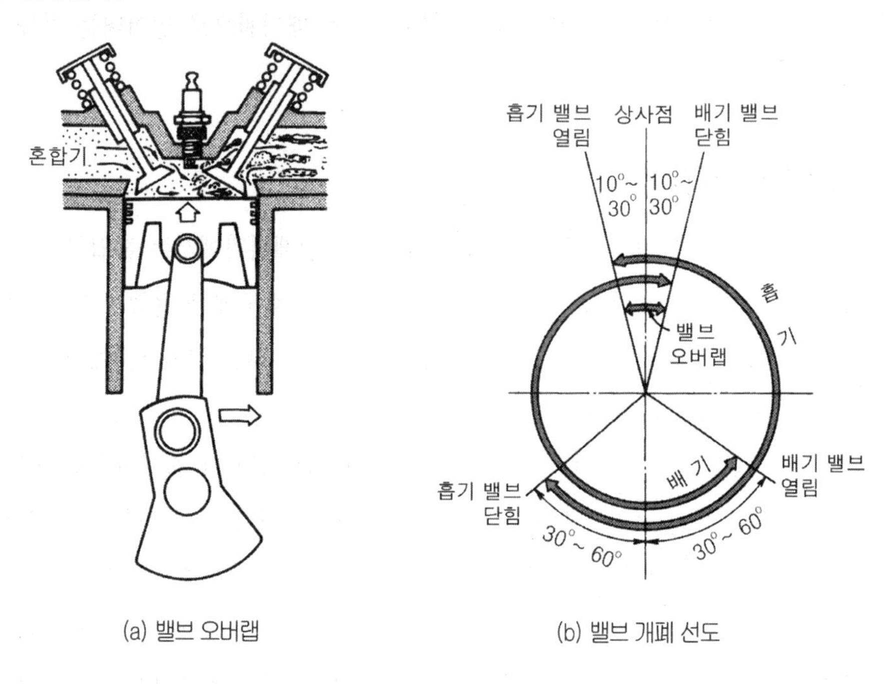


(a) 밸브 오버랩

(b) 밸브 개폐 선도

그림8.8 4 사이클 가솔린 기관의 밸브개폐 선도

## 흡기밸브의 열림

이론상으로는 피스톤이 상사점에 있을 때 흡기밸브를 열어야 하나 실제기관에서는 흡입공기를 최대로 흡입하기 위하여 전(前) 사이클의 배기행정에서 피스톤이 상사점 가까이 왔을 때 흡기밸브을 미리 열어 놓는다. 즉, 상사점 전에 흡기밸브를 열어 놓는다. 보통 흡기밸브가 열리는 점은 상사점 전 10 ~ 30°이다.

그림 8.8에서 흡기밸브는 상사점 전 20°에서 열리며, 배기행정 중 흡기밸브를 열어 배기가스의 일부가 흡기관으로 역류될 수 있으나, 배기가스의 관성력 때문에 대부분의 배기가스는 배기관으로 흐르며, 피스톤이 상사점을 지나 흡기행정 때 실린더 내로 들어오는 신기가 배기가스를 배기관으로 밀어내면서 실린더 내로 들어온다. 또한 상사점 후 15° 정도 까지는 신기의 일부가 배기가스와 함께 배기관으로 나갈 수도 있으며, 이제 전(前) 사이클의 배기밸브를 닫고 피스톤은 흡입행정을 한다. 흡기밸브가 상사점 전에서 열림각이 크면 역류와 역화가 일어날 수 있으며, 신기가 실린더 내의 연소가스를 배기관으로 밀어내는 것을 소기라고 한다.

## 흡기밸브 닫힘

피스톤이 하사점에 있을 때 흡기밸브를 닫아야 하나, 실제기관에서는 흡입공기의 관성력을 최대로 이용하기 위하여 피스톤이 하사점을 지나 어느 각도에 도달했을 때 흡기밸브를 닫는다. 이것을 하사점 후에 닫혔다고 하고 보통 30 ~ 60° 이다. 그림 8.8에서 흡기밸브의 닫히는 시기는 하사점 후 50°이다.

피스톤이 하사점을 지나 상승하면 실린더 내로 들어오는 신기가 흡기관으로 되돌아가는 것으로 생각할 수 있으나, 공기는 압축성 기체이므로 흡기밸브측의 공기까지 피스톤의 힘이 미치려면 상당한 시간이 요구된다. 그러므로 흡입공기가 흡기밸브측으로 밀려가는 현상이 발생하기 전에 흡기밸브를 닫는다. 이와 같이 흡기밸브가 하사점 후에 닫히거나 배기밸브가 상사점 후에 닫히는 것을 래그(lag, 늦음)라 한다. 그림 8.8에서 흡기밸브의 래그는 하사점 후 50°이고 배기밸브의 래그는 상사점 후 15°이다.

##  배기밸브의 열림

이론기관처럼 실제기관에서 피스톤이 하사점에 있을 때 배기밸브를 열면, 다음 행정인 배기행정 때 미쳐 빠져 나가지 못한 연소가스가 피스톤에 작용하여 배기행정을 어렵게 한다. 즉, 피스톤에 부(負)의 일이 발생한다. 이 현상을 방지하기 위하여 실제기관에서는 연소가스가 충분히 팽창하기 전, 즉 팽창 행정말에 배기밸브를 열면 연소가스의 압력으로 스스로 배기된다. 이것을 블로우 다운이라 하고, 실제기관에서 블로우 다운을 실시하면 배기행정이 원활해져서 유효 일량이 증가한다.

그림 8.8에서 배기열림은 하사점 전 55°이며, 배기밸브나 흡기밸브가 사점 전에 열리는 것을 리드(Lead)라고 하며, 배기밸브의 리드는 하사점 전 55°이고 흡기밸브의 리드는 상사점 전 20°이다.

##  배기밸브의 닫힘

피스톤이 상사점에 있을 때 배기밸브가 닫혀야 하나, 배기가스의 관성력을 충분히 이용하고 신기의 소기작용을 이용하기 위하여, 피스톤의 상사점을 지나 어느 정도 흡입행정이 진행될 때까지 배기밸브를 닫지 않는다. 배기밸브의 닫힘 시기는 신기가 실린더 내로 들어와 배기밸브로 일부 나가기 직전에 닫는다.

실린더 내의 체적효율을 증가시키는 방법은 신기가 실린더 내에 최대로 충전될 때이며, 실린더 내의 연소가스(잔류가스)가 최대로 나가야 한다. 이 점을 고려하여 배기밸브는 상사점 후 15°에서 닫힌다. 흡기밸브의 열림 시기가 배기행정 말, 즉 피스톤이 상사점 전에 있을 때 열린다.

# 04 가변밸브 타이밍(VVT ; Variable Valve Timing)

그림8.9에서 흡기밸브의 열림시기(IVO : Intake Valve Open)는 밸브의 열림 시간을 크게 하기 위하여 상사점 전 5~20°에서 열리게 된다. 이 값을 크게 하면 밸브오버랩이 커지게 되어 저속시에는 잔류가스량이 증가하여 체적효율이 감소되지만, 고속에서는 반대로 체적효율이 증가한다.

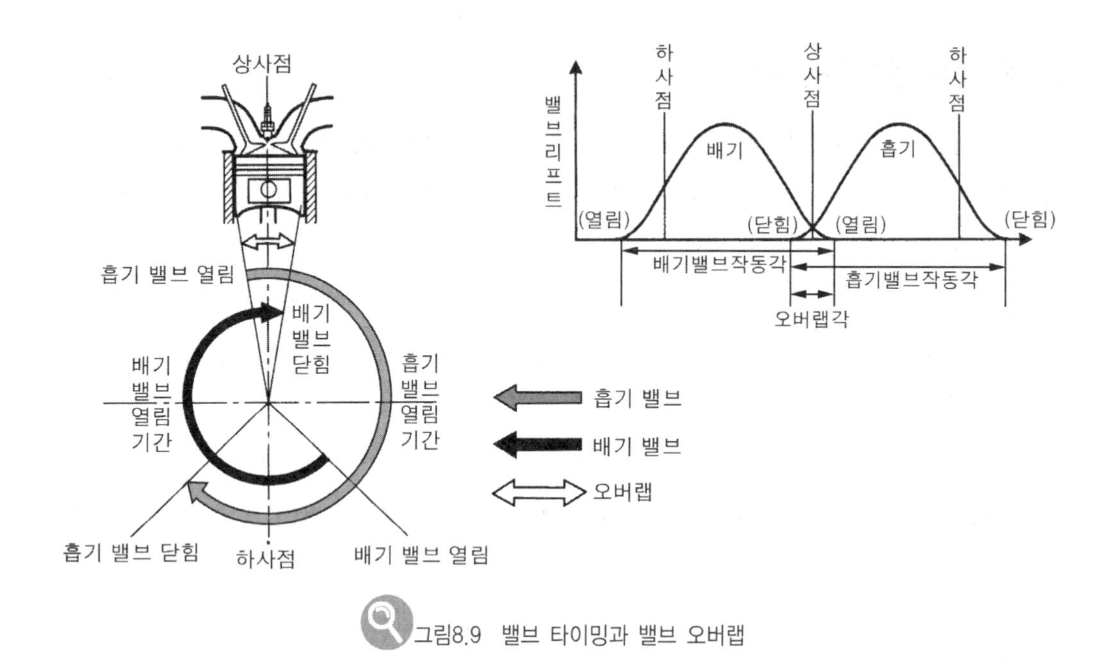


그림8.9 밸브 타이밍과 밸브 오버랩

흡기밸브의 닫힘시기(IVC : Intake Valve Close)는 하사점 후 30~50°에서 설정되며, 흡입공기의 관성을 최대한 이용하도록 하여 체적효율을 향상시키기 위해 닫힘 시기가 빠르면 체적효율이 저하되고 너무 늦으면 실린더 내에 흡입된 혼합기가 흡기계로 역류 시키게 되어 체적효율이 낮아지게 된다.

즉, 흡입공기의 관성의 영향으로 흡기밸브의 닫힘 시기의 최적 시기는 기관 회전속도에 따라 달라지며 저속에서는 늦고, 고속에서는 빨라야 한다.

배기밸브의 열림시기(EVO : Exhaust Valve Close)는 잔류가스량을 감소시켜 체적효율의 향상을 도모하기 위하여 상사점후 5~20°로 설정된다. 배기밸브의 닫힘 시기가 빠르면 배기가 충분치 못하여 잔류가스량이 증가하여 체적효율이 저하되고 늦으면 배출가스가 배기관으로부터 실린더내로 역류되어 역시 역류가스가 증가하게 된다.

밸브오버랩이 크면 고속인 경우에 흡기의 관성으로 배기를 밀어냄으로써 흡입효율을 향상시킬 수 있으나 저속 특히 공전시에는 배기가스가 흡입쪽으로 역류되는 현상이 발생하여 잔류가스의 양이 증가된다. 또한 불활성 가스인 배기가스가 연소온도를 낮추어 NOx 배출물이 감소되며, HC가 다소 증가한다.

일반적으로 저속토크 등 낮은 회전속도에서의 성능을 중시하는 기관에서는 벨브 양정량 및 열림각을 작게 해서 혼합기의 유속을 높여 연소효율의 향상을 도모하고, 고출력형의 기관에서는 흡입 혼합기 량을 많게 하기 위해 밸브 양정량 및 열림각을 크게 하며, 고속회전에서 배기관성 효과를 이용하여 흡입효율을 높이기 위해 밸브오버랩을 크게 한다.

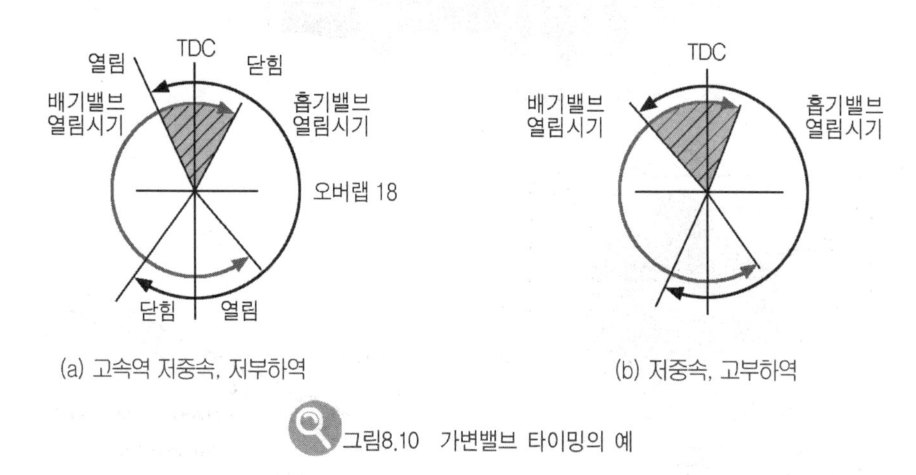


(a) 고속역 저중속, 저부하역

(b) 저중속, 고부하역

그림8.10 가변밸브 타이밍의 예

그러나 이와 같은 밸브양정이나 열림각은 캠의 형상 등에 따라 고정되므로 저·중속을 중시하는 경우는 고속에서의 손실이 발생하고, 고속을 중시하는 경우에는 저속에서의 토크나 안정성을 희생하게 된다. 따라서 넓은 회전영역에서 흡배기 효율을 높임으로써 출력을 향상시키는 것이 가변밸브 타이밍 장치이다.

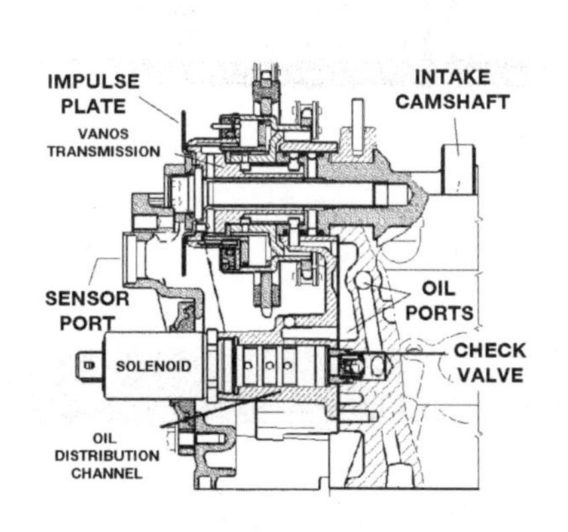


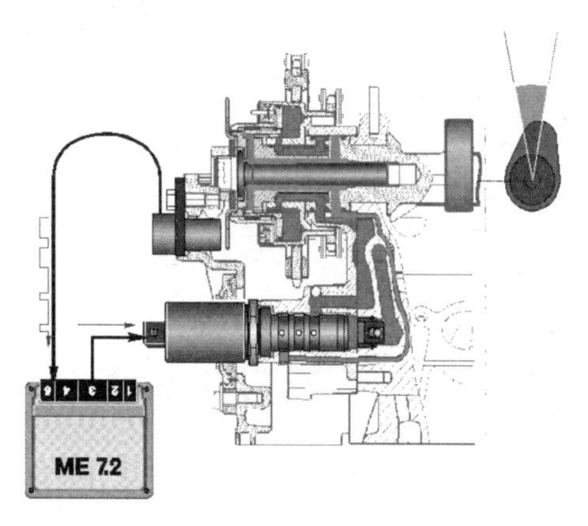

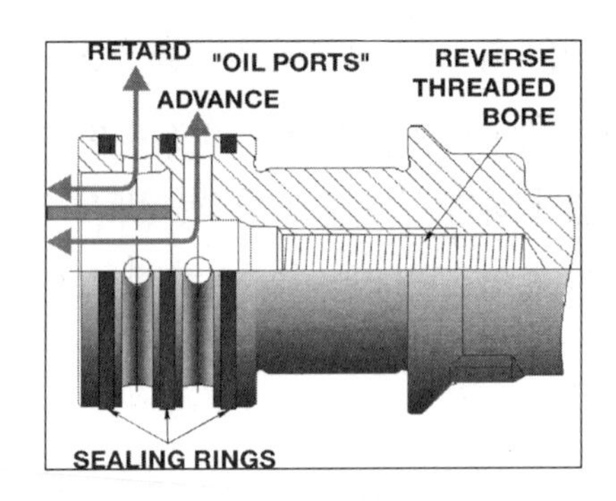


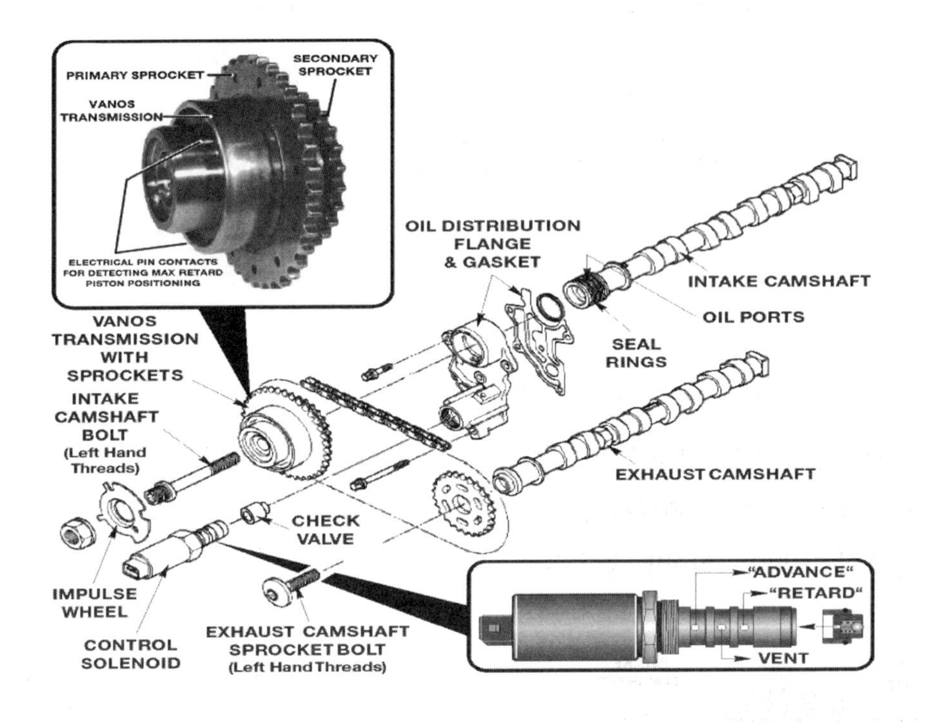


그림8.11 가변 밸브 티이밍 장치(BMW)

## 05 압축성의 영향

일반적인 운전조건에서 작동유체의 압축성은 밸브 타이밍의 결정에 의해 가장 큰 영향을 받는다. 작동유체가 비압축성이며 항상 피스톤의 동작에 추종하는 것이라면 흡기밸브, 배기밸브의 동작타이밍을 그림 8.12(a)와 같이 설정하면 된다. 즉, 흡기밸브가 상사점에서 열리고 하사점에서 닫히면 흡입 신기의 량은 최대가 된다. 그러나 작동가스는 압축성이 있으므로 작동가스가 피스톤의 움직임에 대해서 완전히 같은 속도로 유동되지 않는다.

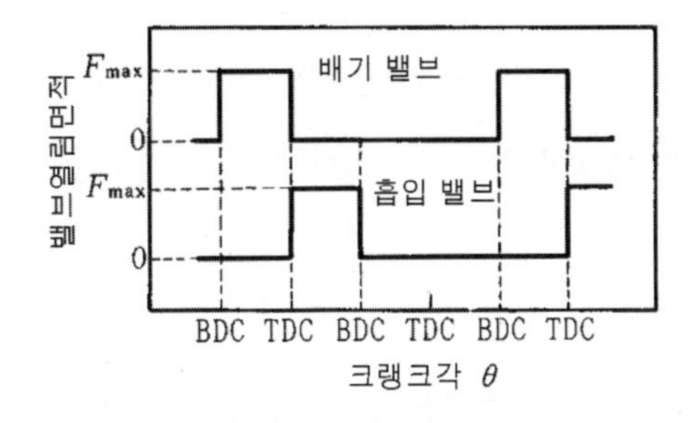


(a) 작동가스의 압축성과 밸브의 관성을 무시한 경우의 밸브 개폐시기

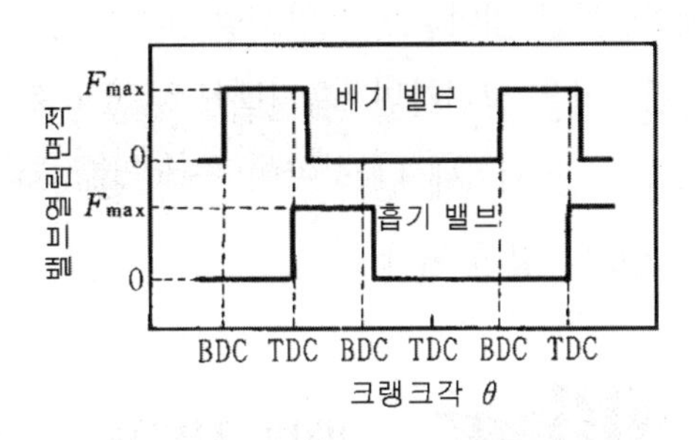


(b) 작동가스의 압축성을 고려하고, 밸브의 관성을 무시한 경우의 밸브 개폐시기

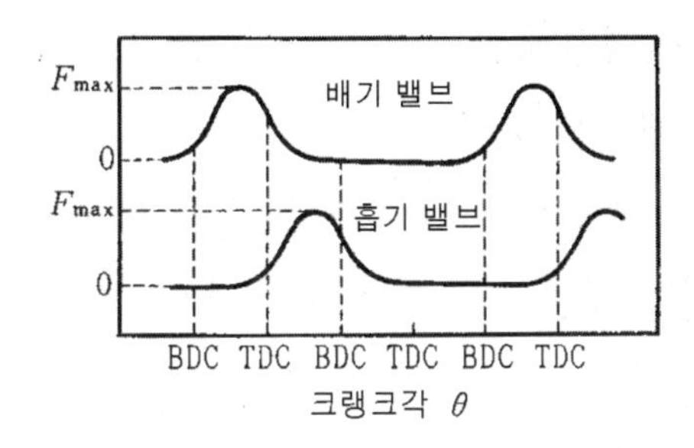

(c) 작동가스의 압축성, 밸브의 관성을 고려한 경우의 밸브 개폐시기

그림8.12 밸브 개폐시기와 밸브의 열린 면적

실제의 기관에서는 피스톤의 이동거리 즉 체적변화와 신기의 유입량에 의해 연소실내 압력이 결정된다. 일반적으로 초기에는 피스톤의 움직임에 비해서 공기의 유입이 늦어지게 되어, 흡기 하사점에서의 연소실 내압은 아직 대기압보다 낮을 수도 있다.

그림 8.13은 흡기행정에 있어서 실제 기관의 연소실 내 압력 변화의 예를 보인다.

이와 같은 경우에는 하사점을 넘은 압축행정 초기의 연소실내 압력이 흡기관 내 압력과 평형하는 시기까지 밸브를 열어 놓으면, 하사점에서 밸브를 닫은 경우보다 흡입 공기

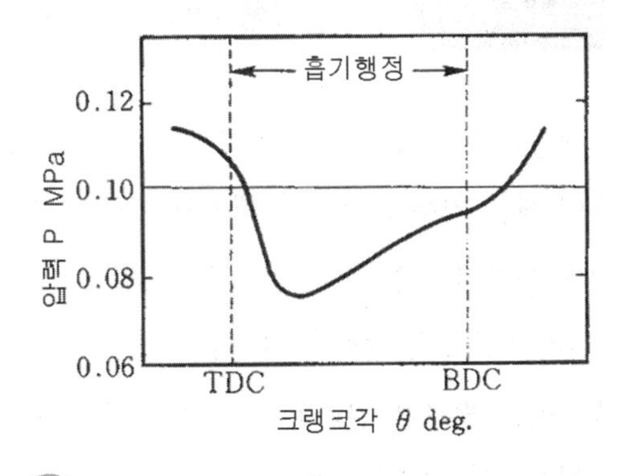


그림8.13 흡기행정시 연소실 내 압력 경과의 예

량은 증가한다.

배기행정에서도 동일하며 상사점을 지나서 연소가스가 대기압과 동등하게 되는 시기까지 배기밸브를 열어놓으면 연소실 내에 잔류하는 연소 가스는 감소한다.

압축성을 고려하면, 흡기밸브 닫힘은 하사점을 조금 지난 시기에, 배기밸브는 상사점을 조금 지난 시기에 닫는 것이 좋다. 따라서 압축성을 고려한 경우 최적의 밸브시기는 그림 8.12(b)와 같이 된다.

## 06 밸브 작동계의 응답성

밸브에는 질량이 있으므로 관성 때문에 실제로는 그림 8.12 (a), (b)에서처럼 가속도가 무한대로 되는 구형파적으로 밸브를 움직이는 것은 되지 않는다. 따라서 밸브의 가속도가 어느 일정속도 이상으로 되지 않도록 밸브의 양정 곡선이 선택된다.

실제의 기관에서는 경험적으로 양정 곡선이 결정되지만, 개략적으로는 2차 함수나 3차 함수를 합성한 것을 생각하면 된다.

그러나 구형파적인 양정 곡선이 되도록 밸브를 움직이는 것이 되지 않으므로 밸브의 열린 구 면적을 충분히 확보하기 위해서 그림 8.12(b)에서와 같은 밸브개폐시기에는 밸브가 어느 정도 열려있게 한다. 따라서 밸브개폐시기는 그림 8.12(b)에서 보이는 시기보다 일찍 시작해서 더디게 닫을 필요가 있다. 이것을 그림 8.12(c)에서 보인다.

## 07 작동가스의 관성력

작동가스는 질량을 갖고 있기 때문에 관성력이 작용한다. 특히 기관의 회전수가 높고 유속이 빠른 경우에 밸브가 개폐할 때마다 공기 밀도가 높은 부분과 낮은 부분의 영향이 현저하여 밸브가 닫힐 때 그 밀도가 높게 되면, 보다 많은 공기를 실린더에 넣는 것이 가능하다.

일반적으로 관성력은 가스유동을 지연시키는 방향으로 작용하기 때문에 이 영향을 고려할 경우에는 밸브가 열려있는 기간을 그림 8.12(c)에서 더욱 늘릴 필요가 있다.

관성력의 영향은 압력파의 이동을 이용해서 다음과 같이 설명되고 있다. 즉 예를 들면 흡기계통에 대해서는 그림 8.14에서처럼 흡입밸브가 열릴 때 흡입밸브 부근에서 발생한 부압이 흡기의 흐름과 역방향으로 흡기관 선단까지 전파되고 흡기관 앞 끝에서 반사되어 정의 압력파가 되면서 흡기의 흐름과 작동방향으로 옮겨져 다시 연소실에 달한다.

정의 압력파가 밸브에 도착했을 때 흡기밸브가 열려있으면, 이 정압분에 상당하는 많은 신기를 연소실 내로 공급할 수 있다. 이런 현상을 관성효과(Inertia Effect)라고 하며 압력파를 이용한 급기방법을 관성과급(Inertia Super Charging)이라 한다. 예를 들면, 고속형의 경주용 기관 등의 과급에 이용된다.

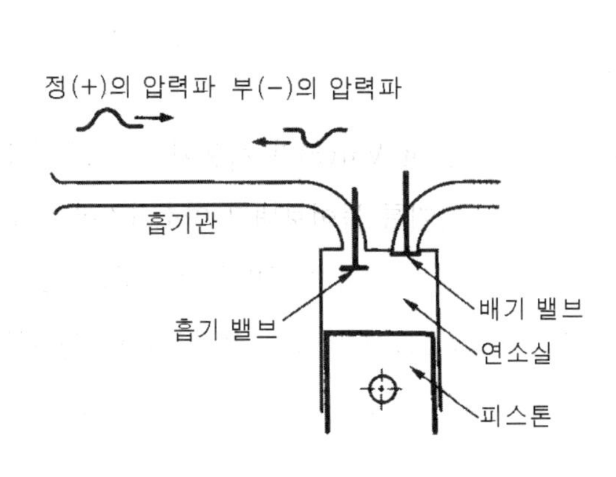


그림8.14 흡기관내의 압력파의 전파(관성효과)

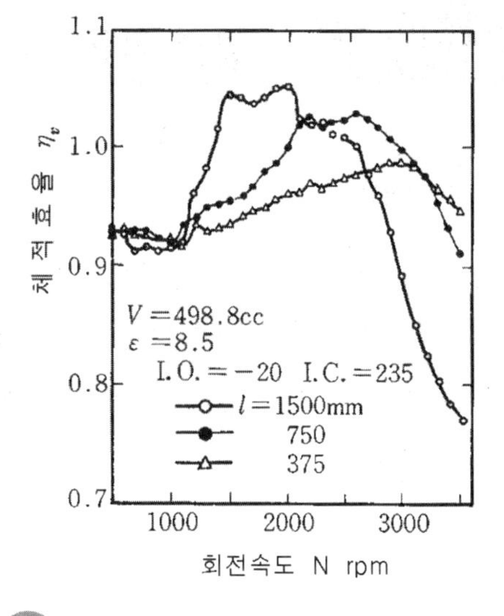


그림8.15 흡기관 길이에 의한 체적효율의 변화

단, 관성효과는 반드시 흡입신기를 증가시킨다고는 할 수 없으며 흡입 신기를 감소시키는 경우도 있다. 관성효과란 신기가 감소하는 경우도 포함한 관성에 의한 영향 모두를 가리키는 것이다. 실제의 기관에 있어서 체적효율과 회전속도의 관계에 대한 흡기관 길이의 영향의 실험 예를 그림 8.13에서 보인다.

압력파가 흡기관 내를 왕복하는 시간과 흡기밸브가 열려있는 시간이 거의 같을 때에 관성과급효과가 나타나지만, 압력파의 전파하는 속도, 즉 음속은 거의 일정하므로 이러한 과급효과가 생기는 것은 어느 특정의 흡기관 길이와 특정의 회전수가 조합될 때에 한정된다. 따라서 관성효과만으로 광범위한 회전이나 부하조건을 기대할 수는 없다. 즉, 하나의 사이클에서 발생한 부압파가 동일 사이클에 영향을 줄 때, 관성과급이라 부른다.

그러나 부압파가 정압파로서 연소실에 돌아왔을 때에는 밸브는 이미 닫혀져 있을 때도 있다. 정압파는 밸브가 닫힘으로 반사를 하고 더욱 흡기관 앞 끝에서 반사하는 것을 되풀이하여 다음 사이클에 이 압력파의 영향이 미치는 경우가 있다. 이와 같은 경우는 앞의 현상과 분리해서 맥동효과(Pulsation Effect)라 부른다. 그러나 중·저속이나 부분출력의 운전조건에서는 관성이나 맥동의 효과는 적으므로 밸브개폐시기의 결정은 압축성의 영향만을 고려하면 된다.

## 08 밸브 기구

### 1 밸브(Valve)

4사이클 기관에서는 흡·배기밸브에 버섯형의 밸브(Poppet Valve)가 사용된다. 연소실에 마련된 흡기와 배기 구멍을 각각 개폐하여 공기 또는 혼합기를 들여보내고 연소가스를 내보내는 일을 하며 압축, 동력 행정에서는 밸브 시트(Seat)에 밀착되어 기밀을 보전한다. 밸브부근의 평균유속은 40~50m/s이며, 밸브면의 각도는 밸브축에 대해서 45°를 주로 사용한다.

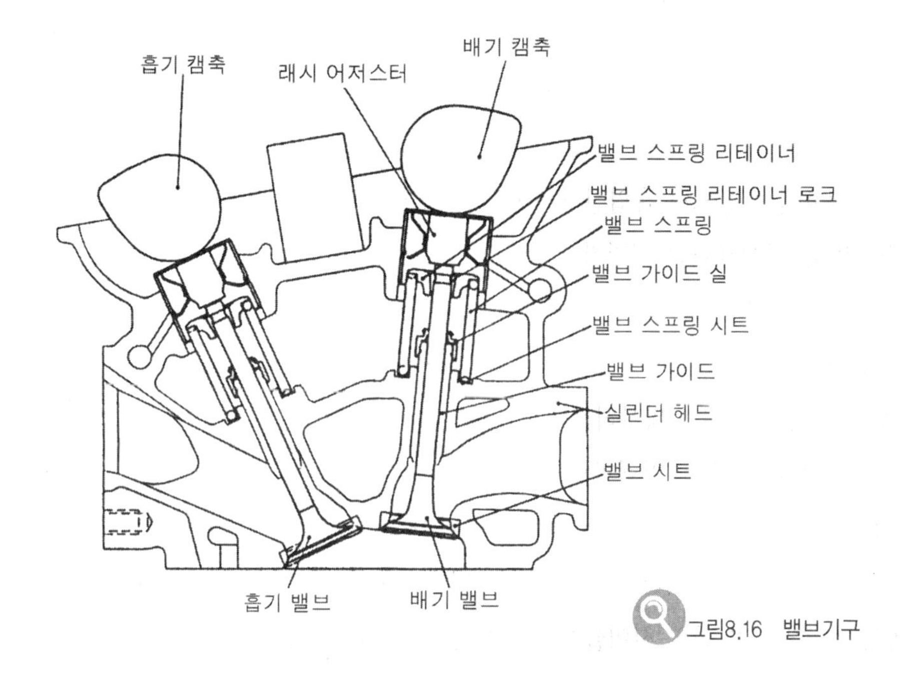


그림8.16 밸브기구

흡입 공기량을 증가시키기 위해서 흡기밸브의 직경은 크고, 배기밸브에서는 열적인 부하를 고려해서 약간 작은 직경으로 설계된다. 재질은 일반적으로 탄소강이고 그 외에 Ni- Cr강, Si -Cr강 등의 특수강이 이용되며 배기밸브에는 내열성을 고려한 특수재료가 사용된다. 기관의 출력을 증가시키려면 밸브 헤드의 직경을 크게 하여야 하나, 직경을 크게 하면 냉각이 곤란하지만 양정을 적게 하여도 되고 흡입효율을 증대시킬 수 있다.

밸브 스템(Stem)은 일부가 가이드에 끼워져 밸브의 운동을 할 수 있게 하고, 밸브헤드의 열을 가이드를 통해 헤드에 전달한다. 밸브헤드의 열전달 면적을 넓히려면 지름을 크게 하여야 하지만 고출력의 기관은 관성을 적게 하기위해 가늘게(6mm 정도) 설계되고, 고온에 의한 응력의 집중에 견디고 가스의 흐름이 좋게 되도록 헤드와의 연결 부분은 곡률 반지름을 크게 하며, 가이드와 스템 사이의 윤활이 충분치 않으므로 마멸을 고려하여 경도가 커야 한다. 또 고출력 기관용으로서 종래에는 항공기 기관 등에 이용되어 온 금속 나트륨을 스템에 봉입하고 냉각효과를 향상시킨 밸브가 자동차용 기관에 이용되고 있는 경우도 있다.

밸브를 상승시키는 구동력은 캠에 의해 주어지며, 복원력은 밸브 스프링에 의해 이루어진다. 밸브 스프링에는 탄소강선이나 특수강선이 사용되어 고속운동에도 충분히 밸브가 되돌아올 정도의 강도를 가진 것이 사용된다.

스프링은 밸브가 닫혀있는 동안 기밀을 보존하게 하고, 밸브가 운동할 때는 캠의 형상에 따라 확실하게 작동하며, 밸브 면이 시트에 밀착되어 블로바이가 일어나지 않을 정도의 장력이 있어야 한다.

밸브 스프링의 강도가 강해지면 큰 구동력이 필요하게 되며, 너무 연해지면 회전속도에 의해 밸브양정 곡선이 변하기도 하고, 고유 진동수가 낮은 것에 의한 공진현상을 일으키기도 하기 때문에 바람직하지 않다.

캠에 의한 밸브의 개폐수가 스프링의 고유진동과 같거나, 그 정수 배로 되었을 때 스프링은 캠에 의한 강제진동과 스프링의 고유진동이 공진하여 캠에 의한 작동과 관계없이 진동을 일으킨다. 이러한 현상을 서징(Surging)현상이라 한다. 서징이 일어나면 밸브의 개폐가 바르지 않게 되고 스프링의 일부에 큰 압축력 또는 변형이 생기므로 스프링이 피로하여 절손되기도 한다. 이러한 서징 현상을 방지하기 위해 스프링 고유 진동수를 높이거나, 부등의 피치, 피치가 서로 다른 2중 스프링, 원추형 스프링 등을 사용한다.

밸브는 작동시 스프링의 신축작용으로 조금씩 회전할 수 있으나, 어떤 기관에서는 회전

장치를 따로 둔 것도 있다. 회전장치를 두는 이유는 밸브가 상하운동만 하고 회전하지 않으면 밸브면 과 시트면 사이에 카본이 쌓여 밸브의 밀착이 불완전하게 되고 밸브의 소손 원인이 된다. 스프링의 장력은 중심선에 대해 평행하게 작용치 못한다. 따라서 밸브면과 시트, 스템과 가이드가 편심 접촉을 하게 되고, 편 마멸이 일어나게 된다. 따라서 회전 장치를 둠으로써 늘 접촉면이 바뀌게 되어 밸브헤드의 온도가 균일하게 되고, 스템과 가이드 사이의 카본을 쓸어내 밸브 스틱을 방지한다.

##  밸브 기구

밸브 작동기구로서는, 밸브의 위치나 캠축의 위치에 의해 몇 가지의 종류가 있으며, 현재 범용의 가솔린 기관은 실린더 헤드의 상부에 밸브가 있는 I헤드형 밸브(OHV) 형식이 사용된다.

가솔린 기관에서는 고속형의 기관으로 하기 위해서 밸브 구동계의 운동질량의 감소를 목적으로 캠축을 실린더 헤드에 배치하는 OHC 형식을 많이 사용하며, 경우에 따라서는 캠축을 2개로 하는 DOHC 형식의 것도 있다. DOHC(Double Over Head Cam Shaft)형식의 밸브 구동기구를 그림 8.17에서 보인다.

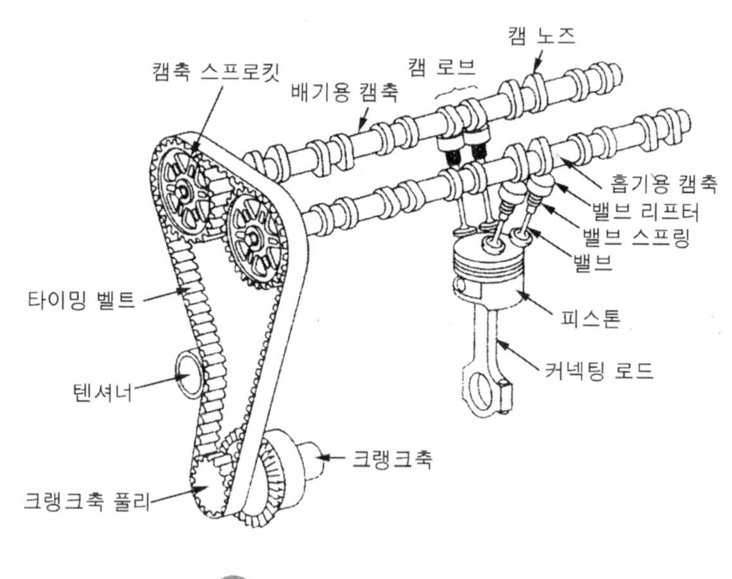


그림8.17 DOHC 밸브 구동기구

흡기와 배기의 흐름 저항이 적어 흡·배기 효율이 좋고, 연소실 모양이 간단하여 압축비를 낼 수 있어 현재 모든 기관이 사용한다.

### (1) DOHC(Double Over Head Cam Shaft ; Twin Cam ; 4 Valve)

SOHC(Single Over Head Cam Shaft ; 2 Valve, 3 Valve)는 흡입효율을 좋게 하기위해 밸브를 크게 하면 관성 질량이 커져 스프링의 서징 현상과 바운싱(Bouncing)현상이 발생하게 된다.

그러나 DOHC는 흡·배기 밸브를 작게 하여 2개씩을 설치하여 1개설치 했을 때보다 밸브 면적이 50% 이상 커져 흡·배기 효율이 비약적으로 증대되고, 구동계의 부품수가 적어 고속 회전이 가능하며, 밸브의 방열 면적이 증대하고, 점화플러그를 중앙에 배치함으로써 화염 전파거리가 단축되어 노킹발생이 억제된다.

또한 연소실이 지붕형(Pent Roof)으로 양 평면에 밸브를 배치하고 그 외의 면을 곡면으로 하면 가공이 용이하며, 스퀴시(Sqush Area)가 있어 압축말의 와류가 연소를 좋게 하고, S/V가 적어 유리하다.

① **점핑**(Jumping) : 밸브가 이상적인 캠 리프트 곡선을 따르지 않고 캠의 정상부근을 지날 때 자체 관성력에 의해 이탈되는 현상

② **바운싱**(Bouncing) : 밸브가 열렸다가 닫힌 직후에 "통통" 튀어 열림과 닫힘을 수회 반복하는 현상 (캠축과 밸브 시트에 반복적으로 충격을 주는 현상)

### (2) 밸브 구동방식

OHC 밸브 구동방식은 캠(Cam)이 밸브를 직접 구동하는(Direct) 방식과 로커 암(Rocker Arm)으로 구동하는 방식이 있으며 각각의 특징을 열거하면 다음과 같다.

① **Direct 방식** : 밸브 계통의 관성중량이 작으나 일부 기관은 밸브 간극의 조절 등 정비를 용이하게(Maintenance Free)하기 위해 유압식(HLA ; Hydraulic Adjust Lash)이 사용되지만, 고속 회전이 되면 캠의 열림에 대해 밸브 열림이 늦어져 다음 점화가 실화되는 경우가 있으므로, 심(Shim) 두께를 선택하여 밸브 간극을 조정한다.

② **Rocker Arm(Swing Arm)방식** : 캠축의 회전을 로커 암의 요동운동으로 바꾸어 밸브 작동(왕복)을 행하기 때문에 구성 부품수가 많고 밸브 구동계 관성중량이 무겁다.

### (3) 밸브 간극(Valve Clearance)

온도 상승에 의해 밸브기구가 팽창하여 밸브 면과 시트가 밀착되지 않고 가스가 새는 것을 방지하기 위해 적절한 틈새를 유지하는 것으로 기관의 형식, 밸브의 재료, 밸브기구 등에 따라 다르다.

흡입 0.15~0.25mm, 배기 0.25~0.35mm로 배기의 간극이 크며 OHC는 팽창 부품이 적으므로 간극을 적게 해도 된다. 밸브간극의 변화는 개폐시기에 큰 영향을 주며, 간극이 크면 소음이 나고, 밸브기구의 각 부분에 충격을 주게 되므로 기관의 성능을 유지하고 소음을 적게 하기 위해 항상 적절한 값으로 조정해야 한다.

### (4) 유압 밸브 리프터(HLA ; Hydraulic Lash Adjust ; Zero Lash Valve Lifter)

오일의 비압축성을 이용하여 냉간이나 온간에 관계없이 언제나 밸브간극을 0으로 유지하므로 밸브간극에서 나는 소음이 없어지고 밸브기구에 충격이 없어지므로 마모가 적다. 밸브 개폐 시기가 정확하여 기관 성능이 향상되며, 밸브 간극의 점검이나 조정을 하지 않아도 된다.

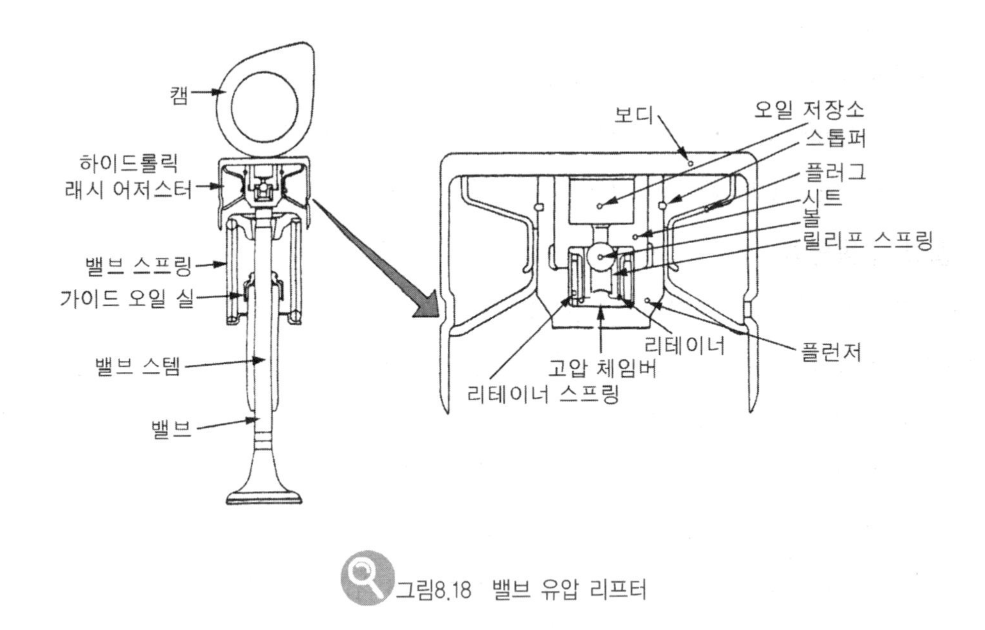


그림8.18 밸브 유압 리프터

그러나 캠과 밸브 리프터의 간극이 '0' 이라는 것은 캠의 베이스 서클 부분에서도 캠 노즈와 밸브 리프터가 항상 접촉하게 되어 그 만큼 마찰이 증가한다는 것이다.

또한 유압식 리프터 부분의 고압실에 공기가 흡입되면 타음이 발생해 밸브가 절손되는 경우가 있으므로 고압실의 공기 빼기 작업을 확실히 해주어야 하며, 기관 정지 시 공기가 흡입되지 않도록 하는 장치가 필요하며, 유압식 리프터가 정상으로 작동하기 위해서는 유온, 유압 및 오일 라인의 이물질 유입을 방지해야 한다.

유압식 리프터는 캠 노즈의 움직임을 밸브 리프터 내의 오일을 거쳐 밸브에 전달하기 때문에 솔리드 타입에 비하면 강성이 떨어지며, 플런저 내에 오일을 내장하기 때문에 밸브계통의 관성 중량이 증가하게 된다. 원래 직동식 밸브 리프트의 경우, 로커암 타입에 비해 관성 중량이 무겁지만 강성에서 유리한 것이 특징이다.

현재는 직동식 유압 리프터가 소형화되고 컴팩트 해지고 있기 때문에 실린더 헤드를 소형 경량화할 수 있으므로 사용이 증가되고 있으나, 소음 발생과 가격 상승의 원인으로 직동형을 많이 사용하고 있다.

### (5) 밸브 열림(Lift) 양

밸브를 통과하는 공기량(흡기, 배기)을 많게 하기 위해서는 밸브의 열린 면적이 크고, 열린 시간이 길어야 한다.

밸브의 열린 면적을 크게 하기 위해서는 밸브직경과 열림 양을 크게 해야 하지만 실제로는 어느 정도 한계가 있다.

밸브 직경을 크게 하려면 구형(球型)과 지붕형의 연소실에 밸브 사이 각을 크게 하는 것에 의해 가능하지만 그 결과 연소실의 S/V비가 크게 되고, 경부하시 연소 효율의 저하를 초래하게 된다. 또 밸브 Lift를 크게 하면 열린 면적은 커지지만 와류가 커져서 실제의 공기량은 커지지 않는다.

결국 열림양을 크게 한다는 것은 캠의 작동각을 크게 하여 열리게 하는 것이므로 구동 계통의 부하가 크게 되는 단점도 되는 것이다.

### (6) 밸브 경사(설치)각

고속 위주의 기관은(80 ~ 90 Ps/L) 밸브 경사각이 50 ~ 60°이고, 중저속형은 (60 Ps/L 내외) 중저속 토크를 중시하고, 연비 및 중저속에서의 주행성이 우수하며 밸브 경사각은 19~27°이고, 겸용형은(70 Ps/L정도), 고속출력도 크고 중저속 출력도 우수한 형식으로 35 ~ 45°이다.

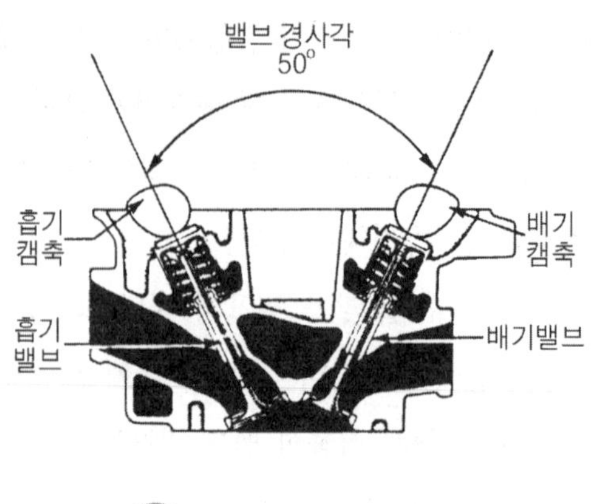


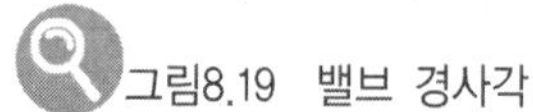
그림8.19 밸브 경사각

## 캠축(Cam Shaft)

### (1) 캠

캠 표면의 곡선은 약간만 변화해도 각 밸브 개폐시기와 열림 량이 달라져 기관의 성능에 큰 영향을 주므로 장시간 사용해도 캠 표면의 마모나 캠축이 휘는 것을 막기 위해 내마모성이 큰 주철을 쓰고, 캠 표면만을 열처리하여 경화한다.

밸브 리프터 또는 로커암과 캠은 미끄럼 접촉을 하고 있기 때문에 그 부분의 마찰과 그로 인한 마모를 적게 하기 위해 1개소의 접촉면은 평면이 아니고 원호로 해야 한다.

① **접선 캠** : 제작은 용이하나 밸브의 개폐가 급격하기 때문에 밸브가 닫힐 때는 움직임이 캠을 따라하지 않는다. 때문에 힘이 센 스프링을 사용해야 하며, 밸브 시트에 큰 충격을 주므로 고속기관용으로는 적합하지 않다. 캠의 면이 직선이므로 리프터의 밑면은 원호로 되어 있고, 열리기 시작할 때와 닫히기 시작할 때의 움직임은 완만하나 완전히 열리기 전후의 움직임이 급격하게 되기 때문에 밸브장치에 주는 장해나 밸브 서징이 일어나기 쉽다.

② **볼록캠** : 캠의 면이 원호로 되어있어 밸브의 움직임은 등가속도로 되나, 열리기 시작할 때와 닫히기 시작할 때의 움직임이 크고 밸브와 시트와의 충격이 크다.

③ **오목캠** : 리프터에 롤러를 사용해야 하며 밸브의 가속도를 일정하게 하는 캠이다.

### (2) 캠축의 구동방식

타이밍 기어(Timing Gear)식은 회전을 원활히 하고 소음을 적게 하기 위해 헬리컬 기어를 사용하며, 중심 간격이 넓은 기관은 중간 기어(Idle Gear)를 넣어서 캠축을 구동시키기도 한다.

타이밍 체인(Chain)식과 벨트(Belt)식은 캠축의 위치를 자유로이 멀리하여도 되기 때문에 OHC에서 사용하며, 체인식은 벨트식에 비해 강도가 좋고 수명이 길지만 무겁고 소음이 생길 수 있으며, 벨트식은 고무를 기본으로 하여 신축성이 없는 유리섬유인 글라스 파이버의 심선과 내마모성을 가진 직포를 사용해 제작되었기 때문에 강도는 크고 신축성이 없다. 내수성과 내유성이 약하기 때문에 물, 오일 등이 묻지 않도록 주의해야 한다.

**표8.1 캠축 구동방식의 비교**

| 구동 방식 / 항 목 | GEAR | CHAIN | BELT |
|---|---|---|---|
| 기계손실 | 대 | 중 | 소 |
| 소음 | 대 | 중 | 소 |
| 신뢰성 | 대 | 중 | 소 |
| 관성중량 | 대 | 중 | 소 |
| 가격 | 대 | 중 | 소 |

## 09 과급장치

흡입 공기량은 기관의 출력에 직접 영향을 주는데 흡입 효율을 결정하는 요인으로는 흡기관의 압력과 온도, 흡기 통로의 저항, 밸브의 개폐시기, 잔류가스량 등이며 흡입 공기량을 증가시킬 목적으로 과급기가 기관에 부착된다.

### 슈퍼 차저(Mechanical Supercharger)

슈퍼 차저(기계 구동식 과급기)의 구동 동력에는 크랭크축 출력의 일부가 이용되며 주로 루츠식 과급기가 이용된다. 이 과급기는 그림 8.20에서처럼 누에고치형의 로터가 회전하는 체적형의 펌프이다. 기관 회전속도의 1.4~2.0배로 회전되며, 디젤 기관의 과급과 2사이클 기관의 소기로 이용되고 있다.

슈퍼 차저의 특징은 기관 회전수의 변화에 대해서 과급하는 시간지연이 적으나, 기관의 출력의 일부를 구동력으로서 사용하기 때문에 어느 정도의 출력 손실이 있다.

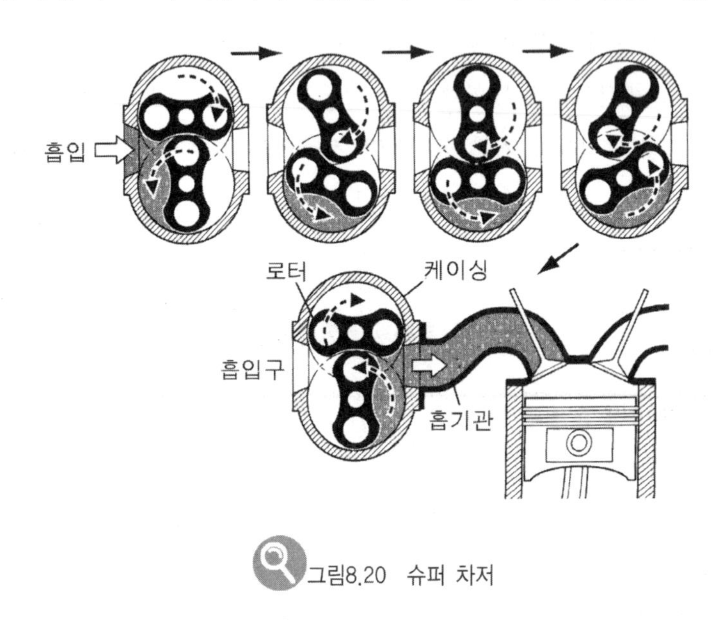


그림8.20 슈퍼 차저

전자제어 기관의 슈퍼 차저는 제어 신호에 의해서 기관의 동력을 전달 또는 차단하는 전자 클러치, 기관의 동력에 의해서 회전하여 공기를 압축하는 누에고치 모양의 루츠, 크랭크 축 풀리와 벨트로 연결되어 기관의 동력을 받는 풀리, 전자 클러치가 'OFF' 되었을 때 공기를 공급하는 공기 바이패스 밸브로 구성되어 있다. 기관의 동력을 이용하여 누에고치 모양의 루츠 2개를 회전시켜 과급하는 방식으로, 전자 클러치에 의해서 기관의 부하가 적을 때는 클러치를 'OFF' 시켜 연비를 향상시키고, 부하가 커지면 클러치를 'ON' 시켜 기관의 출력을 향상시킨다. 이때 클러치는 전자제어에 의해서 이루어지며, 터보 차저에 비해 저속 회전에서도 큰 출력을 얻을 수 있

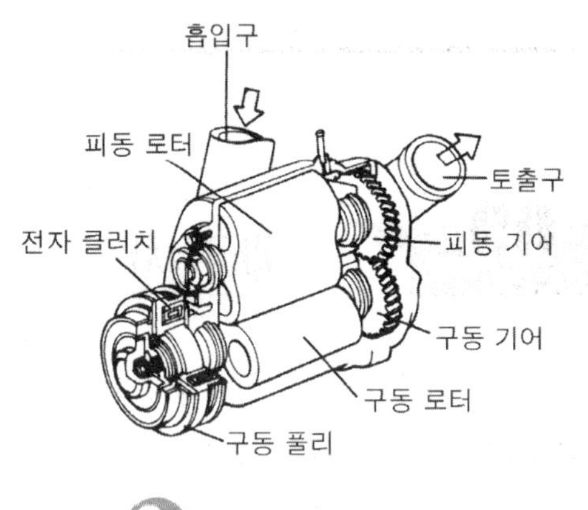


그림8.21 슈퍼 차저의 구조

는 특징이 있다.

기관의 부하가 적을 때는 전자 클러치가 작동되지 않기 때문에 흡기 다기관의 진공이 바이패스 밸브의 진공 챔버에 작용하여 공기 바이패스 밸브가 열리므로, 흡입 공기는 바이패스 통로를 통하여 실린더에 공급된다. 기관에 부하가 클 때는 전자제어 신호에 의해서 전자 클러치와 진공 솔레노이드 밸브가 작동한다. 이때 진공 솔레노이드 밸브가 열려 바이패스 밸브의 진공 챔버에 대기압을 유입시켜 바이패스 밸브를 닫는다.

기존의 루츠식은 용적효율이 떨어지고 기동시 승차감이 부드럽지 않아서 T/C의 발전에 밀려 채용이 어려웠으나 그간 전자제어에 의한 제어기술의 향상, 첨단 복합재료의 채용에 따른 경량화(엔지니어링 플라스틱을 이용), 정밀가공 기술의 향상 등으로 경제성이 인정되어 VW, 도요다, 혼다 등에서 실용화 내지는 개발 중에 있다.

##  터보 차저(Turbo Charger)

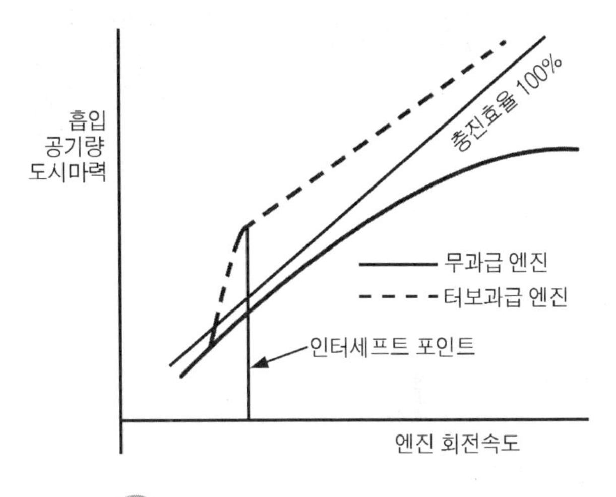


그림8.22 터보 차저의 공기 충진 효율

터보 차저는 대기로 버려지는 배기(열 : 800℃) 에너지를 배기 통로에 마련된 터빈의 회전력으로 변환시켜 회수하고, 흡기계에 마련된 압축기(Compressure)에 의해서 흡기의 충진 효율을 높여, 출력 및 연비를 향상시킨다.

이것은 일정 용량의 실린더 속에 다량의 공기를 넣어 연료를 연소 시켜서 1사이클당의 출력을 높이기 위한 것으로서, 기관의 토크 및 출력을 30~ 50%정도 높일 수 있기 때문에, 그만큼 기관의 여유 동력 성능을 유지시킬 수 있는 것이다.

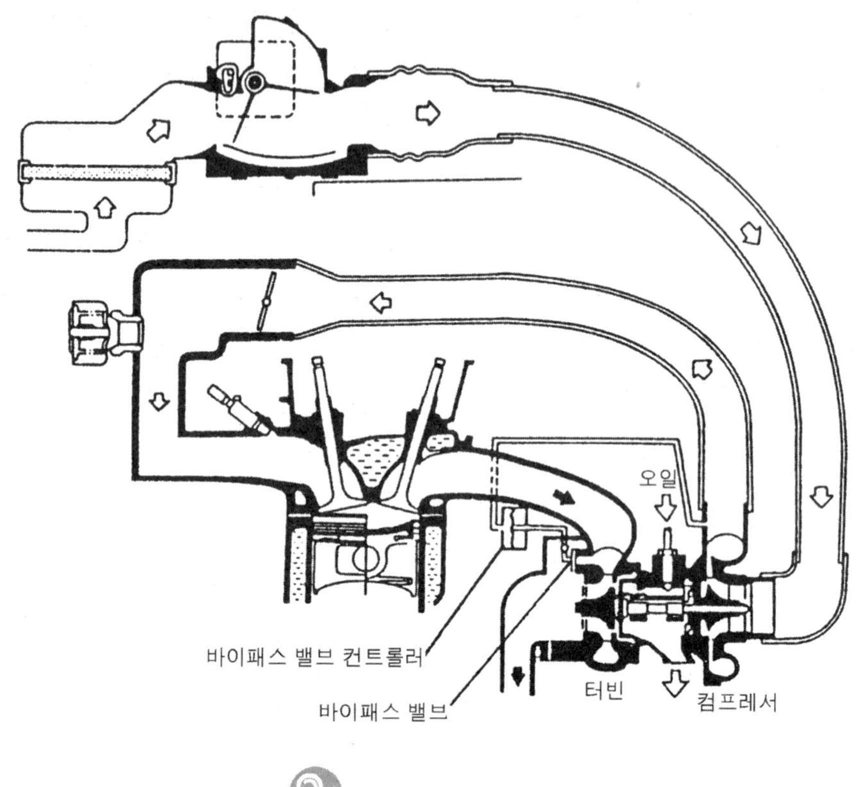


그림8.23 터보 차저의 구성

터보 차저의 장점은 배기 에너지를 이용해서 과급기를 구동하기 때문에 축출력의 손실을 적게 하고 출력의 증대를 도모할 수 있는 것이다. 그러나 부하의 변화에 대한 응답성은 슈퍼차저에 비해 열등한 단점이 있다.

### (1) 터보 차저의 구성품

① 터빈 하우징 : 디젤 기관용 - 구상흑연 주철, 가솔린 기관용 - 니켈합금 및 스테인리스 스틸

② 컴프레서 하우징 : 알루미늄 합금

③ 터빈 휠(Turbine Wheel) : 주로 레이디얼형이고, 배기가스의 열을 받으며 고속으로 회전하기 때문에 원심력에 대한 충분한 강성과 내열성이 있어야 되므로 니켈합금강

으로 제작되며, 최근 경량화의 효과를 위해 세라믹으로도 만든다.

④ **컴프레서 휠**(Compressure, Impeller) : 알루미늄으로 만들며 디젤 기관은 직선으로 배열된 레이디얼형을 사용하고, 가솔린 기관은 나선형으로 배열된 백워드형을 사용한다.

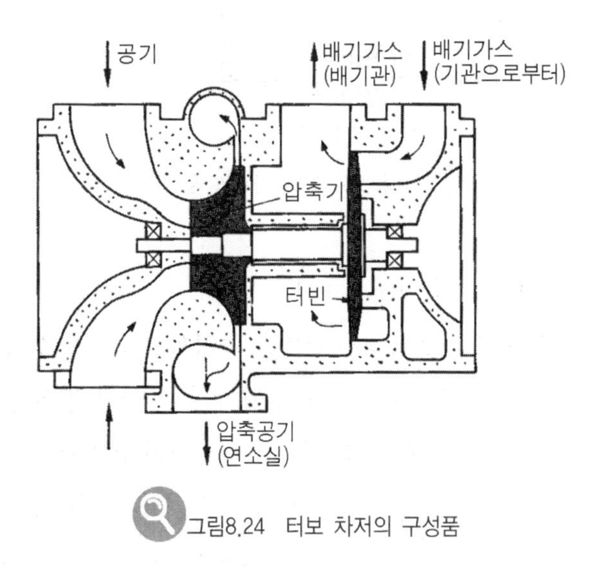


그림8.24 터보 차저의 구성품

⑤ **베어링** : 풀 플로팅 베어링(Full Floating Bearing) : 베어링에 뚫려있는 구멍으로 오일이 들어와 회전하는 샤프트와 함께 오일이 비산되어 막을 형성하는 방식으로 고속주행 직후 기관을 정지시키면 플로팅 베어링에 오일이 공급되지 않기 때문에 소결이 되는 경우가 있으므로, 충분히 공회전(Idling)후 기관을 정지해야 한다. 터빈의 회전수는 10만~20만rpm 이상이기 때문에 윤활유에 의해서 축 및 베어링을 완전히 뜨게 하는 전부동 베어링(Full Float Bearing) 방식을 사용하여야 하며, 이에 의해서 터빈, 압축기 및 축의 미소한 불균형에서 오는 고속시의 진동을 흡수하고, 냉각효과의 향상이나 베어링의 내구성 향상을 도모하고 있다(Oil 관리 중요).

⑥ **디퓨저**(diffuser) : 디퓨저에 공급된 흡입공기는 통로의 면적이 크므로 공기의 속도 에너지가 압력에너지로 변환되어 실린더에 공급되기 때문에 체적효율이 향상된다.

⑦ **과급 압력 조절기**(Super Pressure Relief)

ⓐ 배기가스 바이패스 방식(Exhaust gas by-pass Type)

ⓑ 흡기 조절방식 (Suction Relief Type)

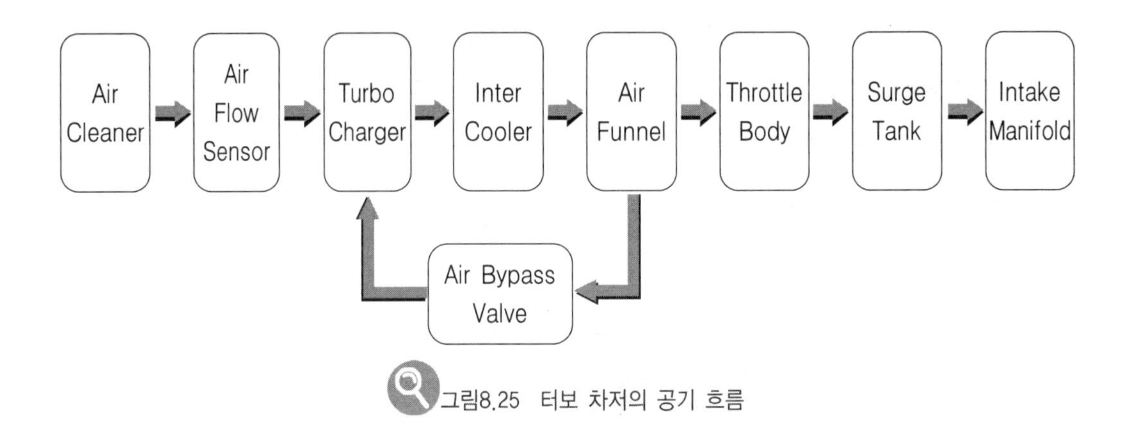


그림8.25 터보 차저의 공기 흐름

### (2) 터보 래그(Turbo Lag, Time Lag)

터보 차저의 부하 변화에 대한 응답성은 터빈을 돌려서 충전효율을 높이고 출력향상을 얻는 것이기 때문에 부하가 급격히 변화하는 경우에 효율이 약간 떨어진다.

즉, 가속 페달을 밟아 스로틀 밸브를 열었을 때, 실린더에 흡입되는 공기량이 곧바로 증가하지 않고, 스로틀 밸브의 열리는 정도에 맞는 양의 공기가 실린더에 들어오게 되기까지에 시간이 걸리는 현상으로, 특히 발진, 가속할 때 요구되는 만큼 출력이 곧바로 나오지 않는다.

우선 스로틀 밸브를 열면 흡입 공기량이 증가하고, 연소 가스가 증가하여 그 온도가 올라간다. 그러면 이 연소 가스에 의해 터빈의 회전이 빨라져 컴프레서가 보내는 공기량이 증가한다. 이 사이클이 일정 상태로 되는 데 몇 초의 시간이 걸린다는 것이다.

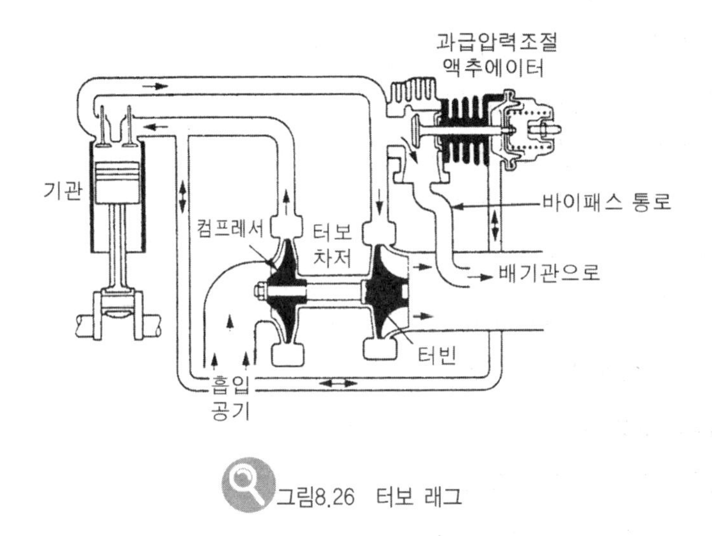


그림8.26 터보 래그

이러한 것을 터보 래그 라고 하며, 터보 차저는 고속영역에서 큰 토크가 얻어지지만 급가속시에는 회전상승에 따른 과급압의 지연이 발생하는 약점이 있는 것이다.

그래서 이 터보 래그를 작게 할 목적으로, 여러 가지 연구가 이루어지고 있다.

예를 들면 비교적 간단한 방법으로서 터빈 휠에 불어 넣는 배기 속도를 올리는 것이 고려된다. 배기가 나가는 노즐을 작게 하면, 동일 배기량으로 가스는 힘차게 분출하므로 터보 래그는 작게 된다. 그러나 이렇게 하면 최고 출력은 작게 된다.

또 큰 터빈 휠 1개 대신에 작은 터보를 2개 붙이면 터보 래그를 작게 하는 것이 가능하다. 예를 들면 6기통 기관이라면 3기통씩 나누어 2개의 터보를 붙인다. 이렇게 하면 배기 간섭을 방지함과 동시에 파워 업도 가능하다. 이 방식은 트윈 터보 방식이라고 불린다. 또 투웨이 트윈 터보 방식은 같은 식으로 2개의 터보를 사용하지만, 회전이 낮은 곳에서는 한 개의 터보만을 구동하여 응답성을 좋게하고, 고속회전에서는 양쪽을 사용하여 토크를 크게 한다.

더욱 더 터보 래그가 큰 저속시에는 슈퍼 차저를 사용하고, 고속에서는 터보 차저를 사용하여 양쪽의 좋은 점을 이용하는 하이브리드 터보 방식도 있다.

### (3) 웨이스트 게이트 밸브(Swing Valve Controller)

터보의 과급압은 일반적으로 0.5kg/cm² 전후로 설정되어 있으며, 과급압은 기관 회전상승과 함께 높아지지만 너무 높아지면 이상연소(Detonation) 등의 문제가 되기 때문에 배기 바이패스 밸브를 마련한 것도 있다. 또한 노킹 센서의 개발로 노킹이 해소될 때까지 점화시기를 지연시키고 과급압이 일정치 이상 되면 연료 차단도 할 수 있어 T/C장착이 쉬워졌다. 디젤의 경우 웨이스트 게이트 밸브의 설치로 과급압이 일정치(0.77kg/cm²) 이상 되면 조절하도록 한다.

### (4) 인터쿨러(Inter-Cooler)

흡입공기가 컴프레셔에 의해 압축되면 혼합기의 온도를 상승시키고 부피가 팽창하게 되므로 공기밀도가 작아져 충진효율이 떨어진다. 즉 2배 정도로 공기가 압축된 것이라도 실제 공기량은 1.6배정도 밖에 되지 않는다.

이러한 현상은 오히려 출력 저하 결과를 가져오므로 이러한 현상을 방지하려면 '인터쿨러' 라고 하는 냉각 장치를 장착하여, 공기의 밀도를 효율적으로 높임으로 더욱 크고 안정된 출력향상을 도모할 수 있다.

인터쿨러(Inter-Cooler)는 과급작용에 의해 상승된 과급공기를 냉각하여 충전효율을 높임과 동시에 노킹의 발생을 억제하는 효과를 이용하며 출력향상에 기여한다. 10℃ 내려간 경우 3%의 출력이 향상된다.

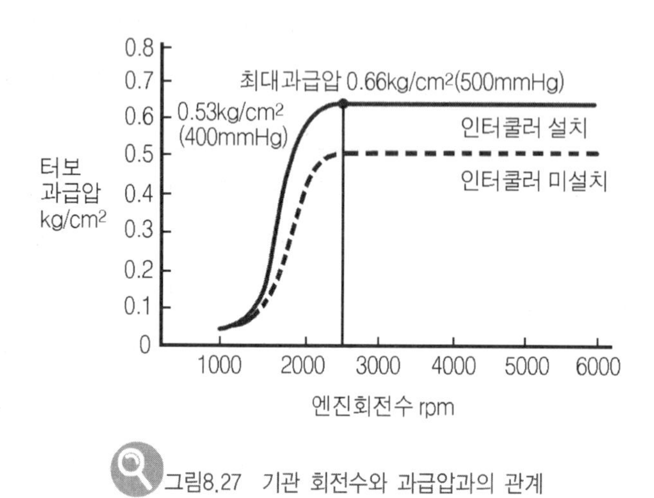


그림8.27 기관 회전수와 과급압과의 관계

인터쿨러의 설치위치는 주행중 받는 바람을 고려해서 보닛 상단이나 앞 범퍼 부위에 장착한다.

① **공냉식** : 차속이 60km/h이하이고, 급기온도가 50℃이상시 팬 모터가 작동한다.

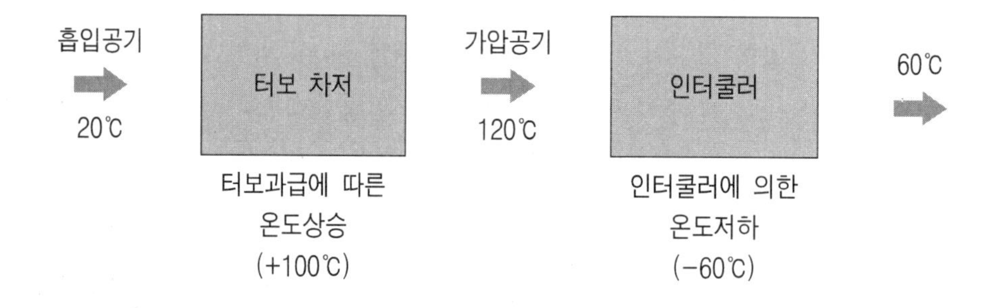


② **수냉식** : 냉각수의 순환은 전용 펌프에 의해 강제적으로 이루어지며 최대 냉각온도능력은 40℃ 정도이다.

표8.2 공랭식과 수냉식 인터쿨러 성능 비교

| | 공냉식 | 수냉식 |
|---|---|---|
| 시가지 주행 때 (저속 일정 주행) | 저 부하 영역에서는 공냉식, 수냉식 인터쿨러 모두 효과가 크지 않다. (터보 차저 과급압의 양이 적다.) | |
| 저속 전개 주행 | 냉각바람이 적기 때문에 흡기의 냉각효과는 고속일 때보다 떨어지나 인터쿨러가 없는 차량보다 는 출력 향상된다. | 운전초기는 수냉식이 냉각효과가 크지만, 일단 수온이 상승하면 효과가 떨어진다. |
| 고속 전개 주행 (고속 주행 및 추월 가속 주행) | 냉각바람이 증대되지 않더라도 냉각효과가 높아 흡기의 충진 효율로 향상되고, 그 결과 고속주행 성능은 급속도로 향상된다. | 인터쿨러를 설치하지 않은 차 보다 출력은 많이 향상된다. |
| 정 비 성 | 구조가 간단하고 고장이 나는 부품은 거의 없다. | 전용 라디에이터와 워터 펌프가 필요하며, 구조가 복잡하여 고장 원인이 될 수 있다. |

### (5) 가변용량제어 터보 차저(VGT : Variable Geometry Turbocharger)

기관의 변화하는 운전조건에서도 흡입되는 공기량이 효과적으로 유입될 수 있게 하는 가변식 터보 차저이며, 듀티(Duty)로 제어되는 VGT 솔레노이드 밸브(진공 액추에이터)와 연결된 베인(Vane) 기구에 의해 터빈 입구의 배기가스 유로 면적을 변화시켜 고속 고부하 및 저속 저부하 조건에서 터빈 전달 에너지를 증대시켜 기관 출력향상, 가속성능 향상, 연비 향상 등에 기여한다.

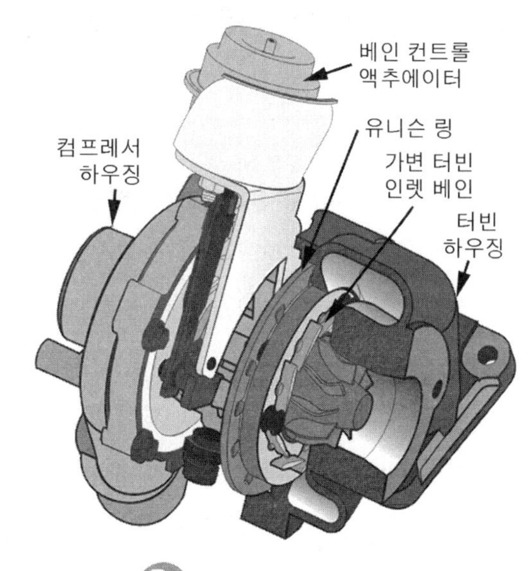


그림8.28 VGT의 개략도

### (6) 터보 차저 기관의 장점과 단점

#### 1) 장점

오버랩 동안에 깨끗한 공기가 연소실로 강제 흡입되므로, 실린더 헤드와 피스톤을 냉각시키고, 남아있는 연료를 완벽하게 연소시킨다.

㉠ 경제적인 연료소모(연료절감)

㉡ 매연 및 소음 감소

㉢ 중량당 출력증가 : 중량 2~3% 증가하지만 출력증가는 30~45%

㉣ 기관 냉각효과(실린더 헤드, 피스톤, 밸브, 배기가스 등) ☞ 오버랩시 잔여 연소가스 제거

㉤ 고산지대에서도 출력 감소가 없다. ☞ 많은 공기 과급

#### 2) 단점

130,000~180,000rpm으로 고속회전하기 때문에 기관오일의 교환주기 확실히 지켜야 하며 만일 오일의 부족이나 오염은 터보 차저 전체를 손상시킬 수 있는 가장 큰 원인이 된다.

## 과급기 부착 기관의 사이클

부하운전, 저부하 운전과 기계과급을 행한 경우 고부하 운전시의 P-V 선도를 그림 8.29에서 보인다.

부하운전, 저부하 운전에서는 흡·배기행정으로 소위 펌핑 손실이라 불리는 부(-)의 일의 부분이 생기며 슈퍼차저 기관에서 과급운전을 행하면 (C)에서 보이듯이 흡배기 행정에서도 정의 일로 하는 루프(Loof)가 나타난다.

공급되는 열량 외에 이 부분만 출력이 증가하므로 과급기의 구동 때문에 소비되는 일의 절반정도가 회수된다. 한편 배기터빈 과급에서는 과급기의 부하 때문에 배기행정의 압력이 증가하고 흡배기 과정에서 정의 일을 하는 것은 드물다.

과급기는 본래 같은 체적의 기관에 있어서 흡입 공기량의 증가. 즉 출력의 증가를 목적으로 개발된 것이며 과급기를 이용해도 내연기관의 열효율 향상은 거의 기대할 수 없다.

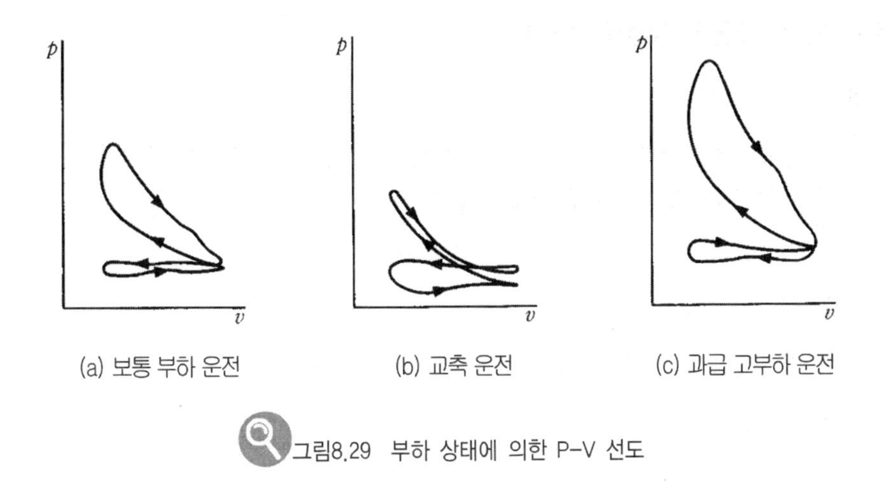


그림8.29 부하 상태에 의한 P-V 선도

## 10 배기 장치

배기장치는 연소실에서 연소시 생성되는 연소가스(배기)를 모두 배출하여야 하며, 실린더로부터 배출되는 배기가스는 유속이 빠르고 압력이 크게 팽창되기 때문에 배기끼리의 간섭을 피하기가  어렵다. 이 현상을 배기 간섭이라고 하며 압력파(맥동)를 이용하여 배기를 배출하는데 사용된다.

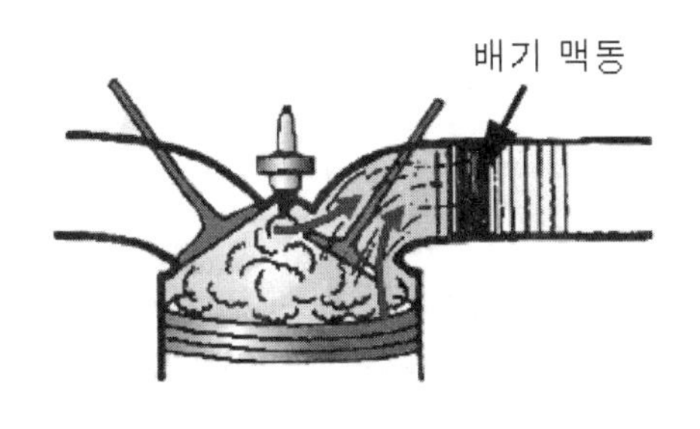


그림8.30 배기 관성 효과의 원리

각 실린더로부터의 배기는 점화 순서와 같은 간격으로 배출되기 위해, 배기 다기관(매니폴드 ; Manifold) 또는 배기관 사이에 맥동이 생긴다든지, 배기가 함께 이어진다든지 하는 것이 일어난다.

배기 관성효과는 흡기 관성효과와 같은 원리에 의해 얻어지는 효과로, 배기 포트와 매니폴드에서 가능한 맥동을 이용하는 것이다. 배기 밸브의 개폐에 의해 매니폴드 중에 연소 가스의 밀도가 짙은 부분과 옅은 부분이 생긴다. 밸브가 닫히기 직전에 밸브 부근의 밀도가 옅어지고 있으면 연소실에 남은 가스를 빨아 당겨 내는 효과가 생긴다.

밸브 오버랩시 아주 조그마한 순간에 배출가스가 실린더 안으로 되돌아간다. 이 맥동은 기관에 따라 오버랩이 다르기 때문에 각각 고유의 사이클을 발생하고 있다. 오버랩이 크면 부압파를 오버랩 기간에 동조시킴으로써, 소기효과를 얻을 수 있다

흡입공기량이 많을수록 배기의 맥동은 커지고 이를 이용하기가 쉬우므로 다기통 기관에서는 연소순서와 연결부까지의 배기 매니폴드 길이 및 지름을 알맞게 설계함으로써 효과를 기대 할 수 있다.

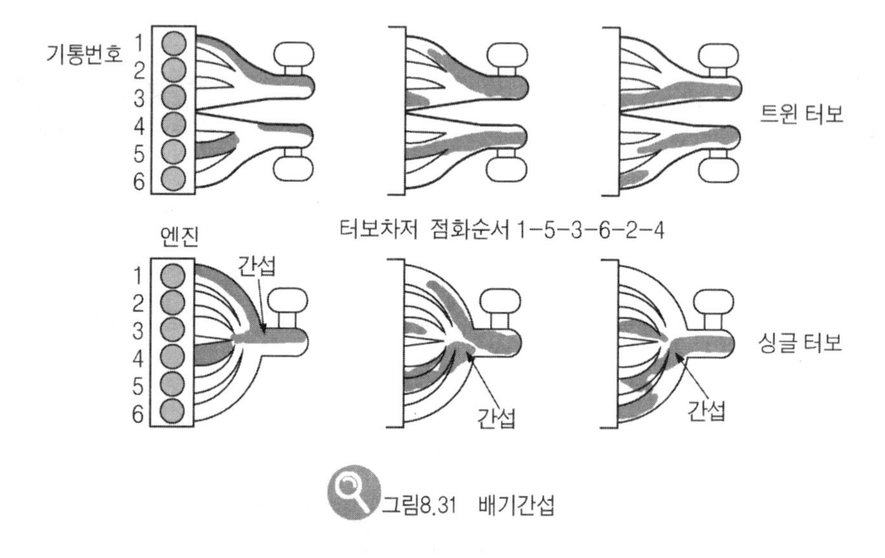


그림8.31 배기간섭

배기 매니폴드의 성능으로서 매니폴드가 큰 것은 부드러운 배기가 되지만, 이것을 방해하는 현상인 배기 간섭이 있다. 각 실린더로부터는, 점화 순서에 따라 연소가스가 배출되지만, 매니폴드에서 하나로 합쳐지기 때문에 잘 조성되어 있지 않으면 한 실린더의 배기가 통과하고 있을 때 다른 실린너로부터의 배기가 와서 합쳐지거나, 매니폴드내의 압력이 높아지게 되어, 연소 가스가 잘 배출되지 않는다.

배기 간섭은 배기 밸브로부터 각 실린더의 집합 부분까지의 거리를 길게 하거나, 각 실린더의 집합 부분 각도를 예각(비스듬한 각도)으로 하여 배기 흐름을 잘 하게 하는 등에 의해 방지하는 것이 가능하지만, 다기통 기관일수록 모여지는 매니폴드수가 많아지므로, 그 대책

은 어렵다.

배기간섭을 피하기 위해서는 각 실린더의 매니폴드를 충분히 길게 하는 것도 좋지만, 배기 순서를 고려하여 매니폴드를 그룹으로 나누어 배기가 어렵지 않도록 하는 것도 한 방법이다.

배기저항을 저하시키기 위해서는 우선 배기관의 곡면부를 부드럽게  하는 것이 중요하며 이 곡면부의 한계는 흡기계와 마찬가지로 최저 100R은 확보되어야만 한다.

(a) 직렬4기통 싱글포트형

(b) 직렬 4기통 듀얼포트트형

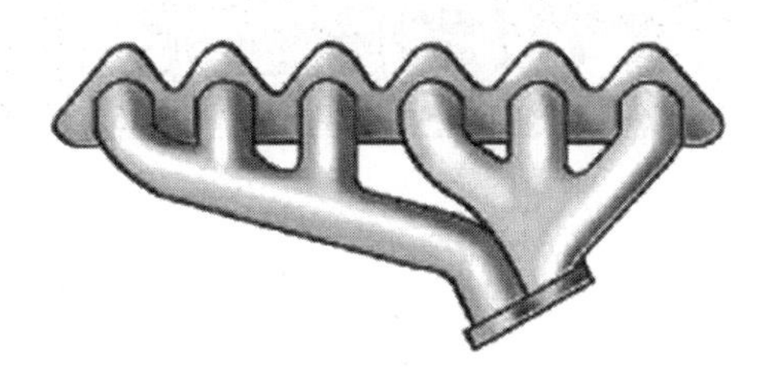

(c) 직렬 6기통 듀얼포트트형

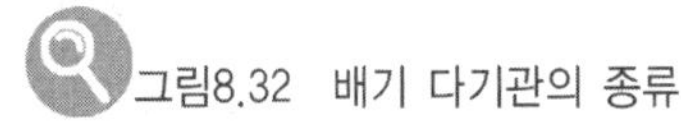

그림8.32 배기 다기관의 종류

## 11 소음기(muffler)

소음기는 기관에서 배출되는 고온의 배기가스의 온도와 압력(600~750℃, 3~5kg/cm²)을 낮추어 배기 소음을 감소시켜 외부로 방출시키는 역할을 한다.

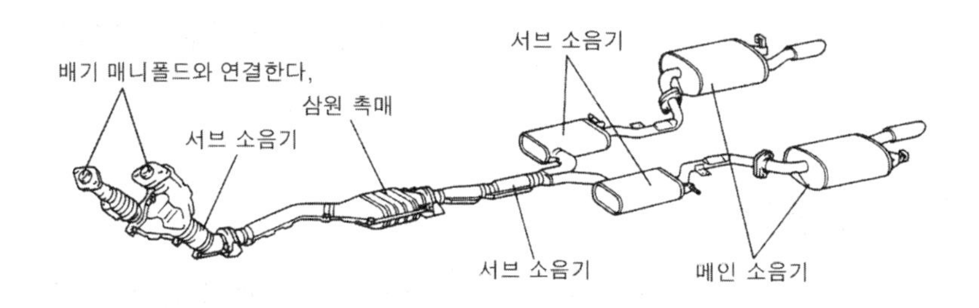

그림8.33 배기장치의 구성

서브 소음기(Serve Muffler)는 배기 매니폴드와 소음기 사이에 소형의 소음기를 부착한 것을 말하며 이것은 소음기의 수명을 길게 하기 위한 것으로 시동초기에는 소음기가 냉각되어 있어 배기가스 속의 수분으로 소음기 내부가 부식하기 쉬우므로 구조가 더 간단하고 값이 싼 보조소음기를 설치하여 소음기의 수명을 연장하여 보수비를 절감하기 위한 것이다.

소음기를 부착하면 기관의 배압이 증가되고 출력이 떨어지는 것이 일반적이다. 소음기가 부착되면 배기 파이프가 길어지는 것 같으나 실제로는 관내에 가스의 평균 온도가 높아져 가스의 음속이 커지므로 배기관의 길이가 짧아진 것과 같은 효과를 나타낸다.

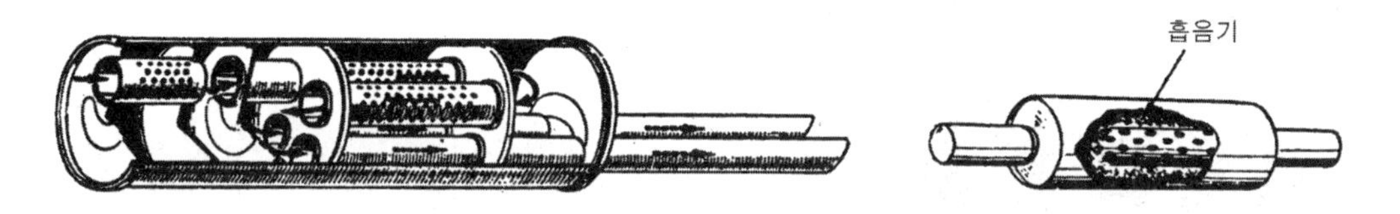


그림8.34 역류식 및 단류식 소음기의 구조

소음기의 구조는 소음을 적게 하기 위해 흡음재를 사용하거나 가스를 작은 구멍에서 분출시켜 압력과 온도를 저하시켜 에너지를 흡수시키고, 또 가스의 통로는 도중에 길이가 다른 2개의 통로로 나누어 음파를 서로 간섭시키는 등 여러 가지 방법이 있으며, 보통 1mm 두께의 철판을 원통형으로 용접하여 만들었고, 그 내부에 몇 개의 칸막이를 하여 배기가스가 이 칸막이의 장벽을 지날 때마다 음파의 간섭 및 압력의 감소, 그리고 배기 온도의 저하로 점차 소음이 감소된다. 그러나 소음 효과를 높이기 위해 소음기의 저항을 너무 크게 하면 기관의 폭음은 적어지나 배기 행정에 가해지는 저항 즉 배압이 높아져서 기관의 출력이 저하되므로, 자동차의 사용목적에 따라 소음의 정도를 결정한다. 배기가스는 음속 340m/sec에 달하므로 소음기의 체적은 행정 체적의 12~20배 정도가 좋고, 그 종류는 칸막이 판의 형식에 따라 그림 8.28과 같다.

## 원통형 소음기

3개의 원통을 동심이 되도록 조합한 것이며 중앙에 들어간 배기가스는 작은 구멍을 통하여 바깥쪽의 원통으로 나와 다시 외곽에 나와 다시 외곽에 있는 원통으로 나가면 이때 배기가스의 압력과 온도가 저하되게 된다.

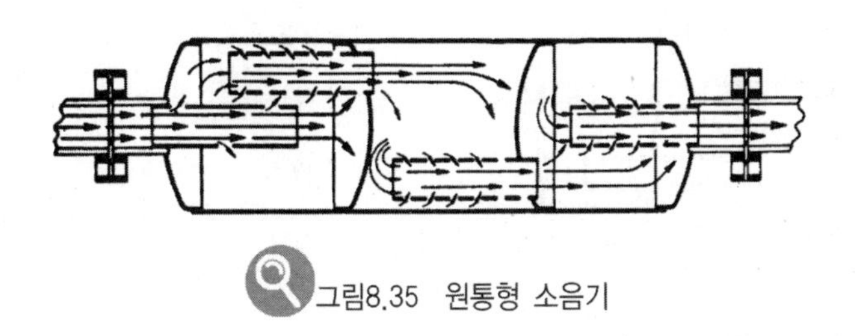

그림8.35 원통형 소음기

## 2 차단판식 소음기

원통의 내면의 원통 중심의 수직 방향으로 다수의 차단 판으로 칸을 막은 것으로 배기가스는 차단 판의 작은 구멍으로 다음 칸으로 유출되며 칸막이에 있는 작은 구멍의 위치가 서로 엇갈리게 되어 있어 배기가스는 내부를 돌면서 서서히 냉각되며 압력도 저하된다.

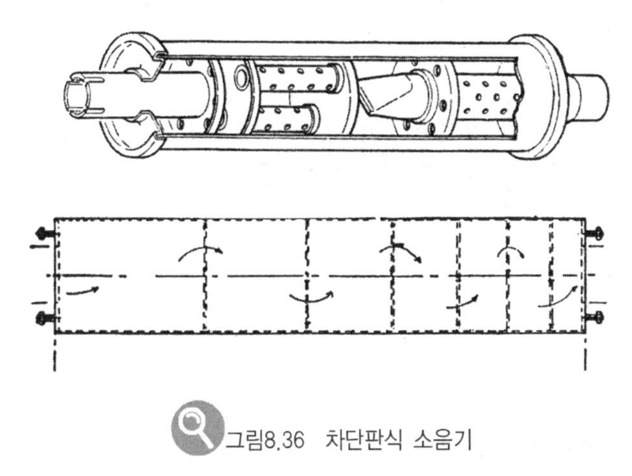

그림8.36 차단판식 소음기

## 3 이젝터식 소음기

중심부에 중심 관이 있고 배기가스의 일부는 출구 지름이 작은 중심 관을 통과할 때 속도가 빨라 중심 관 부근에 부압이 생겨 팽창실 내의 배기가스를 빨아내게 된다. 팽창실은 칸막이가 되어 있어 배기가스는 순차적으로 팽창하여 압력이 낮아진다.

그림8.37 이젝터식 소음기

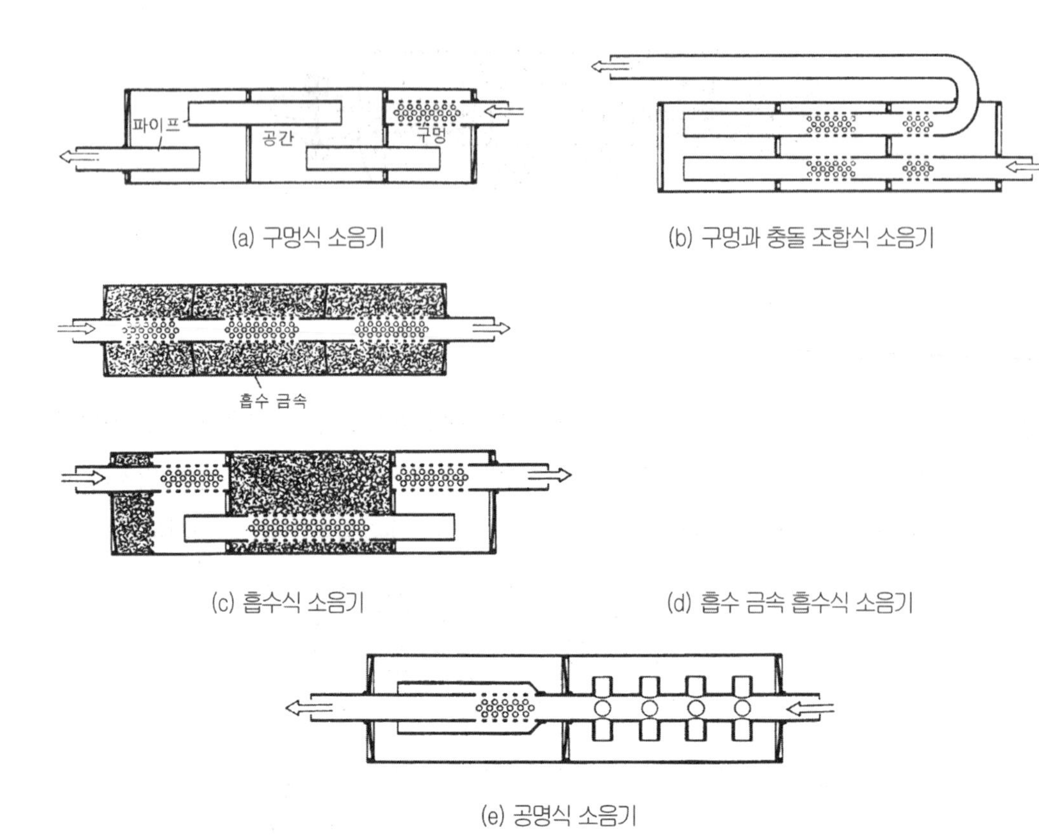


(a) 구멍식 소음기

(b) 구멍과 충돌 조합식 소음기

(c) 흡수식 소음기

(d) 흡수 금속 흡수식 소음기

(e) 공명식 소음기

그림8.38 소음기의 종류

## 4 이중모드 머플러(Double Mode Muffler)

중속 이상에서 Power Up 하고, 승차감을 향상시키기 위한 장치로 Silent Mode시는 주속 이하의 회전력에서 절환 밸브를 닫고, Sp

압력손실을 대폭 낮추어 동력성능을 향상시키

소된다.

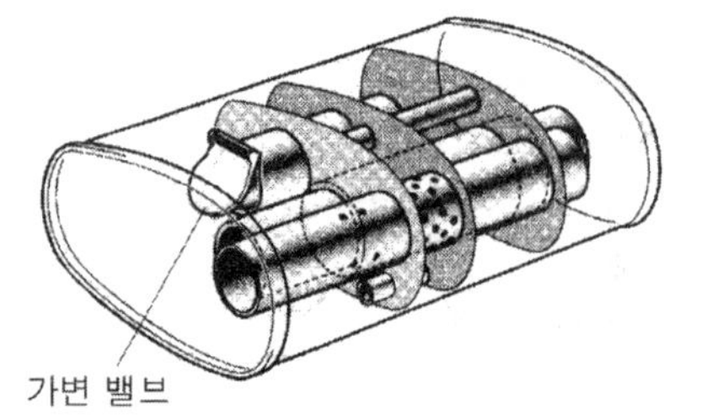


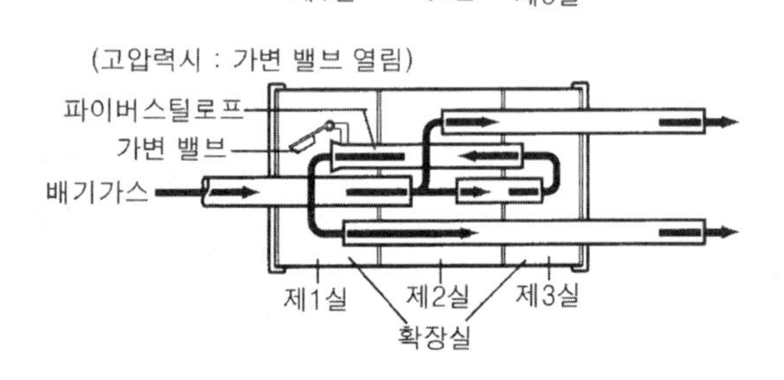

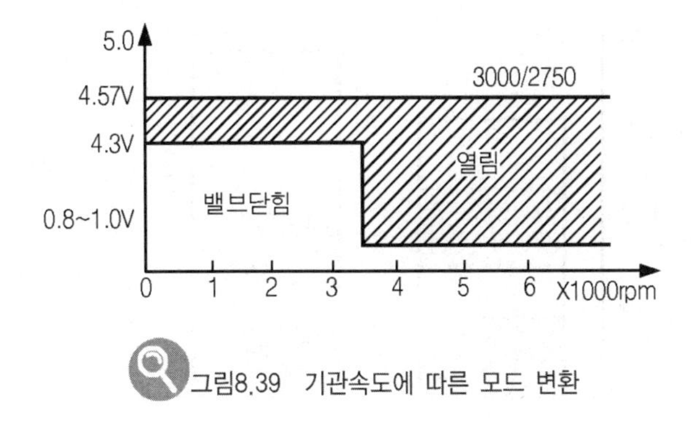


그림8.39 기관속도에 따른 모드 변환

밸브 닫힘 모드에서 총 배압은 45.8%를 차지하고, 열림 모드에서는 25.9%로 감소되며, 밸브를 열면 Tail Pipe의 직경증가 및 가스유동 저항의 감소로 배압(Back Pressure)을 줄일 수 있다. 따라서 저속영역에서 실내의 정숙성이 확보되고, 고속영역에서 배기음 저감 및 여유 있는 동력이 확보된다.

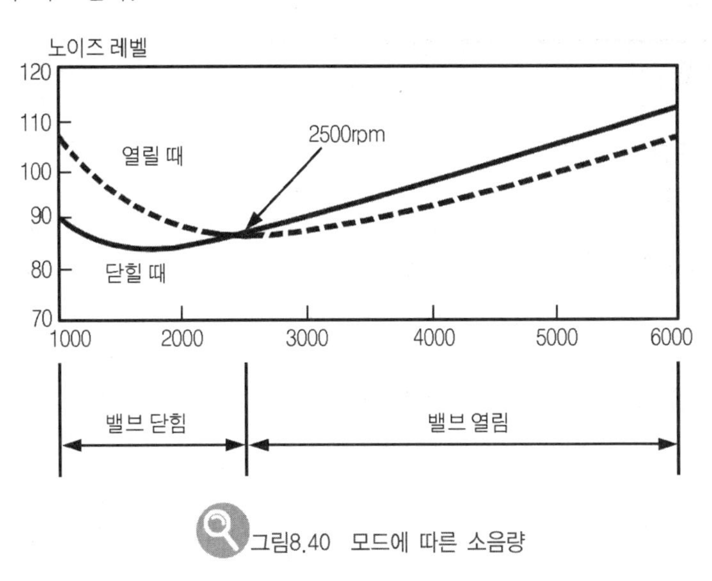


그림8.40 모드에 따른 소음량

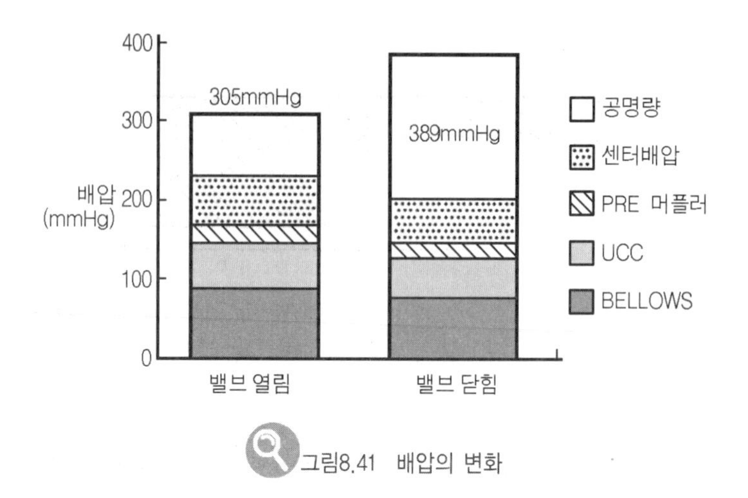


그림8.41 배압의 변화

**표8.3 HI-TECH에 의한 기관 고출력화 수단**

| 수 단 | 방 법 | 극복 과제 |
|---|---|---|
| 최고 허용 회전수를 증가시킴 | 밸브계 경량화 | 밸브 서징<br>밸브 바운싱 억제 |
| 흡입 공기량 증대 | Multi(多) 밸브화<br>밸브 Lift 증강<br>과급(Turbo, Super) | 저·중속 출력 동시 향상<br>Cost<br>밸브 면적 확대 |
| 기관 열효율 향상 | 압축비 증대<br>펌핑손실 저감<br>혼합기 Mixing 개선 | 효율 좋은 연소<br>연소기간 단축 / 녹킹 억제<br>기계손실 저감 |
| 고속형 튜닝 | 저속 출력은 희생 | 쇼트 스트로크화<br>밸브 타이밍 조정<br>플라이 휠 경량화 |
| 배기량 확대 | 저속/고속 전영역<br>고출력화 가능 | DOHC |

PART NINE

# 9 윤활장치

# 9 PART 윤활장치

윤활(潤滑 ; Lubrication System)이란 기관내부의 각 미끄럼 운동부에 윤활유를 공급하여 마찰열로 인한 베어링의 고착 등을 방지하기 위하여 미끄럼 운동면 사이에 유막(Oil Film)을 형성해서 마찰력이 큰 고체 마찰을 마찰력이 작은 액체 마찰로 바꾸어 주는 작용을 말한다. 여기서 사용하는 오일을 윤활유라고 하며, 유막을 유지시키기 위하여 지속적으로 윤활유를 공급해주는 장치를 윤활장치라고 한다.

다량의 윤활유를 각 마찰부에 순환시켜서 마찰열이나 연소에 의해 생기는 열의 일부를 윤활유로 냉각하고, 마모에 의해 생기는 미세한 금속분을 윤활유로 씻어내는 것 등도 윤활의 목적이다.

## 01 윤활의 형태

마찰이란 미끄럼 운동을 하는 두 물체 사이에 작용하는 저항력을 말하며, 고체 마찰은 상대 운동을 하는 고체사이의 마찰저항이며, 고체 마찰계수는 약 0.25~0.4정도이다. 경계마찰은 상당히 얇은 유막에 의한 마찰이며, 기관에서는 대부분 경계마찰을 하고, 마찰계수는 약 0.08~0.14정도이다. 액체 마찰은 상대 운동을 하는 2개의 고체 사이에 충분한 양의 윤활유가 존재하는 경우 윤활유 층상이 점성에 기인하는 마찰이며, 이때의 마찰계수는 약 0.01~0.05정도이다.

기계를 구성하고 있는 축과 베어링의 접촉면은 보기에는 완전한 평면으로 보이나 이것을 미시적으로 관찰하면 무수한 불규칙적인 골과 산이 있다. 이곳에 오일을 공급하여 유막을 만들고 접촉하게 하면 유막의 상태가 변화하는데, 그러한 것을 액체윤활이라고 한다.

## 액체윤활(Film Lubrication or Hydrodynamic Lubrication)

서로 접해 있는 두 물체가 액상의 윤활제에 의해 완전히 분리된 상태에서 운동하는 경우를 말하며 유체윤활이라고도 한다.

각각의 고체 표면에는 미세한 오일 분자(탄화수소 분자)에 의한 경계층이 형성되어서 양 경계층의 사이에는 유통 상태의 오일이 존재하게 된다. 이 상태에서는 마찰면이 완전히 떨어져 있게 되어서 마찰 저항이 적고, 따라서 마멸이나 융착의 위험이 없으며 유체윤활의 상태에 있다고 할 수 있어서 이를 완전 윤활 상태라고도 한다.

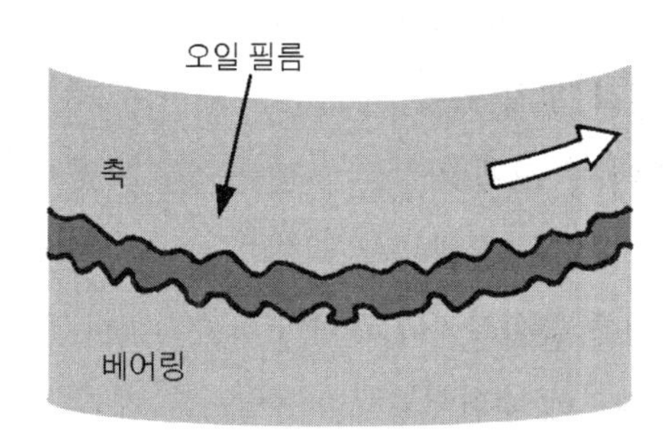

그림9.1 유체윤활

## 2 경계윤활(Boundary Lubrication)

경계윤활은 부분적인 마찰을 일으키는 경우를 말하며 박막(薄膜)윤활이라고도 한다.

유체 윤활상태에 있는 유막에 하중(압력)이 증대되면 유막이 압축되어 고체면에 형성되어 있는 경계층은 사용하는 오일의 유성의 정도에 따라 고체면에 강력하게 흡착되어 윤활 유막이 없어도 고체끼리는 직접 접촉되지 않아서 마찰이나 마멸을 방지할 수 있다. 이와 같은 윤활 상태를 경계윤활이라고 한다.

경계조건이 변하는데 따라 고체끼리의 마찰이 되어서 융착되는 원인이 될 수 있는 불안정한 윤활상태이다.

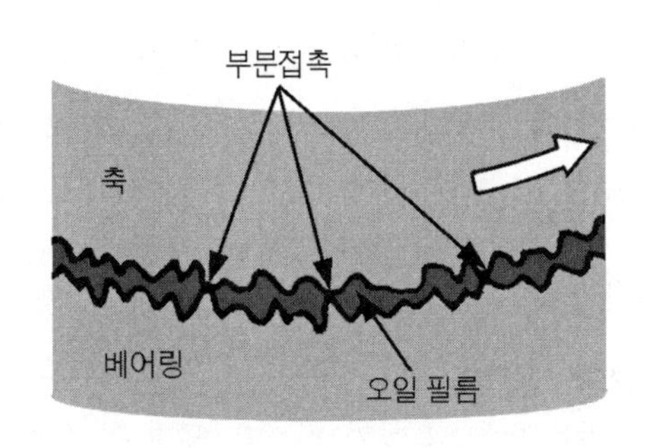


그림9.2 경계윤활

## 3 고체윤활(Solid Lubrication), 극압윤활(Extreme Pressure Lubrication)

고체윤활은 윤활제로서 특수한 고체 물질, 예를 들면 흑연 등을 마찰표면에 도포하여 사용하는 경우의 윤활상태이다. 경계 윤활과 같은 경계 윤활막이 없어져서 고체끼리 직접적으로 접촉하는 것이 아니고 얇은 금속막이 윤활막을 형성하는 것으로 일종의 마찰이 적은 건조 윤활이라고 불리는 상태로서 이 경우에 쿨롱의 마찰 법칙에 따른다.

하중이 증대되거나 마찰면의 온도가 높게 되면 마찰면이 접촉하여 파괴되기 쉽다. 이를 방지하기 위하여 극압 첨가제를 넣어 마찰면의 금속과 화학반응을 일으켜 극압막을 만든다. 실제로 대부분의 경우 경계윤활 상태로 된 수많은 첨가제가 사용된다.

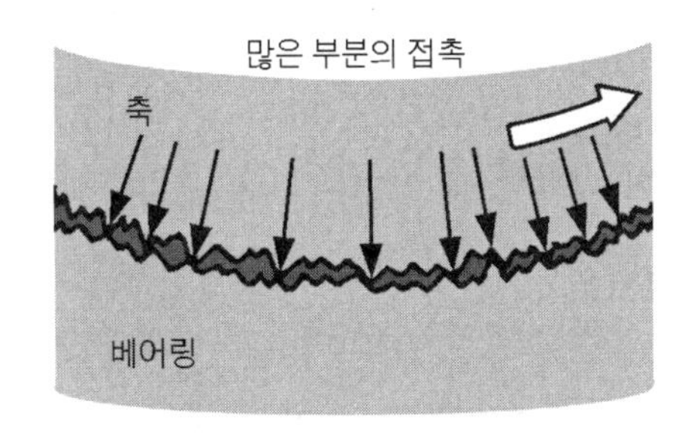


그림9.3 고체윤활

## 4 마멸(磨滅 ; Wear)

마멸의 원인으로는 고체 이물질(먼지, 금속 분말, 그을음 등)의 혼입의 의한 것과 연료의 혼입에 의해 점도가 저하되어 유막이 없어짐으로 발생하는 것,  극압제, 유성제의 소모에 의한 것 등이 있다.

그러므로 이 현상은 최종적으로 피스톤 링의 고착, 피스톤의 융착, 오일 통로의 폐쇄, 베어링의 융착, 금속의 부식 등을 발생시켜서 기관의 손상을 발생할 수 있다.

## 02 윤활 장치

윤활유를 사용하여 유막을 유지시키기 위해 지속적으로 윤활유를 공급해주는 장치를 윤활장치라고 한다.

실린더와 피스톤처럼 섭동을 하는 부분이나, 크랭크축 및 캠축과 같이 회전운동을 하는 부분 등의 운동 마찰부분이 금속끼리 직접 접촉하면 마찰열이 발생하고 마찰면이 거칠어져 빨리 마멸되거나 눌어붙는 고장이 발생하여 기관이 운전할 수 없게 된다. 이것을 방지하기 위해 금속의 마찰면에 오일을 주입하면 그 사이에 유막(Oil Film)이 형성되어 고체 마찰이 오일의 유체 마찰로 바뀌고, 마찰 저항이 작아져 마멸이 잘 안되며, 마찰열의 온도 상승을 방지한다.

### 1 기관의 윤활 회로

내연기관의 주요 윤활부위는 크랭크축, 컨로드, 캠축 등의 베어링, 실린더 벽, 피스톤, 밸브기구 등이다.

윤활장치는 오일 팬, 오일 스크린, 오일 펌프, 오일 필터, 릴리프 밸브, 오일 스트레이너 및 오일 압력 스위치 그리고 경우에 따라서는 오일 쿨러로 구성되어 오일펌프에 의해 각 윤활부로 압송된다.

윤활장치의 오일 순환 회로는 오일팬 → 오일스크린 → 오일펌프 → 릴리프밸브(감압밸브) → 오일필터→ 메인오일통로 → ① 크랭크축 → 커넥팅로드 → 실린더 및 피스톤 → 오일압력스위치 → ② 실린더헤드 → 로커암 축 → 로커암 → 캠 및 밸브 → 캠 축(저널)이다.

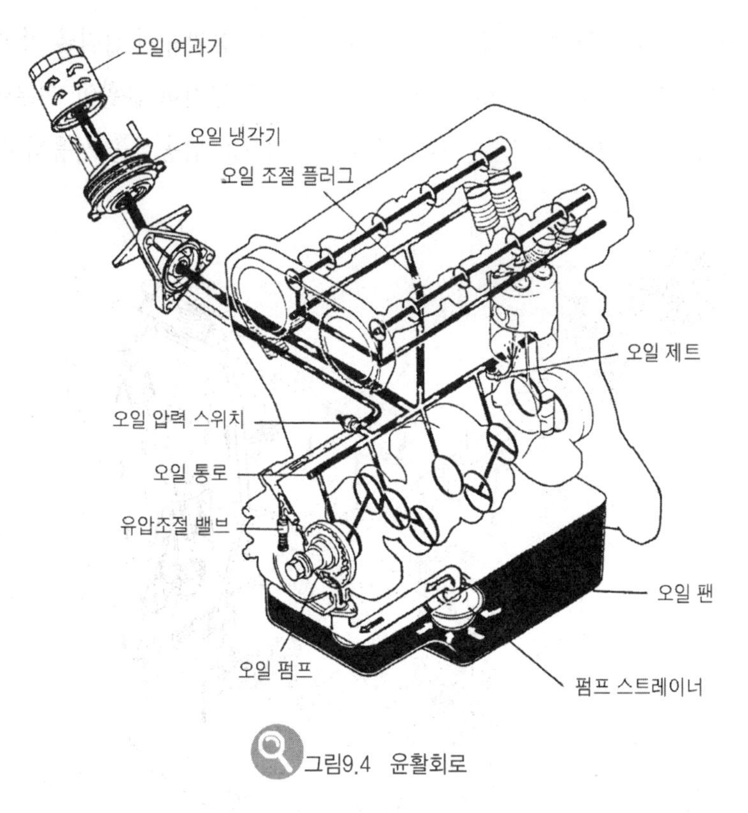


그림9.4 윤활회로

## 2 윤활방식

윤활 장치에는 오일을 공급하여 윤활하는 방법에 따라 3종류가 있다.

① 비산식 : 크랭크실의 오일팬(Oil Pan)에 적량의 윤활유를 담고, 그림9.5와 같이 커넥팅 로드의 하단에 설치한 숟가락형의 오일 스픈(Oil Spoon)으로 오일을 쳐서 실린더 벽이나 각 베어링 등에 튀게 하는 방법이다.

그림9.5 비산식

② **압송식** : 이것은 기관에 의해 구동되는 오일펌프로 윤활유에 압력을 가하여 각 마찰부로 보내는 방법이다. 이 방법은 기관의 세부까지 완전히 윤활이 이루어져서 기관의 회전에 대응한 급유가 되므로 대부분의 기관에서는 압송식을 사용하고 있다.

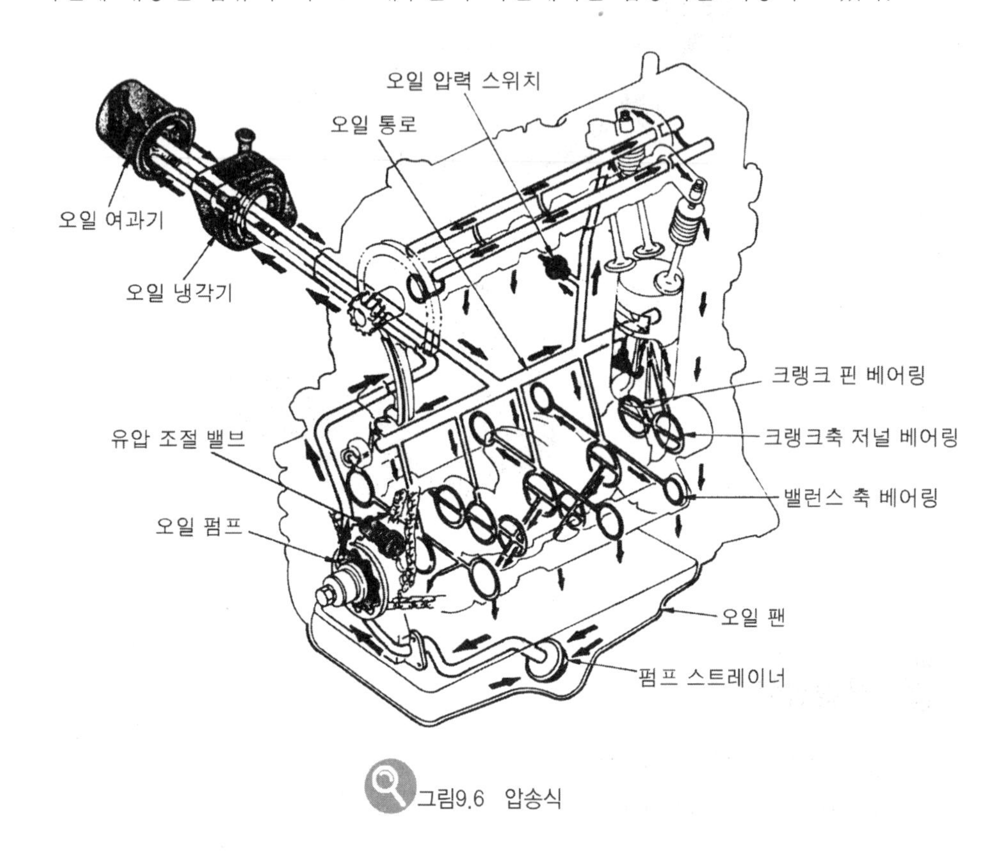


그림9.6 압송식

③ **압송 비산식** : 비산식과 압송식을 병용한 윤활방법이며, 오일펌프에 의해 각 마찰부에 오일을 압송하는 것과 함께 각 컨로드의 오일 스픈에 의해 실린더 벽이나 피스톤에 오일을 비산 시킨다.

##  압송식 윤활 장치

압송식 윤활 장치는 윤활유를 압송하는 역할의 오일펌프를 주체로 해서 여기에 유압을 일정의 압력이내로 조정하는 유압조정 장치와 윤활유 중에 포함되는 먼지나 금속 부스러기 등을 제거하기 위한 오일 여과기, 오일 통로 등의 각종장치가 있다.

### (1) 오일 팬(Oil Pan)

오일 팬은 기관 크랭크 케이스로서의 역할을 하고, 오일 용기로서의 기능을 하며, 부가적인 기능으로는 오일의 냉각기능도 있다. 즉 오일 팬의 외부를 통과하는 외기가 오일을 냉각시켜 기관이 과열되지 않고 최적의 온도에서 작동될 수 있도록 한다.

급정차, 급선회, 경사로 등에서 차체가 기울어도 밑바닥에 충분한 오일을 확보하고, 소음을 줄이며 가볍게 하기위해 알루미늄(Aluminum)사용하며, 상단에는 버플(Buffle)을 설치하여 실린더 블록의 강성을 보강하고, 크랭크축이 오일을 비산시켜 생기는 기포 발생을 막아 캐비테이션 현상이 생기지 않도록 한 것도 있다.

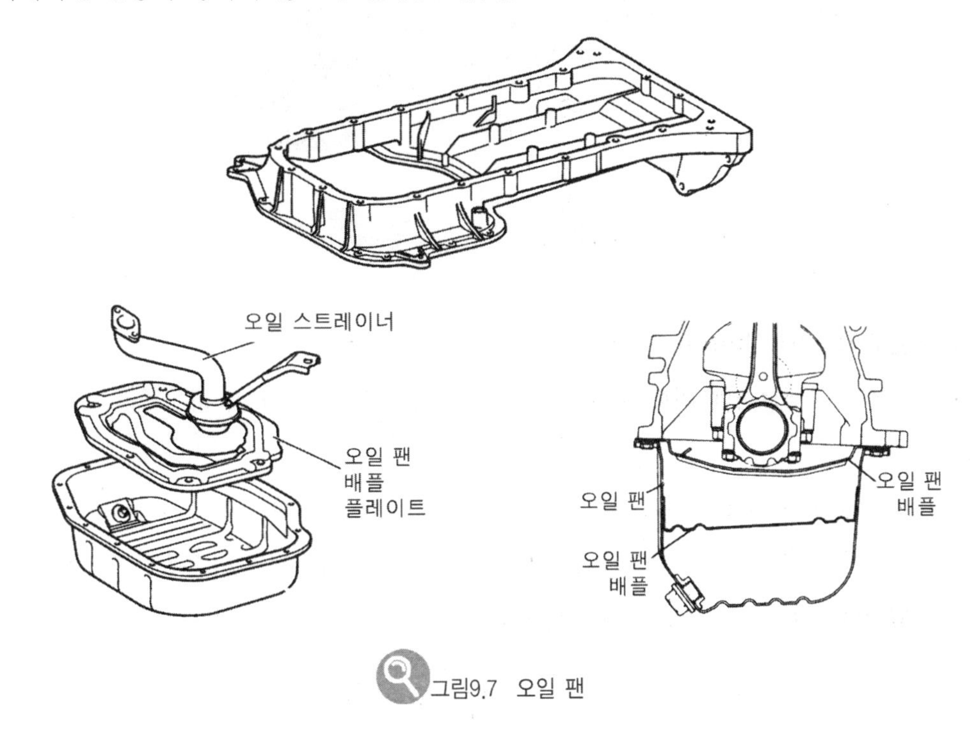


그림9.7 오일 팬

### (2) 오일 스트레이너(Oil Strainer)

오일펌프의 흡입부분에 달려있는 튜브 Assy 이며 오일 스크린은 큰 입자의 불순물들을 일차적으로 여과시켜 오일펌프를 보호해 주는 역할을 한다.

오일 스크린은 오일 팬의 바닥부분에 위치하여 있으며 오일에 완전히 잠겨 있어 윤활 시스템 내로 공기가 유입되지 않도록 오일 팬과의 일정한 거리를 유지하여야 한다.

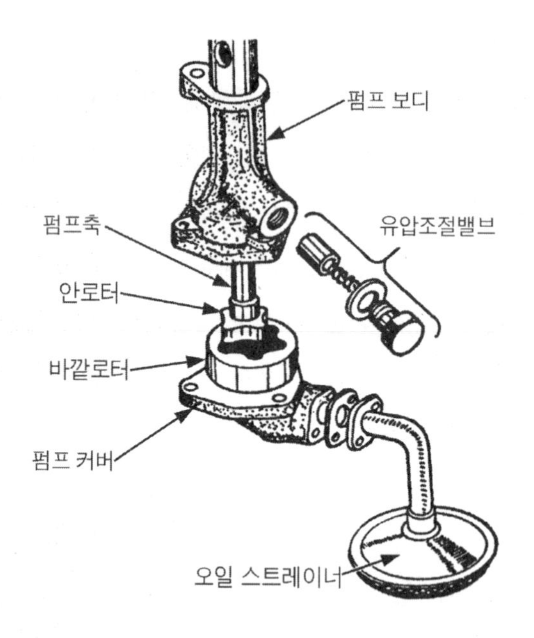

그림9.8 오일 스트레이너

### (3) 오일펌프(Oil Pump)

오일펌프는 크랭크축에 의해 구동되어 윤활유에 압력을 가하여 각 마찰부로 보내는 역할을 한다.

① 기어 펌프(Gear Pump) : 기어펌프는 같은 형의 기어 A, B가 맞물려서 돌아가면 흡입구로 들어간 오일은 기어와 펌프실 벽의 사이로 들어가서 반원주를 돌아 배출구에서 밀려나간다.

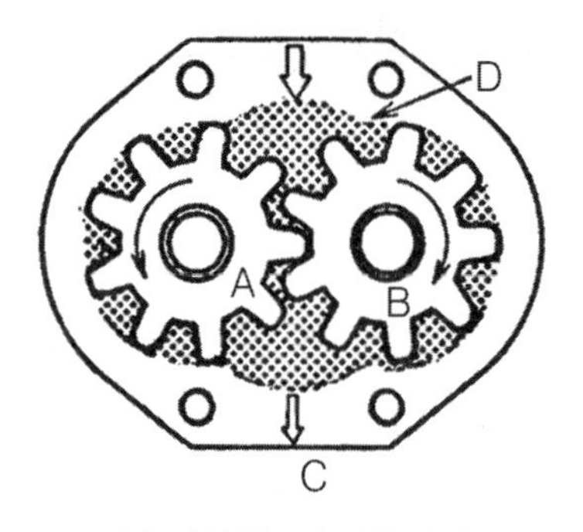


(a) 기어 펌프의 작동 원리

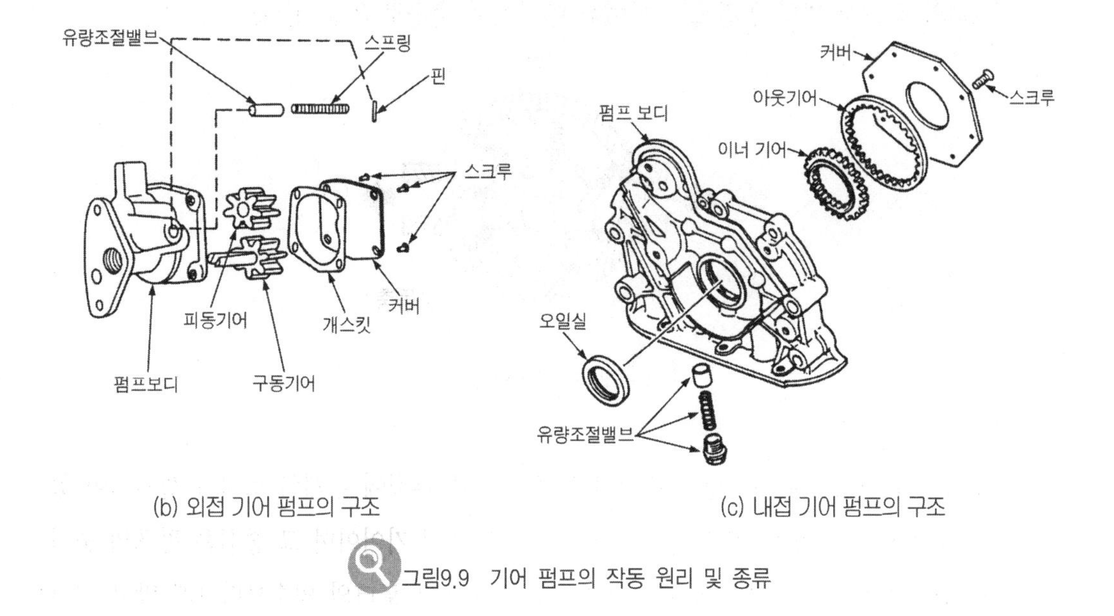


(b) 외접 기어 펌프의 구조

(c) 내접 기어 펌프의 구조

그림9.9 기어 펌프의 작동 원리 및 종류

② **플런저 펌프**(Plunger Pump) : 플런저 펌프는 원통형의 플런저실안에 플런저를 끼워 넣고, 스프링의 탄력과 오일펌프 캠(편심 캠)에 의해 왕복시키며 플런저의 한쪽에 있는 2개의 체크밸브를 교대로 개폐시켜서 오일을 보낸다.

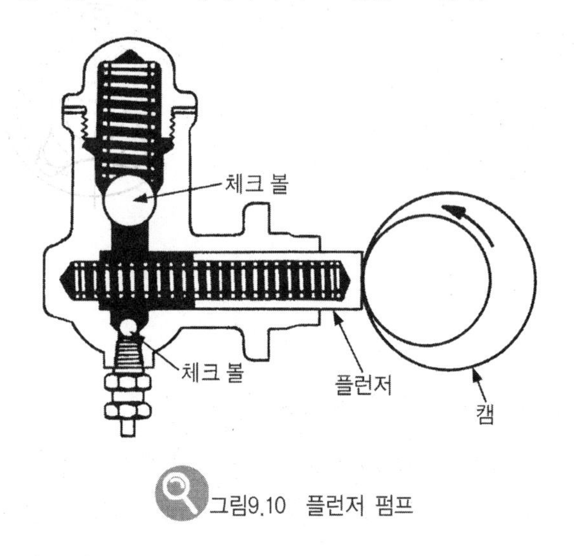


그림9.10 플런저 펌프

③ **베인 펌프**(Vane Pump) : 원통형의 펌프실에 편심된 로터와 스프링으로 펌프실에 밀려 붙어져 있는 여러 개의 날개(Vane)가 설치되어 있다. 로터가 회전하면 윤활유는

로터와 펌프실 벽의 공간으로 들어가 부근에서 출구로 압송 된다.

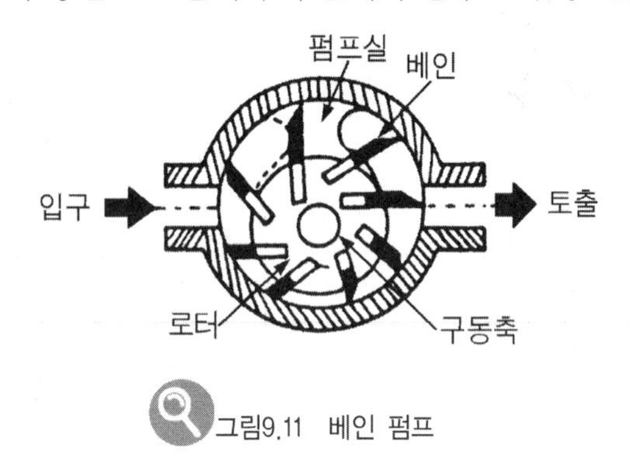


그림9.11 베인 펌프

④ **로터리 펌프**(Rotary Pump) : 로터리 펌프는 펌프 본체에 두개의 로터가 설치되어 있다. 내측의 로터(인너 로터)는 보통 치수 4~5 개의 기어이며 그 중심은 펌프의 중심과 편심 되어 있다. 외측의 로터(아웃 로터)는 인너 로터의 잇수보다 1개 많고 인너 로터의 회전에 의해 회전된다. 윤활유는 입구에서 이 두개의 로터이의 사이의 공간으로 유체가 들어가 로터의 회전에 의해 출구로 압송된다.

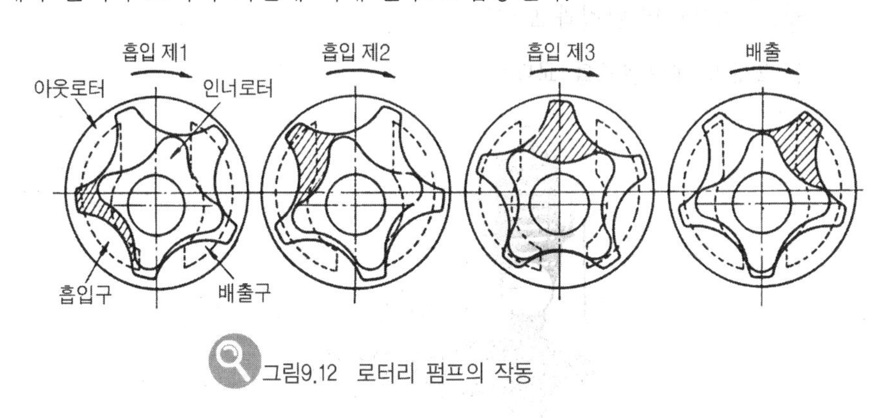


그림9.12 로터리 펌프의 작동

## (4) 오일 여과기(Oil Filter ; Cartridge Type)

윤활유 속에 쇳가루나 이물질이 들어가지 않도록 오일펌프의 입구에는 결이 고운 금속망 여과기가 설치되어 있다. 그러나 그것만으로는 불충분하기 때문에 오일펌프에서 보내는 윤활유를 오일 여과기로 용기 내의 여과체를 통해서 더욱 충분히 이물질을 여과한다.

오일 여과기는 밀폐된 원통형의 용기이고 중앙부에서 상하로 관통하는 관이 있으며 관에는 많은 작은 구멍이 열려 있다. 이 관과 용기와의 사이에 여과체를 설치하여 윤활유는 여과체의 바깥 둘레에서 여과체를 통과하고 중앙의 작은 구멍에서 관내로 들어가서 아래의 유출구로 송출된다.

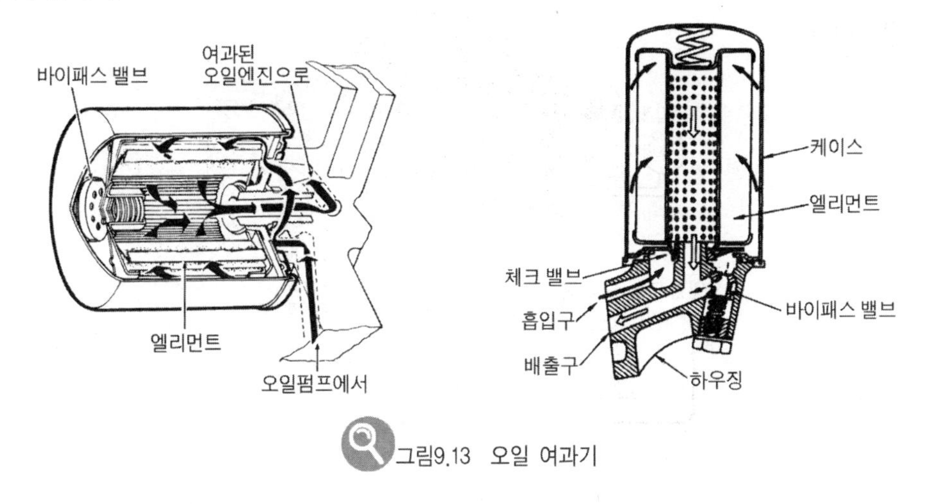


그림9.13 오일 여과기

여과체에는 면포, 펠트, 여지를 방사상으로 접어 넣은 것과 얇은 금속망을 겹친 것 등이 이용되며, 오일 여과기에서는 기관의 섭동 부분이 마멸되어 발생한 쇳가루, 오일의 열화 및 노화로 생긴 산화물, 연소에 의해 발생한 카본, 슬러지 등을 여과한다.

오일을 여과하는 오일 필터의 설치에 따라 전류식, 분류식 그리고 이 두 방식을 결합한 복합식이 있으며 가솔린 기관에서는 보통 전류식을, 디젤 기관에서는 복합식을 많이 사용한다.

① **전류식**(Full-flow filter) : 전류식은 오일펌프에서 압송한 오일이 모두 오일필터를 거쳐 각 윤활부로 공급되는 형식이다. 이 방식은 언제나 여과된 오일을 윤활부에 공급하며. 필터가 막히게 되면 필터내의 바이패스 밸브가 열려 윤활부족 현상을 막기 위해 여과되지 않은 오일이 공급된다.

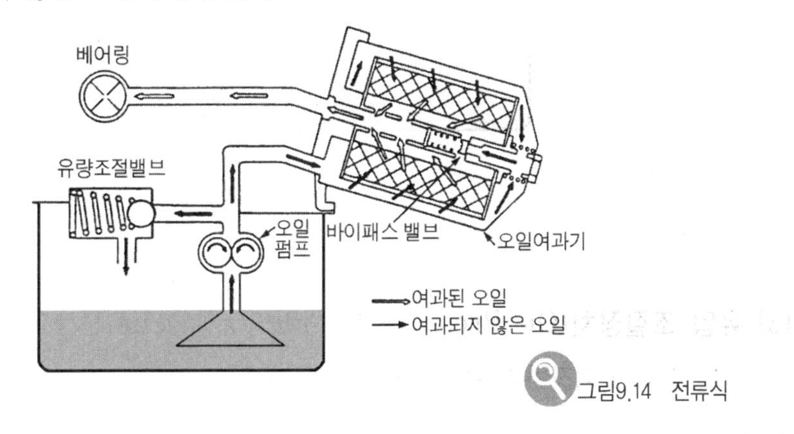


그림9.14 전류식

② **분류식**(By-pass filter) : 분류식은 오일펌프에서 압송된 오일을 각 윤활부에 직접 공급하고, 일부의 오일을 오일필터로 보내 여과시킨 다음 오일 팬으로 되돌아가게 하는 방식이다.

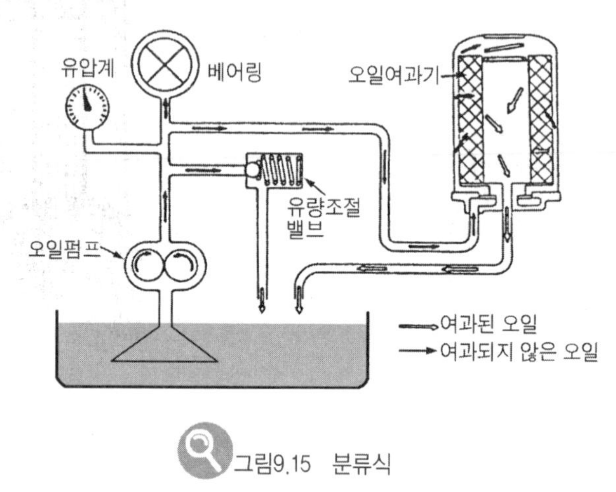


그림9.15 분류식

③ **복합식**(shunt) : 복합식은 샨트식이라고도 하며, 전류식과 분류식을 결합한 방식이다. 입자의 크기가 다른 두 종류의 필터를 사용하여 입자가 큰 필터를 거친 오일은 오일 팬으로 복귀시키고 입자가 작은 필터를 거친 오일은 각 윤활부에 직접 공급하도록 되어 있다.

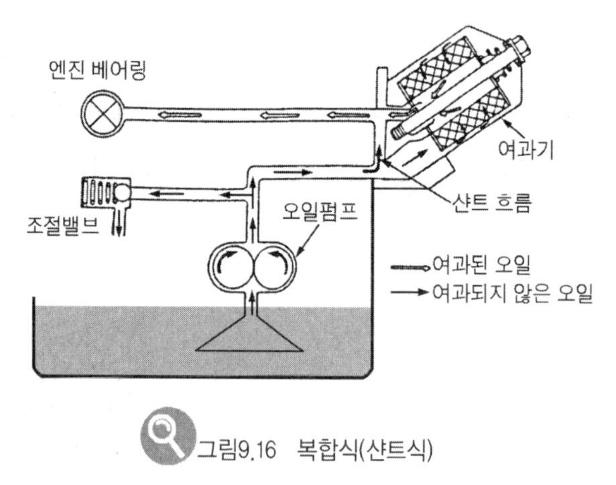


그림9.16 복합식(샨트식)

### (5) 유압 조절장치(Oil Pressure Regulator, Relief Valve)

그림은 유압 조절장치의 단면을 나타낸 것이다.

내부에는 스프링으로 눌려 있는 체크밸브(체크 볼)가 있으며 체크밸브의 외측에는 2개의 오일구멍이 있고, 그 한쪽은 오일펌프에 또 다른 한쪽은 배유관에 접속하고 있다.

오일펌프의 송유압력이 일정한 한계를 넘으면 오일은 스프링의 탄력을 이기고 체크밸브를 밀어 열고, 오일 팬으로 돌아가므로 압력이 내려가며, 보통 2,000rpm에서 가솔린 기관은 2~3kg/cm², 디젤 기관은 3~4kg/cm²의 유압으로 설정한다.

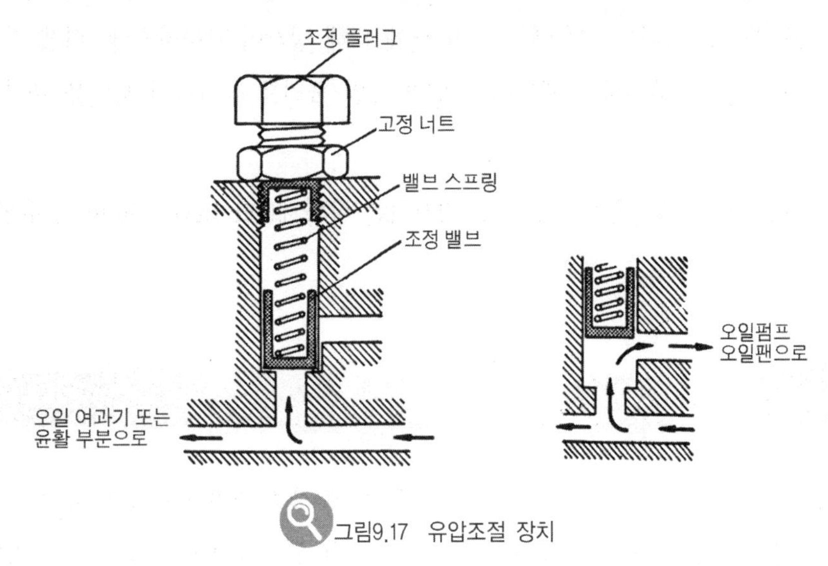


그림9.17 유압조절 장치

## (6) 오일냉각기(Oil Cooler)

기관 오일의 온도는 약 90℃ 가량을 넘지 않는 것이 좋으나, 온도가 정상이상으로 높아지면 윤활성을 급격히 상실하고, 산화가 촉진되어 카본을 형성하며, 첨가제의 효과가 줄어들고, 점도가 낮아지며 오일의 소비도 증대되므로 오일을 냉각시킬 필요가 있다.

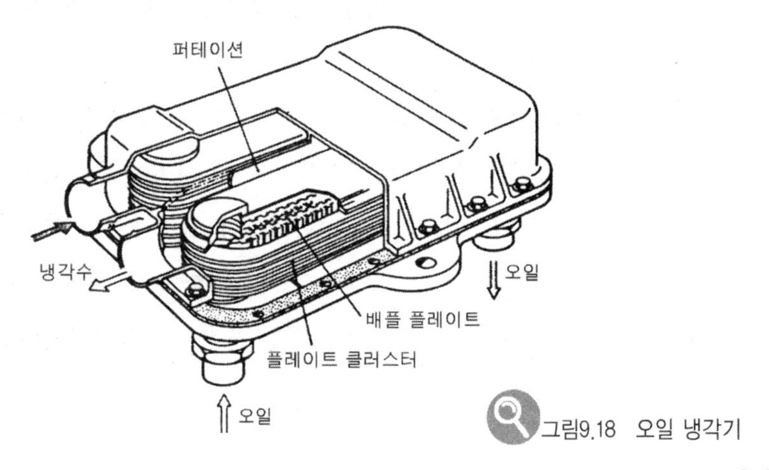


그림9.18 오일 냉각기

오일냉각기에는 오일 통로에 냉각핀을 붙이고 여기에 공기를 통과시켜 오일의 온도를 내리는 것과 동관을 많이 늘어놓은 용기를 설치하여 동관의 외측으로 오일을 통과시키고 관의 안에 물 또는 공기를 통해서 오일의 온도를 적당하게 하는 것, 또는 얇은 판을 2매 겹친 것을 여러 개 만들어 이 가운데로 오일을 통과시켜 바깥을 냉각용기에 닿게 하는 것 등이 있다.

일반적으로 가솔린 기관의 경우에는 오일 팬에 의해 냉각이 가능하지만, 디젤 기관에서는 오일 팬의 열방산으로 부족하기 때문에 별도의 오일 쿨러를 설치하여 오일을 냉각시킨다.

### (7) 기타

윤활장치에는 이외에도 윤활유의 양을 검사하는 유량계(Oil Level Gauge), 유압계 등이 있다.

## 03 윤활유

윤활유는 일반적으로 석유에서 정제된 기유(基油)에 각종 첨가제를 넣어 유성을 향상시키며, 한계 윤활상태(限界 潤滑狀態)에서 견디어 낼 수 있는 유성(油性)이 있고 화학적으로 안정되어야 한다. 기관 오일은 마찰력을 작게 하여 마모를 적게 하고 피스톤 및 실린더 헤드 등을 냉각하는 등 아래와 같은 작용을 한다.

① **윤활작용(마찰 감소 및 마멸방지작용)** : 기관내부의 각 미끄럼 운동부에 윤활유를 공급하여 마찰열로 인한 베어링의 고착 등을 방지하기 위하여 미끄럼 운동면 사이에 유막(Oil Film)을 형성하여, 마찰력이 큰 고체 마찰을 마찰력이 작은 액체 마찰로 바꾸어 주는 작용을 말한다.

② **밀봉작용(실린더 내의 기밀 유지 작용)** : 실린더 안의 기밀은 피스톤에 조립된 피스톤 링에 의하여 이루어지며, 윤활유가 피스톤 링 사이에 유입되어  유막을 형성하고, 기밀의 완성도를 높여 압축압력이 낮아지거나 연소가스가 빠져나가는 것을 방지하여 블로바이 가스를 억제한다. 피스톤 링에 윤활하여 링 홈에서 피스톤 링과 피스톤 실린더 사이의 운동을 원활하게 하며, 기밀 유지 작용에는 윤활유의 점도, 점도지수 및 유막 형성력에 따라 달라진다.

③ **냉각작용** : 마찰이 있는 곳은 반드시 열이 발생한다. 또, 피스톤과 실린더는 연소가스에 의해 가열되는데 열에 인한 문제를 방지하기 위해 윤활유는 이러한 열을 흡수하여 오일 팬이나 오일 쿨러를 통하여 방열을 시키며, 기관 내부의 마찰열 중 약 10~15% 정도 냉각시킨다.

④ **응력분산작용** : 베어링이나 기어 등의 같이 점 접촉 또는 선 접촉을 하여 집중된 힘을 받는 마찰면에는 그 접촉 부분에 매우 큰 압력이 가해진다. 또, 커넥팅 로드는 피스톤으로부터 충격을 받게 되어 이와 같은 국부적 충격이 반복되면 그 부분이 늘어나거나 마모되므로 윤활유는 큰 압력을 받는 좁은 부분과 접촉되는 전달 면적을 크게 하여 단위 면적에 가해지는 힘을 줄여 충격 완화시킨다.

⑤ **세척작용(청정작용)** : 기관 내부를 순환하는 윤활유는 마찰 부분의 금속 분말, 먼지, 카본, 산화물을 흡수하여 오일 팬으로 운반하게 되는데, 오일 팬에서 다시 윤활부로 공급될 때 청결상태가 좋아야 한다. 세척작용으로 불순물에 의한 기관 각부의 마멸이나 마찰 및 열 발생을 억제하고 불순물의 퇴적을 방지하는 성질이 있어야한다.

⑥ **방청작용** : 윤활유는 금속 표면에 유막을 형성하여 금속과 공기, 수분, 부식성 가스와의 접촉을 억제하는데, 접촉시에 발생하는 오염이나 산화를 방지함으로써 부식을 억제한다.

## 기관 오일에 요구되는 특성

① 점도가 적당하고 온도에 의한 점도의 변화가 작을 것.

② 유성이 좋을 것.

③ 인화점이 높을 것.

④ 불순물을 포함하지 않고 금속에 부식 등의 유해한 화학 작용을 미치지 않을 것.

⑤ 응고점이 낮을 것.

이상 설명한 성질 중 특히 중요한 성질은 점도와 유성이다. 점도(Viscosity)는 오일의 끈기를 나타내는 것이며 점도를 측정하는 데에 보통 세이볼트 점도계와 레드우드 점도계가 이용된다.

세이볼트 점도계는 오일을 용기에 넣고 일정 온도에서 오일이 60cc 유출하는데 소요된 시간을 초(Sec)로 점도를 나타내고, 레드우드 점도계는 오일이 50cc 유출하는 초(Sec)로 점도를 나타내고 있다.

윤활유는 주로 점도에 의해 규격이 결정되어 있다. 이 규격은 미국의 자동차 기술협회(Society of Automotive Engineers)가 제정한 것으로 첫 문자를 따서 S.A.E ○○번으로 표시되며, 이 ○이 숫자가 클수록 점도가 큰 것을 나타내고 있다. 또, 점도는 온도에 의해 변화해서 온도가 올라가면 점도는 작아지고 온도가 내려가면 점도는 커진다. 이 온도에 의한 점도변화의 정도를 나타낸 것을 점도지수라고 하며 점도지수가 높은 만큼 온도에 의한 점도변화가 적은 좋은 윤활유이다.

유성(Oiliness)은 윤활유의 점도 이외의 성질이며, 윤활작용에 관계가 있는 요소, 예를 들면 유막을 만드는 힘의 강약, 금속의 흡착성 등의 성질을 말한다.

## 윤활유의 첨가제

정제된 기유(基油)에 일정량 첨가시키는 물질로 윤활유 자체의 품질을 높이거나 성능을 향상시키는 화학물질이며 첨가제의 종류는 다음과 같다.

① **청정분산제**(Detergents/Dispersants) : 청정은 금속표면의 부착물을 녹여 씻어내는 역할이며 분산은 오염 및 불순물을 분산시키는 역할

② **산화방지제**(Anti-Oxidants) : 산화에 의한 부식성의 산이나 슬러지가 생성되는 것을 막아줌

③ **녹방지제**(Rust Inhibitor) : 피막을 만들어 공기나 수분을 접촉하지 못하게 하고 표면에 녹이 생기는 것을 방지

④ **부식 방지제**(Corrosion Inhibitor) : 산화 생성물 중의 산성물질을 중화시키거나 금속표면에 보호피막을 형성하여 금속에 대한 화학적 부식작용을 방지

⑤ **점도지수 향상제**(Viscosity Index Improver) : 온도의 변화에 따른 점도의 변화를 적게 하는 역할

⑥ **유동점 강하제**(Piur Pont Depressants): 저온에서 왁스(Wax)분이 석출되는 것을 막아주어 저온에서 유동을 가능하게 함.

⑦ **기포방지제**(Anti-Foam Agents) : 기관 오일은 격렬한 교반 작용을 받기 때문에 변질되어 표면장력이 저하되어 기포가 심하게 발생하며 기포가 발생하면 더욱 심하게 산

화된다.

⑧ **마모방지제**(Anti-Wear Agents) : 금속표면에 보호피막을 형성하여 금속의 마찰에 의한 마모, 긁힘, 눌림 현상을 방지하고 마찰부위의 온도상승을 방지

⑨ **마찰조정 계수제**(Friction- Modifier) : 일종의 계면활성제의 조합체로 구성 특정 재질의 금속표면에 대한 흡착력이 일정한 범위 위에 있도록 조정.

⑩ **극압제**(Extreme Pressure Agents) : 극도의 압력 및 하중이 가해지는 부위의 금속과 반응하여 극압막을 만들어 마모, 긁힘, 눌림 등의 현상을 방지.

⑪ **유성 향상제**

⑫ **형광 염료**

### 3 첨가제의 요구특성

① 기본유(基本油)에 대한 용해성

② 비(非)용해성이나 물과의 무반응성

③ 휘발성(Volatility)

④ 안정성(Stability)

⑤ 조화성(Compatibility)

⑥ SEAL 안정성(Seal Compatibilty)

⑦ 착색, 냄새

## 04 윤활제의 성상

### (1) 비중(Specific Gravity) ASTM D-1298

규정된 기름인지 이물질이 혼입되었는지 시험한다.

① **비중15/4℃** : 15℃의 기름과 4℃의 같은 부피의 물과의 중량비

② **API 비중** : 미국 석유협회에서 정한 비중이며 물을 10으로 하여 물보다 가벼운 것은 10이상, 물보다 무거운 것은 10이하의 수치로 나타낸다. 즉, API=10일 때의 비중이 1이다.

### (2) 인화점(Flash Point) ASTM D-92

가열한 시료의 증기와 공기의 혼합가스에 불을 가까이하면 순간적으로 타버린다. 그때의 온도를 인화점 이라 하며 가열을 계속하면 증기발생이 심해지고 그것에 점화되면 연소가 계속된다. 이때의 온도를 발화점 또는 연소점이라 한다. 발화점은 일반적으로 인화점보다 높다.

### (3) 점도(Viscosity) ASTM D-445

윤활유의 선정에 있어서 가장 중요한 항목의 하나로서 일정량의 시료가 일정한 온도에서 일정한 길이를 통과하는데 걸리는 시간을 측정하여 얻는다. 일반적으로 석유제품에 관한 점도라면 동점도를 가리킨다.

① **점도**(Viscosity) : 윤활유의 점도는 액체를 유동시킬 때 나타나는 액체의 내부 저항 또는 내부마찰을 의미한다. 일반적으로 액체에서는 흐름을 일으키는 외력과 이것에 의해 생기는 액체의 속도 구배 사이에는 비례 관계가 있다. 이것을 액체의 뉴턴의 점성 액체의 법칙이라고 하면 이러한 액체를 뉴턴 액체 또는 점성 액체라고 한다. 일반적으로 광물성 윤활유는 뉴턴 액체에 속하지만 그리스나 저온에서 이상 점도를 표시하는 광물성 윤활유는 비 뉴턴 액체라고 한다.

μ를 점성계수 또는 점도라고 하는데 μ를 CGS 단위로 표시한 단위를 포아즈(poise)라고 하면 포아즈는 단위로서 너무 크기 때문에 센티 포아즈를 사용한다. 23.3℃에서의 물의 점도를 1센티 포아즈(C.P)이다. 점도는 모세관을 일정량의 액체가 난류를 일으키지 않고 유출되는데 필요한 시간을 측정한 후 포아즈의 법칙에 따라서 계산한다. 포아즈의 윤활법칙은 점성마찰에서 마찰력은 유막 및 단면적과 두 표면 사이의 상대속도에 비례하고 유막 두께에 반비례한다.

$$F = \frac{\mu \cdot A_u}{h}$$

여기서 F : 마찰력, Au : 속도, μ : 점성계수, h : 유막두께

기관 최고 온도에서의 필요 최저점도와 한냉시 펌프 작동의 가능 최고점도 사이에서 사용 가능하기 위해 점도지수가 좋아야 한다. 점도가 지나치게 낮은 경우에는 기

관 구동부의 조기 마모와 오일 소모를 많이 하며, 점도가 지나치게 높을 경우에는 기관 과열, 시동 불량, 연료소모 증대, 출력 저하, 배터리 소모과대, 시동모터 손상 등의 원인이 될 수 있다.

② **점도 지수**(Viscosity Index) : 온도의 변화에 따른 점도의 변화를 말하며, 점도지수가 클수록 온도가 달라지더라도 점도변화의 폭이 작다는 것을 의미한다. 기관오일의 경우 시동시와 운전중의 오일의 온도는 매우 다르므로 점도 지수가 높은 오일을 사용하여야 저온에서도 시동이 용이하고 운전중의 고온상태에서도 충분한 유막을 형성하여 윤활의 효과를 높일 수 있다.

③ **동점도**(Kinematic Viscosity) : 동점도는 센티스토크 (cSt)라는 단위로 표시되는데 동점도를 CGS단위로 표시한 것을 Stoke라 하며 그 1/100을 센티스토크 (cSt)라 한다. 측정 온도는 ISO 점도 분류에 의해 40℃, 100℃이며 세계 공용이다.

### (4) 유동점(Pour Point) ASTM D-97

오일을 냉각시키면 점도가 점차 증대되어 유동성을 잃게 되고 굳어지기 시작한다. 유동할 수 있는 최저온도를 유동점이라 한다.

### (5) 전산가(Total Acid Number) ASTM D-664.974

오일 중에 포함되어 있는 산성성분의 양을 나타내며 시료유 1g 중에 포함되어 있는 산성성분을 중화하는데 필요한 수산화칼륨(KOH)의 양을 mg으로 표시한 것이다.

전산가는 본래 윤활유 중 산성 물질이 정제과정을 통해 얼마나 잘 제거되었는가를 알아보기 위한 방법이었으나, 근래에는 산성첨가제의 양을 조사하거나 사용중 오일의 산화정도를 측정하는 방법으로 이용된다.

### (6) 전염기가(Total Base Number) ASTM D-2896.664

시료 1g중에 포함되어 있는 전 알카리성 성분을 중화하는데 필요한 산과 같은 당량의 수산화칼륨 (KOH)의 양을 mg수로 표시한 것이다. 전염기가는 연료의 연소시 생성되는 산성물질을 중화시키기 위한 능력이 얼마나 있는가를 시험하는 방법이며, 주로 기관오일에 적용한다. 이 수치가 변화하는 추이를 보아 오일교환의 기준으로 삼기도 한다.

### (7) 산화안정도 시험(Oxidation Stability Test) ASTM D-943

오일의 성능 시험방법으로 규정시료에 물과 구리 촉매 투입하여 초기 산소 주입량을

90PSI로, 150℃ 중탕에서 100rpm의 조건하에 산화를 촉진하면 계속 압력이 상승하다가 갑자기 압력이 떨어지는 점을 측정한다.

오일은 고온으로 가열되고 교반되며 공기 중의 산소와 결합되어 산화되는 경향이 있다. 오일이 산화되면 점착성이 큰 Tar와 Varnish 같은 물질을 만들어 오일통로에 부착되며 피스톤링이나 밸브작용을 저해하고 베어링 등의 표면을 침식하므로 산화안정성이 좋아야 한다.

### (8) 유화회분(Sulfated Ash) ASTM D-874

첨가제 중에 함유된 금속 및 그 화합물의 양을 주로 나타내기 때문에 첨가형 윤활유의 품질관리 방법 중의 하나로 이용된다.

### (9) 유성

유성은 윤활유가 금속 마찰면에 윤활 피막을 형성하는 성질을 말한다. 유성은 숫자적으로 표시할 수 없으며 현재 경계윤활상태에서 마찰계수, 내압 하중, 고착온도, 윤활유의 온도 상승률, 금속 마멸율의 간접방법으로 표시되고 있다.

## 윤활제의 분류

### (1) 액상

윤활유 ① 석유계 : 광유　Ⓐ 순광유　Ⓑ 순광유+첨가제

② 동식물계 : 지방유

③ 화학합성유계 : 알킬벤젠, 폴리알파올레핀, 인산에스테르, 폴리글리콜 등

### (2) 반고체상

그리이스

### (3) 고체상

MoS2, PbO, Graphite 등

내연기관에서 주로 이용하는 윤활유는 원유를 온도 차이에 의해서 분류할 때, 중유와 아스팔트 사이에서 정제한 광물성 윤활유이다. 여기서 정제한 윤활유를 사용하는 목적에 따라 분류한다. 분류하는 방법은 협회에 따라 다르며, 주로 미국의 자동차 협회(S.A.E)와 석유협회(A.P.I)의 분류방법이 있다.

## SAE 분류(SAE : Society of Automotive Engineers) : 점도에 의한 분류

SAE는 미국 자동차기술협회에서 기관오일의 점도에 따른 분류방식이며, 0W, 5W, 10W, 15W, 20W, 20, 30, 40, 50, 60 등으로 표시된다. 숫자가 클수록 높은 온도에서 점도가 높다는 뜻으로, 한냉지용에는 Winter의 약자인 W의 문자가 붙어 있다. 예를 들면 한가지 숫자만의 오일을 싱글 그레이드라고 하고, 5W/30 라든가 10W/30과 같이 범위가 표시되어 있는 것은 멀티 그레이드(Multi grade Motor Oil)로 부르며, 이 경우 5W/30과 10W/30을 비교하면, 5W/30은 저온시의 점도는 10W/30보다 낮지만 고온에서는 같은 정도의 점도로 일컫는 것을 표시하고 있다.

① 극한지(−10℃ 이하) : SAE 10W
② 겨울(−10 ~ −5℃) : SAE 20W 20
③ 봄, 여름, 가을(5~30℃) : SAE 30
④ 혹서시(30℃ 이상) : SAE 40

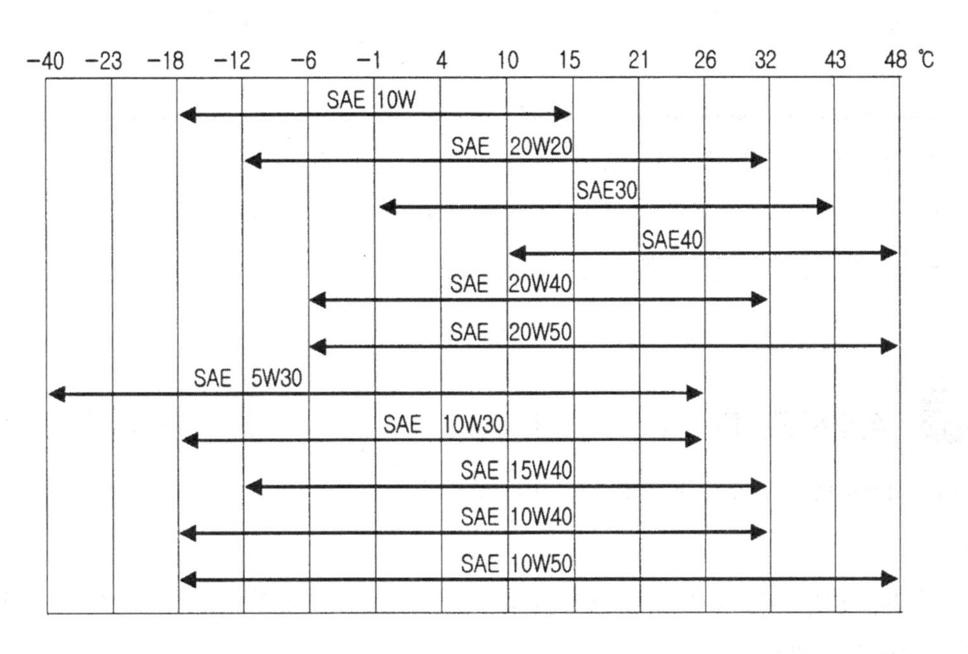


그림9.19 기관오일의 외기온도에 따른 추천

표9.1 SAE 점도 분류

| SAE점도 | CCS점도 | | 경계선 펌핑 최고 | 동점도100도 | | 안정 유동점 | 사용온도 |
|---|---|---|---|---|---|---|---|
| | 온도(℃) | 최고점도 | 온도(℃) | 최저 | 최고 | ℃ | ℃ |
| 0W | -30 | 3.25이하 | -35이하 | 3.8 | | -35이하 | -35이하 |
| 5W | -25 | 3.5이하 | -30이하 | 3.8 | | -35이하 | -30이하 |
| 10W | -20 | 3.5이하 | -25이하 | 4.1 | | - | 0~-25 |
| 15W | -15 | 3.5이하 | -20이하 | 5.6 | | - | 5~-20 |
| 20W | -10 | 4.5이하 | -15이하 | 5.6 | | - | 10~-15 |
| 25W | -5 | 6.0이하 | -10이하 | 9.3 | | - | 15~-10 |
| 20 | - | | | 5.6 | 9.3 | - | 10~-5 |
| 30 | - | | | 9.3 | 12.5 | - | 5~20 |
| 40 | - | | | 12.5 | 16.3 | - | 20이상 |
| 50 | - | | | 16.3 | 21.9 | - | 20이상 |

- 저온 점도는 CCS (Cold Cranking Simulator)에 의해 실측한다.
- 0~-40도 온도범위의 기관오일에 대한 BPT(Boderline Pumping Temperature)
- 투명 및 불투명 액상석유제품의 동점도

## 3 API 분류(API : America Petroleum Institute) : 성능에 의한 분류

미국석유협회에서 제정한 기관오일이며, 사용될 기관의 운전조건에 따라서 분류한 것이다.

가솔린은 SH, 디젤은 CE로 표기하는데, 이것은 'S'는 불꽃점화(Spark Ignition)의 약자로 휘발유 기관오일로 사용되고, 'C'는 압축착화(Compression Ignition)의 약자로 쓰인다. 'S' 혹은 'C' 다음에 오는 알파벳순서가 뒤쪽일 경우 고성능이고 우수한 오일이다.

### 표9.2 API 가솔린 기관오일의 품질 분류

| API 분류 | 성능시험 | 내 용 | 비 고 |
|---|---|---|---|
| SA | | 첨가제를 필요로 하지 않는 완만한 조건하의 기관에 적용 현재는 거의 사용하고 있지 않음 | |
| SB | L-4, L-386<br>SeqIV | 1930년대 이후에 추천된 첨가유로 최소의 산화 방지제 및 내마모 방지제를 첨가 무리 없는 완만한 조건의 기관에 적용 | |
| SC | L-1,L-38C<br>Seq IIA, IIIA<br>Seq IVA, VA | 1964~1967년형의 가솔린 승용차 및 가솔린 트럭에 적용.<br>SB보다 우수한 고온, 저온퇴적물, 마모 등의 방지성이 개선된 것. | MIL-L-2104B<br>Ford ESE<br>M2C-101A |
| SD | L-38C,L-1<br>또는 Seq<br>IIB, IIIB<br>Seq IVB,VB | 1968~1971년형의 가솔린 승용차 및 가솔린 트럭에 적용. SB보다 우수하고 고온, 저온퇴적물, 마모, 녹, 부식에 대한 방지성능이 개선된 것. | MIL-L-2104B<br>Ford ESE<br>M2C-101A |
| SE | L-38C,<br>SeqIIC, IIIC<br>Seq VC | 1972~1980년형의 승용차 및 트럭용 가솔린기관에 적용. SD보다 우수한 산화방지성능, 고온, 저온퇴적물, 녹 및 부식 방지성능이 개선된 것 | Ford ESE<br>M2C-101C<br>GM 6136M<br>MIL-L-46152A |
| SF | L-38C,<br>SeqIID, IIID<br>VD | 1980년 이후 생산된 가솔린 승용차 및 트럭에 적용, SE보다 우수한 고온, 저온퇴적물, 마모, 녹, 부식 방지성이 개선되고 공해문제를 개선시킨 오일 | GM 6048M<br>Ford ESE<br>M2C-153B<br>MIL-L-46152B |
| SG | L-38C<br>SeqIID, IIIE<br>VE,CAT 1H2 | 1989년 이후 생산된 가솔린 승용차 및 Light VAN, 경트럭에 적용. SF보다 우수한 고온 및 저온 퇴적물, 마모, 녹, 부식에 대한 방지성능을 가지고 있을 것. | GM 6094M<br>Ford ESE<br>M2C-153-E<br>MIL-L-46152D |
| SH, SI, SJ, SL | | | |

### 표9.3 API 디젤 기관 오일의 품질 분류

| API 분 류 | 성능 시험 | 내 용 | 비 고 |
|---|---|---|---|
| CA | L-4, L-38b, L-1 | 1940년대 후반에서 1950년대에 걸쳐 사용된 완만한 조건의 고급 경유를 사용하는 경하중 디젤 기관에 사용. | MIL-L-L-2104A |
| CB | L-4 or L-38b, L-1 | 저품질 경유를 사용하는 마모 및 부착물 형성 방지 및 베어링 부식 방지 성능을 가지는 보통 운전 조건의 디젤 기관에 사용 | Supplement I |
| CC | L-38<br>1-H or 1-H2<br>Seq IIA,<br>IIB, IIC, IID LTD | 1961년 처음 소개되어 보통 내지 격렬한 조건의 디젤기관 및 고부하 가솔린 기관용의 차량에 사용 고온퇴적물, 가솔린 기관에서의 녹 및 부식, 저온 슬러지 방지성능이 있다. | MIL-L-46152<br>MIL-L-2104B<br>GM 6042-M<br>Ford ESE<br>M2-101B |
| CD | 1-D or 1-G2<br>L-38C | 가혹한 운전조건의 디젤 기관용 베어링 부식, 고온 퇴적물에 대한 방지성을 가지며 마모 방지성이 CC급보다 우수한 오일 | MIL-L-2104C,<br>Caterpillar eries3 |
| CE | L-38C, TC-400<br>1-G2, Mack<br>T-6,7 | CD급 및 Mack Truck사의 과급 기관에 적합한 품질을 갖는 오일 | MIL-L-2140D |
| CF-4 | L-38C,<br>NTC-400<br>1K, MACK<br>T-6,7 | 1990년 12월에 제정 발표된 오일로 CE급 보다 피스톤 퇴적물, 오일소모량, 슬러지 등에 대한 요구 성능이 훨씬 강화된 최고의 성능을 나타내는 오일 | MIL-L-2140E |
| CG<br>CH | | | |

## 05 기관 오일 소모

오일 소모는 연소실에 들어가 폭발 연소시 오일이 연소되는 것을 말한다. 오일 실 불량이나 가스켓 불량으로 기관오일이 새는 것은 누유(Leakage)라 하며 오일 소모라고는 하지 않는다.

기관오일이 소모되는 경로는 크게 3가지이다.

### 블로우 업(Blow-Up) 되는 오일소모

피스톤, 피스톤 링, 실린더 블록 내면 등을 거쳐서 연소실로 올라가 연소시 연소되는 오일소모를 말한다.

전체 오일소모의 약 70%정도를 차지하며, 블로우 업 되는 오일소모가 증가될 때에는 피스톤링 마모, 피스톤 마모, 실린더 블록 면에 스크래치 발생여부와 피스톤링 랜드부의 카본 퇴적량 등을 점검한 후 조치한다.

### 2 블로우 다운(Blow-Down) 되는 오일소모

밸브 스템, 가이드 오일 실 등을 거쳐서 연소실로 들어가 연소시 연소되는 오일소모를 말한다. 전체 오일소모의 약 20%정도를 차지하며, 블로우 다운 되는 오일소모가 증가될 때에는 밸브 스템, 가이드, 오일 실의 마모 등을 점검한 후 조치한다.

### 블로우 아웃(Blow-Out) 되는 오일소모

블로바이 가스가 헤드 커버를 거쳐서 실린더로 다시 순환될 때 오일과 섞여서 들어가 연소되는 오일소모를 말한다. 블로우 아웃 되는 오일소모가 증가될 때에는 블로우 바이 가스량 증대여부 등을 점검한 후 조치한다.

# 06 밀봉장치

## 실(Seal)

기체나 액체를 밀봉하는 역할의 총칭으로서 내부로부터의 누설, 외부로부터의 침투를 방지하기 위한 장치이다. 가스켓은 밀봉부분이 고정되어 있을 경우(고정부분)에 사용되는 Seal을 의미하며, 패킹은 밀폐부분에 움직일 여유가 있는 경우(운동부분)에 사용하는 실을 의미한다.

### (1) 실(Seal) 재료

종래에는 무명, 피혁, 천연고무 등을 사용하였으나 최근에는 합성고무, 합성수지와 혼용 및 성형 가공한 것을 사용한다.

### (2) 실(Seal) 선정조건

유압유의 압력, 온도, 사용기기의 사용조건을 고려하며 유연성, 내유성, 내열성, 내한성이 풍부해야 한다.

## O Ring

기체나 액체를 밀봉하기 위하여 니트릴 고무나 기타용도에 적합한 재질로 만들어진 O자형의 둥근 단면을 가진 고무로 만든 Seal용 Ring이다. O Ring은 단면이 한쪽뿐인 단형의 홈 또는 삼각형의 홈에 삽입되며 변형은 약 10~30%정도이며, 저압에서는 O Ring에 부여된 변형정도의 반발탄성 만으로 누출의 방지효과를 발휘한다. 고압에 사용되는 경우 홈의 틈새로부터 O Ring이 변형되어 빠져나오면 O ring이 파손되고 Seal 기능이 저하되므로 O Ring의 고무 경도를 증대시키거나 Back up ring을 사용한다.

## Oil Seal

기관, 변속기, 차축 등의 큰 압력이 작용하지 않는 회전축 주위에서 Oil이나 Grease가 새지 않도록 방지하는 기능을 가진 것으로서 금속과 합성고무를 일체로 성형하여 만든다.

Lip을 사용하여 Radial 방향으로 죄어 붙여, 회전 또는 왕복운동부분을 밀봉하는 Seal이며, 축의 회전이 0 rpm에서 수천 rpm까지 넓은 회전속도 범위에서 쓰이므로 축과의 접촉부분에 과도한 압력이 작용하지 않도록 주의하고, 마찰이 적어야 하며, 근소한 회전변동이나 편심에도 주의해야 한다.

베어링이나 Oil seal 등이 벗겨지지 않도록 하는 부품을 리테이너(Retainer)라 하며, 링처럼 생긴 모양이 많아 리테이너 링(ring)이라 부르기도 한다.

## Packing

기밀이나 수밀 등 기체나 액체를 밀봉하는 역할을 하는 것으로서 밀봉부분이 고정되어 있지 않고 움직임에 여유가 있는 것 과 밀봉장치 중에서 왕복운동, 회전운동, 나선운동 등의 운동부분의 누설을 방지하는 것이 있다. 액상의 Packing 재료로서 금속 접합면 등의 표면에 칠하여 밀봉을 할 수 있는 것을 Sealant라 한다.

## Gasket

얇은 Packing류로서 밀봉장치 중에서 정지상태에 있는 부위의 누설을 방지하기 위하여 사용하는 것으로 부품의 접합부분에서 물, 오일, 배기가스등이 누출되지 않도록 밀봉하는 역할을 하는 것이다. 쌍방의 접착면에 약간의 요철이나 접촉면의 오차를 흡수하여 기밀을 보존한다.

## Oil Slinger

기름막이(Oil Diflector라고도 한다)이며 Slinger는 축과 같이 회전하며 그 원심작용에 의하여 윤활유가 누출되거나 이물질의 침입을 방지하는 역할을 하는 회전 Ring으로서 특히 오일이 누출되는 것을 방지하는 역할을 담당한다.

크랭크 축 뒷부분에 설치되어 회전함과 동시에 그 원심작용에 의하여 윤활유의 누출 또는 이물질의 침입을 방지하는 회전 Ring이다.

# 10 냉각장치

PART TEN

## 01 기관의 냉각

실린더 안의 연소가스 온도는 2000~2500℃에 이르며, 이 열의 상당한 양이 실린더 벽, 실린더 헤드, 피스톤, 밸브 등에 전도된다. 이러한 부분의 온도가 너무 높아지면 부품의 강도가 저하되며 부품의 변형, 윤활유의 유막파괴 등 고장이 생기거나 수명이 단축되고, 연소상태도 나빠져 노킹이나 조기 점화 등으로 기관의 출력이 저하되고 기관은 과열상태가 되어 결국엔 운전불능이 된다. 그러나 냉각이 많게 되면 냉각으로 손실되는 열량이 크기 때문에 기관 효율이 낮아지고, 연료 소비량이 증가하는 등의 문제가 생기므로, 기관의 온도를 약 80~90℃로 유지시키는 것이 냉각장치의 기능이다.

**표10.1 기관 내부의 온도**

| 기관 각 부 | 온 도 | 기관 각 부 | 온 도 |
|---|---|---|---|
| 연소실 가스 | 2,500 ℃ | 실린더 벽 | 150~370℃ |
| 배기밸브 헤드부 | 650~730℃ | 피스톤 헤드부 | 290~310℃ |
| 배기밸브 스템 | 635~860℃ | 연소실 벽 | 200~260℃ |
| 점화플러그 전극 | 450~875℃ | 피스톤 스커트부 | 90~200℃ |
| 피스톤 헤드 중심 | 290~300℃ | 피스톤 링(1번) | 150~260℃ |

냉각장치에는 수냉식이 많이 이용되며, 공랭식과 증기가 증발할 때에 열을 뺏는 것을 이용한 증발 냉각식이 있다.

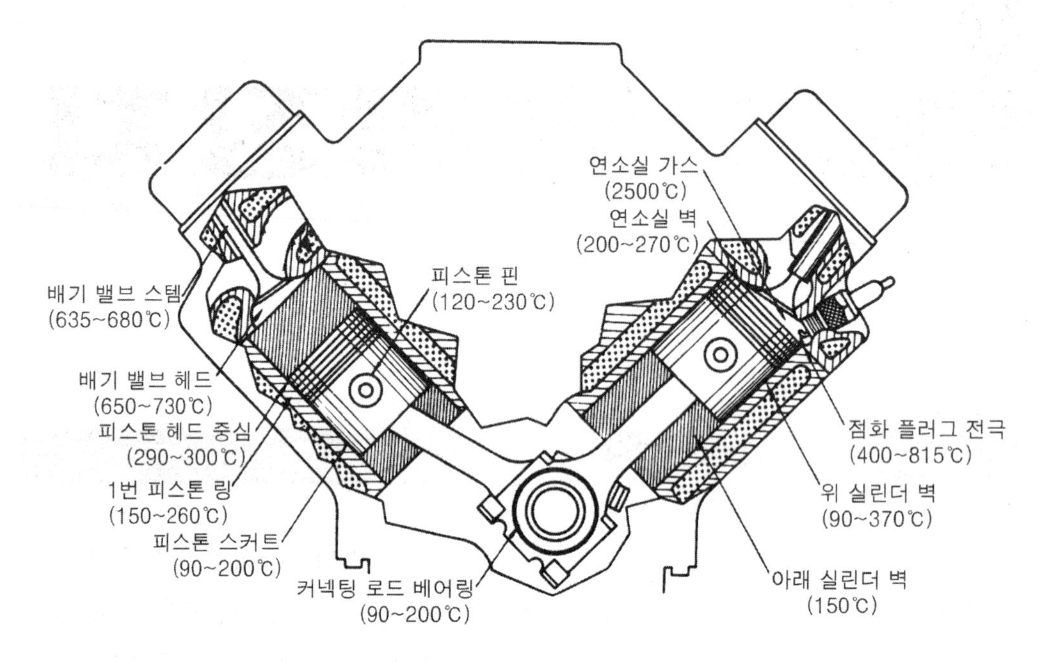


그림10.1 엔진의 온도분포

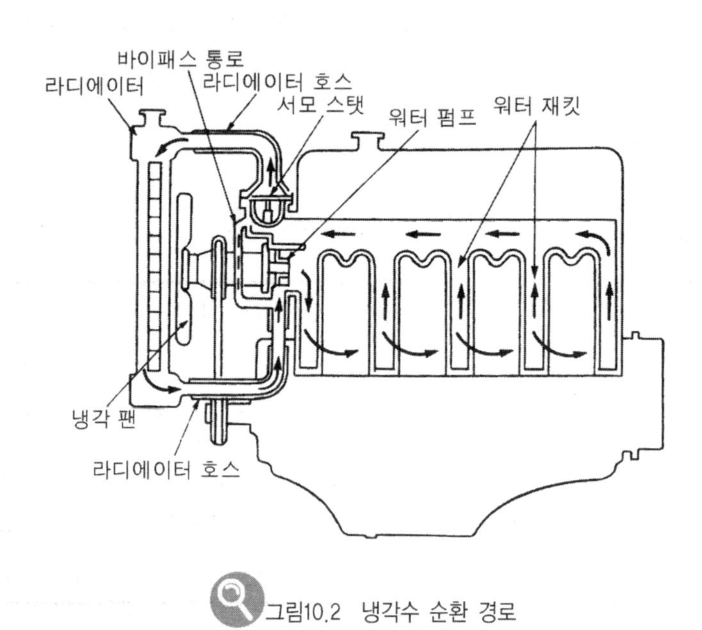


그림10.2 냉각수 순환 경로

# 02 냉각 방식

## 공냉식(Air Cooling Type)

공냉식 냉각장치는 기관을 직접 대기와 접촉시켜 열을 방산하는 형식이며, 이 방식은 자동차용 기관에는 거의 이용되지 않고 오토바이의 기관에 이용되고 있다.

① **자연 통풍식**(Natural Air Cooling Type) → 주행시 공기로 냉각, 냉각 핀(Cooling Fin) 설치

② **강제 통풍식**(Forced Air Cooling Type) → 냉각 핀 사용, 시라우드(Shroud) 설치

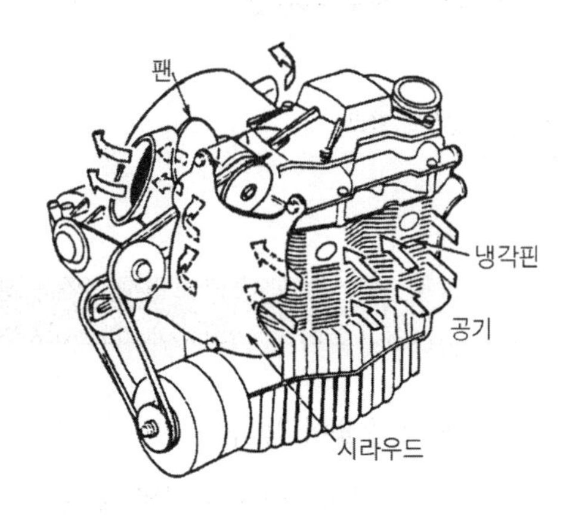


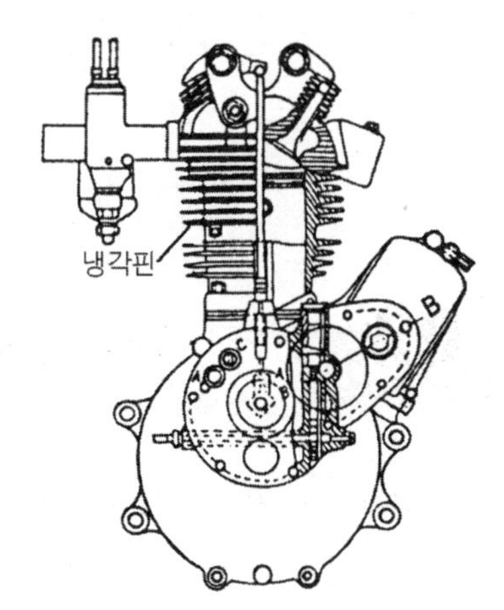

그림10.3 공냉식 기관

## 수냉식(Water Cooling Type)

① **자연 순환식**(Natural Water Circulation System) : 냉각수를 대류에 의해 순환시키기 때문에 현재의 고성능 기관에는 적합하지 못하며, 농기계(경운기) 등에 사용한다.

② **강제 순환식**(Forced Water Circulation System) : 자동차 기관의 대표적인 방식으로 물 펌프를 이용하여 냉각수를 강제로 순환시켜 냉각하는 방식이며, 이 방식의 주요 구성부품은 라디에이터(Radiator), 워터펌프(Water Pump), 워터재킷(Water Jacket), 서모스탯(Thermostat:수온 조절기) 등으로 구성되어 있다.

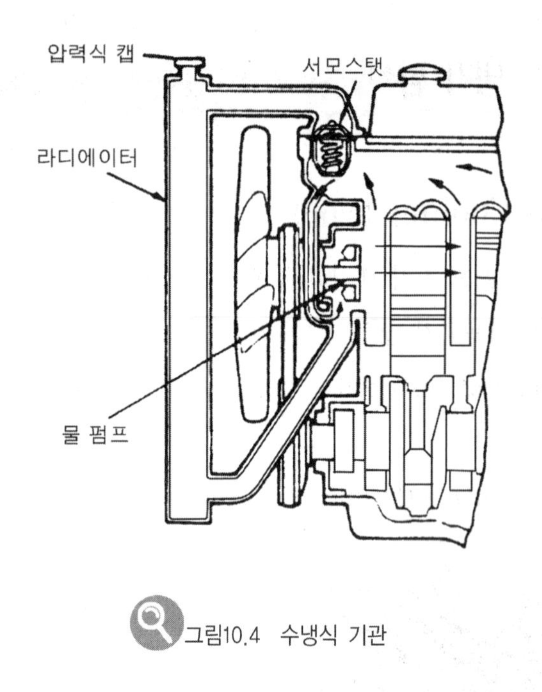


그림10.4 수냉식 기관

## 03 냉각 이론

열기관에서는 작동가스의 최고온도가 높은 만큼 열효율이 높다.

열기관중에서 이론 열효율이 가장 높은 것은 카르노 사이클이지만 그와 동일한 이론 열효율을 갖은 외연기관의 스터링 기관에서는 고온측 열 교환기의 온도가 작동가스 온도로 되기 때문에 열 교환기를 구성하는 내열재료에 의해 사용되는 최고가스 온도가 결정된다. 그 때문에 가스온도는 800℃정도 밖에는 올릴 수 없으며, 열효율을 충분히 높일 수는 없다. 속도형 내연기관인 가스터빈도 터빈날개가 연속해서 작동가스에 노출되므로, 날개에 특수한 냉각을 가해도 최고온도를 1350℃ 이상으로 올릴 수가 없다.

한편, 체적형 내연기관의 피스톤 기관에서는 연소가 간헐적이며, 연소실이나 피스톤은 고온의 연소가스에도 저온의 신기에도 접촉하기 때문에, 기관의 온도는 그다지 상승하지 않는다. 또, 작동가스가 존재하는 실린더 헤드, 피스톤과 실린더 라이너는 용이하게 냉각할 수 있으므로, 특수한 재료나 냉각방법을 이용하지 않아도, 작동가스의 최고온도가 2500℃ 정도의 운전이 가능하며, 체적형 기관이 열기관중 가장 열효율이 높다.

피스톤 기관의 냉각의 목적은 실린더, 피스톤의 온도를 적당하게 해서 기관의 기계적 강도를 유지하고 섭동면의 윤활유의 작동을 원활히 행하게 하는 것에 있다. 그 외로, 실린더 헤드의 국소적인 과열에 의한 변형, 균열의 발생, 배기밸브의 과열, 피스톤의 소결, 노킹, 조기착화, 경계윤활, 윤활유의 연소 등의 방지에 효과가 있으며, 냉각은 기관의 신뢰성, 내구성을 책임진 중요한 항목이다.

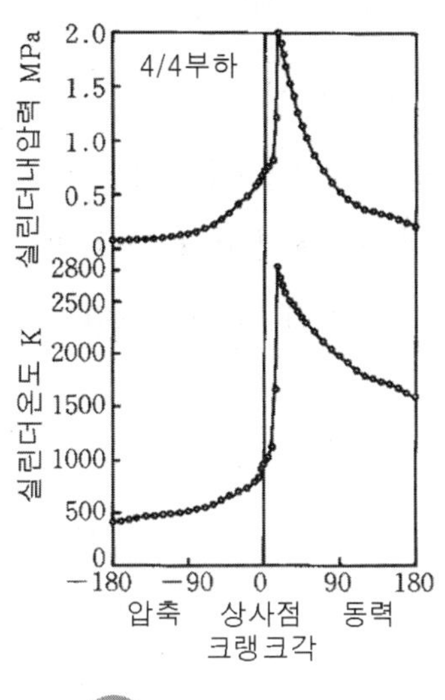


그림10.5 작동가스의 압력, 온도 경과

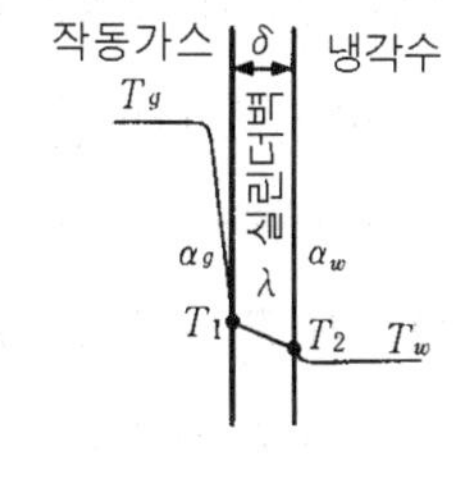


그림10.6 작동가스에서 냉각액으로 열의 흐름

1사이클 중의 작동가스의 온도는, 압력과 함께 그림 10.5에서 보듯이 크게 변화하고, 최고온도는 2500℃이상이 된다. 그것과 관계없이, 실린더 라이너 표면온도는 100~180℃정도이고, 작동가스 온도에 비해서 훨씬 낮다. 그림 10.6에 작동가스, 실린더 벽 및 냉각수의 온도분포를 보여준다. 연소가스에서 외부의 냉각수로 전해지는 단위 전열면적당의 열량 Q[W/m²]는, 열통과율(Coefficient of Overall Heat Transmission)을 K[W/(m² · K)] 작동가스 온도를 $T_g$[K], 냉각액 온도를 $T_w$[K]로 하면, 다음과 같이 나타낸다.

$$Q = K(T_g - T_w) \quad \cdots\cdots (10.1)$$

전열현상이 1차원에서 열전도, 열전달의 전열면적이 같다고 하고, 가스측의 열전달율(Heat Transfer Coefficient)을 $d_g$[W/(m²·K)], 실린더 벽 두께를 δ[m], 실린더 벽의 열전도율(Thermal Conductivity)을 λ(W/(m·K)], 냉각액 측 열전단율을 $d_w$(W/(m² · K)]로 하면, 열통과율 k는 식(10.2)로 나타낸다.

$$\frac{1}{k} = \frac{1}{d_g} + \frac{8}{\lambda} + \frac{1}{d_w} \quad \cdots\cdots (10.2)$$

정상상태에서는 작동가스에서 냉각액으로 전해지는 평균 전열량 Q는, 작동가스에서 실린더내벽으로의 열 전달량, 실린더내벽의 열전도량, 실린더 외벽에서 냉각액으로의 열 전달량과 동등한 실린더 내벽온도를 $T_1$[K], 실린더 외벽온도를 $T_2$[K]로 하면, 열 이동량은 식(10.3)~(10.5)로 나타낸다.

$$Q = k(T_g - T_w) = d_g(T_g - T_1) \quad \cdots\cdots (10.3)$$
$$= \lambda(T_1 - T_2)/\delta \quad \cdots\cdots (10.4)$$
$$= d_w(T_2 - T_w) \quad \cdots\cdots (10.5)$$

실린더 벽의 열전도율 λ는 재질에 의해 결정된다. 예를 들면 주철에서는 λ의 값은 약 40W/(m · k)이므로, 벽의 두께 λ를 0.01m로 하면, λ/δ는 4000W/(m²· k)가 된다. 냉각수측 열전달률 $d_w$는 $d_w$=5000~6000W/(m²· K)정도로 되어 있다.

1사이클 중의 가스측 열전달률 $d_g$에 대해서는 현재까지 여러 가지의 실험식이 제안되고 있다. 누설트는 봄베 실험의 결과 등에서 $d_g$를 식(10.6)과 같이 나타냈다.

$$d_g = 0.054p^{2/3} T_g^{1/3}(1 + 1.24C_m) + \frac{0.421[(T_g/100)^4 - (T_w/100)^4]}{T_g - T_w} \quad \cdots\cdots (10.6)$$

여기서 P는 작동가스의 압력 [KPa], $T_g$은 작동가스온도 [K], $T_w$는 냉각수 온도[K},

$C_m$은 평균 피스톤속도[m/s] 이다. 제1항은 열전달에 의한 전열량이며, 제2항은 복사(thermal radiation)에 의한 전열량을 타나내고 있다. 이식에 의하면 복사에 의한 항은 열전달에 의한 항에 비해서 훨씬 값이 작고, 작동가스 온도가 대단히 높을 때만 고려하면 된다. 아이헬베르그(Eicherberg)는 2사이클 디젤 기관의 실험에서 $d_g$를 식(10.7)과 같이 정했다.

$$d_g = 0.247(P \cdot T_g)^{1/2} C_m{}^{1/3} \qquad (10.7)$$

그림 10.7에는 가솔린 기관에서 가스측 열전달률 $d_g$을 측정해서, 아이헬베르그의 식과 비교한 결과를 보인다. 압축행정에서는 혼합기가 수열하기 때문의 어긋남이 있으나, 가솔린 기관에도 관계없이 연소행정에서는 잘 맞는다. 최대치는 약 800W/(m²· K)로 하사점에서는 거의 0이다. 이와 같이 가스측 열전달율 $d_g$은 1사이클 중에 크게 변화한다.

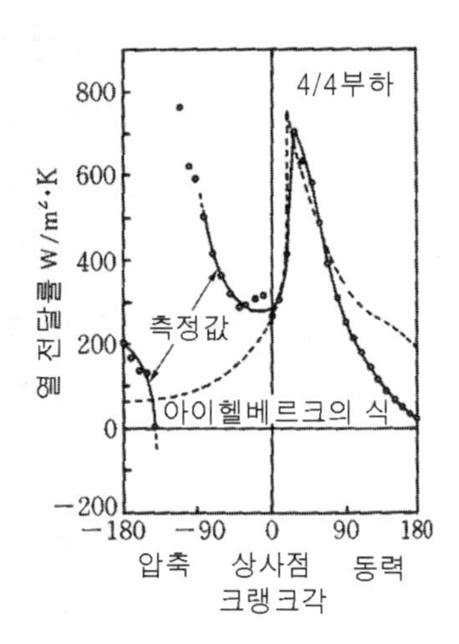


그림10.7 작동가스의 열 전달률

보시니(Woschini)는 실린더 직경을 D[m]로서, $d_g$를 식(10.8)로 나타낸다.

$$d_g = 12.3 D^{-0.214} (C_m \cdot p)^{0.786} T^{-0.525} \qquad (10.8)$$

어느 것이나 가스의 열전달률 $d_g$은 1사이클의 평균치로 보면 300W/(m² · K)정도로, λ/δ의 약 4000W/(m² · K), 냉각액측 열전달률 $d_w$의 약 5000W/(m² · K)에 비해서 작다. 따라서 실린더 내벽온도 $T_1$은 식(10.3)~(10.5)에서 $T_g \gg T_1$, 즉 $T_1$은 냉각액온도 $T_w$에 대단히 가까운 값이 되는 것을 알 수 있다.

## 04 냉각 손실

기관에서 발생한 열에너지 내의 제동출력을 제외한 나머지는 모두 열로서 대기 등의 저열원으로 방출된다. 배기손실은 사이클을 완료시키기 위해 부득이한 손실이다.

냉각손실은 일반적으로 기관에서 냉각수(냉매)가 제거하는 열량으로서 계측된다. 그러나 이 중에는 배기가스에서 배기밸브, 배기포트에 전달하는 열량, 즉, 본래 배기손실로 해서 분류되는 열량이 배기밸브 직후에서 냉각수로 전열되어, 냉각손실로서 계측된다.

또, 마찰손실의 일부도 냉각손실에 포함되어있다. 압축·팽창행정에서 생기는 냉각손실을 분리해서 정확히 구하기는 곤란하지만, 골드버그(Goldberg)와 골드슈타인(Goldstein)은 실린더 헤드나 실린더 등에서 냉각액으로의 열의 흐름을 측정해서, 압축·팽창행정에서의 전열량의 비율이 표 10.2와 같은 내역으로 되는 것을 보이고 있다. 또한 테일러(Taylor)는 1사이클 중의 열손실 배분을 계측한 지압선도에서 계산해서 압축·팽창행정에서의 냉각손실은 물재킷으로의 전손실의 20~50%라고 추정하고 있다.

냉각손실을 감소시키기 위해서, 실린더나 피스톤에 세라믹 등의 단열재료를 이용해서 열효율의 향상을 도모하는 시도하고 있으나 단열재를 사용해도 작동 가스측의 열전달률은 변하지 않고, 냉각손실도 그만큼 크지 않으므로 도시 열효율은 크게 향상하지는 않는다. 단, 냉각의 필요가 없어지기 때문에, 냉각팬이나 물펌프에서 소비되는 일이 없어지는 것, 배기손실의 증가에 의해 배기 디보차저의 출력이 증가하는 것에 의해 정미열효율은 약간 향상한다.

표10.2 냉각액으로의 전 전열량에 대한 실린더 각 부로의 전열량의 비율(%)

| 실린더의 부분 | 피스톤 마찰을 포함 | 피스톤 마찰을 포함하지 않는다. |
|---|---|---|
| 헤드와 밸브시트 | 50 ~ 55 | 57 ~ 63 |
| 실린더 벽 | 27 ~ 32 | 16 ~ 18 |
| 배기포트 | 17 ~ 22 | 20 ~ 25 |

## 05 수냉식 냉각장치

수냉식 냉각장치는 보통 실린더와 연소실의 외측에 중공의 물재킷을 만들어 넣어 열을 흡수시킨다.

기관이 시동된 후 냉각수 온도가 낮을 때에는 냉각수를 라디에이터로 보내지 않고 워터 펌프를 통해 다시 기관으로 순환시키기 때문에 빠른 워밍업을 유도한다. 기관의 냉각수 온도가 어느 정도(약 80℃ 가량) 뜨거워지면 서모스탯이 열리면서 라디에이터로 흘러들어가 냉각되고, 냉각된 물은 워터 펌프를 통하여 기관으로 공급된다.

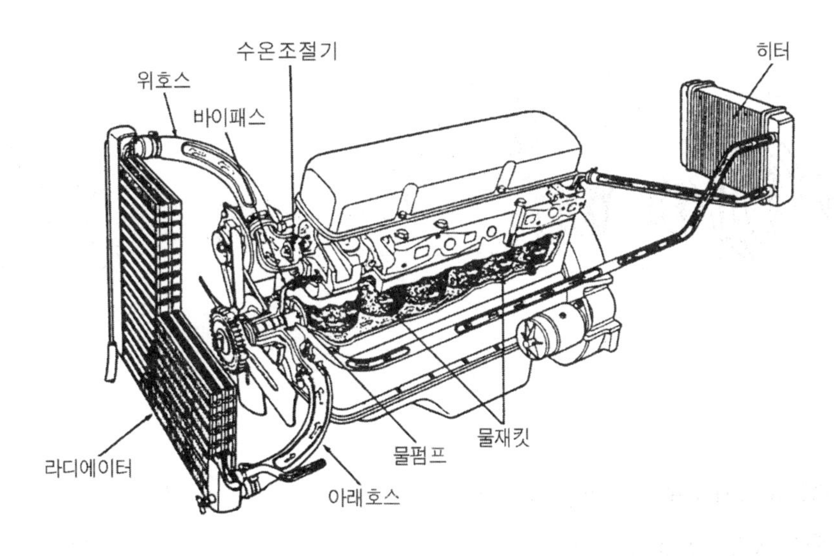

그림10.8 자동차의 냉각장치

기관의 냉각수 온도가 어느 정도(약 80℃ 가량) 뜨거워지면 서모스탯이 열리면서 라디에이터로 보내져서 열을 외기로 냉각되고, 냉각된 물은 워터 펌프를 통하여 다시 물재킷으로 보내진다.

이외에 수냉식 냉각장치에는 방열기의 통풍을 보조하는 팬이나, 냉각수의 온도를 자동적으로 조절하는 수온조절 장치 등이 설치되어 있다.

## 물재킷(Water Jacket)

물재킷은 실린더 및 연소실의 바깥을 에워싸서 냉각수를 넣기 위해 만들어진 속이 빈 부분이며 이곳을 통과하는 냉각수가 실린더 벽, 밸브 시트, 밸브 가이드, 연소실과 접촉하여 열을 흡수한다.

냉각수는 실린더의 아랫면에서 물재킷으로 들어가 실린더 헤드의 윗방향으로 모아져 라디에이터로 보내진다.

물재킷은 보통 실린더 블록 또는 실린더 헤드와 일체로 주조되어 있다.

## 물펌프(Water Pump)

물펌프는 냉각수를 순환시키는 펌프이며 실린더에 설치되어 크랭크축의 벨트에 의해 회전된다.

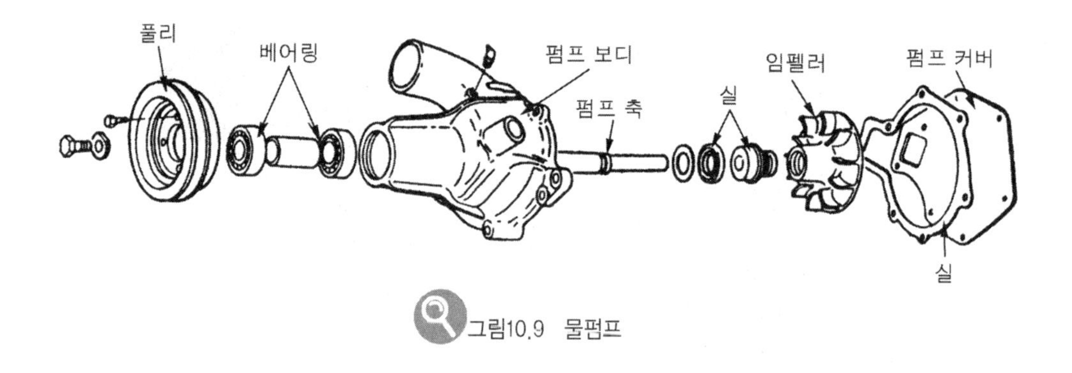


그림10.9 물펌프

원심 펌프(Centrifugal Pump)가 이용되며 그 구조는 펌프실안의 회전축에 그림10.9 와 같은 날개(임펠러 ; Impeller)가 설치되어 있다. 이 임펠러(Impeller)의 회전으로 원심력을 이용해서 라디에이터에서 냉각시킨 물을 바깥둘레로 뿜어 실린더 블록의 워터 재킷으로 물을 보내는 작용을 한다.

펌프실 바깥 둘레는 날개의 회전방향에 소용돌이모양으로 크게 넓어지며, 날개가 1회전하는 곳에 냉각수의 출구가 있고, 축 베어링에는 누수를 막기 위해 베이클라이트 등의 패킹이 들어있다.

원심 펌프는 소형이나 송수량이 많고 출구를 오므려도 압력이 올라가지 않으며, 고장이 생겨 펌프가 회전하지 않아도 물이 흘러 완전하지 못하지만 자연 순환되어 냉각하기 때문에 즉시 과열하지 않는다.

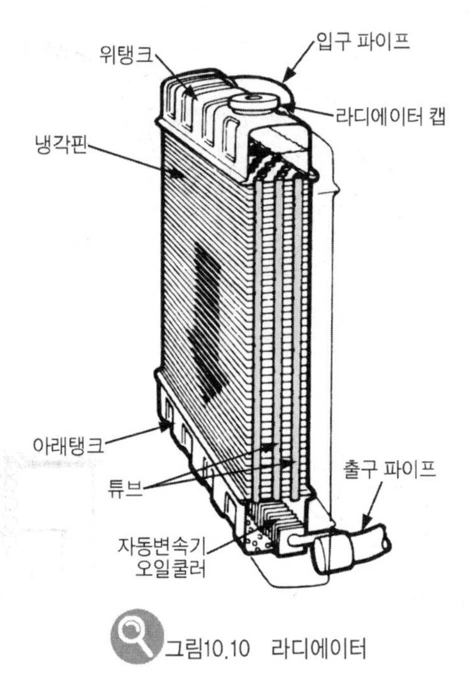


그림10.10 라디에이터

## 3 방열기(Radiator)

라디에이터는 열을 흡수한 냉각수를 냉각하는 장치이며, 그림10.10에서처럼 물재킷에서 보내온 고온의 냉각수가 들어가는 상부탱크, 여러 개의 가는 관속으로 냉각수를 통하고 관에 공기를 닿게 해서 열을 공기 중으로 달아나게 하는 방열 핀 및 방열관의 냉각수를 모아 다시 기관으로 보내는 하부탱크의 3주요부로 되어 있다.

① **상부 탱크** : 상부탱크에는 기관에서 보내오는 냉각수의 입구와 새로 냉각수를 보급하기 위한 주입구가 있으며 아래쪽은 방열관의 입구로 되어 있다. 또 내부에는 배출관

홈이 꽂혀 있어서 일정수면 이상으로 넘치는 물을 밖으로 배출한다.

② **압력식 캡**(Pressure Type Cap) : 주입구의 캡(뚜껑)은 그림10.11과 같은 밀폐한 압력식의 캡이 이용되고 있다.

압력식의 캡에는 가압밸브와 부압밸브가 설치되어 라디에이터내의 압력이 규정(보통 0.9kg/cm² 정도)보다 높아지면 압력밸브가 열리고, 반대로 냉각수가 차가워져서 압력이 대기압보다 낮아지면 부압밸브가 열려 보조 물탱크의 물이 유입되어 내부가 부압이 되는 것을 방지하도록 되어있다.

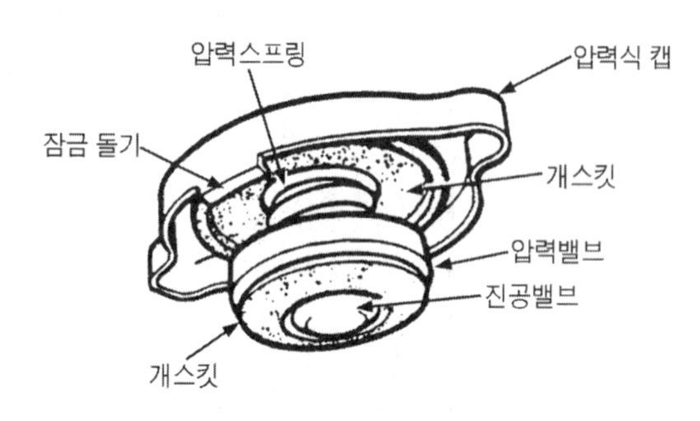


(a) 압력식 캡의 구조

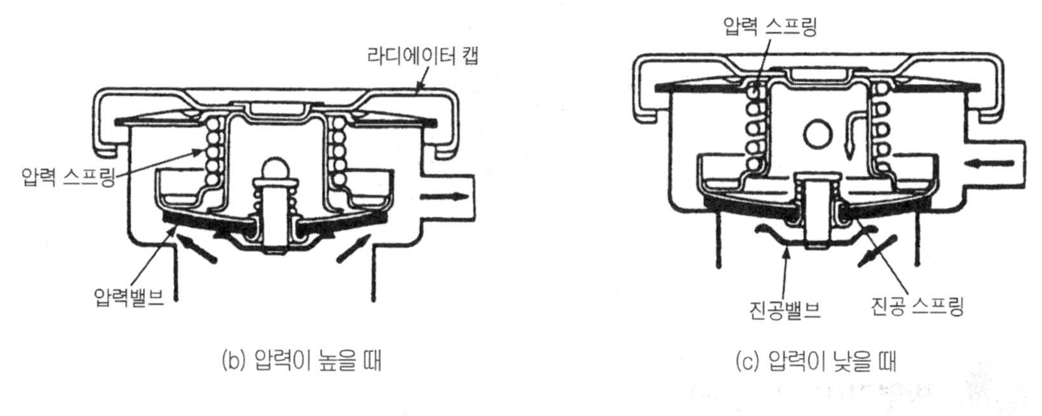


(b) 압력이 높을 때 (c) 압력이 낮을 때

그림10.11 압력식 라디에이터 캡

③ **하부탱크** : 하부 탱크는 상부탱크에서 방열관을 흘러온 냉각수를 모아서 기관으로 보내는 탱크이며 물의 출구에서 고무호스에 의해 물펌프의 입구로 접속하고 있다. 또, 하부에는 냉각수를 빼어내기 위한 배수콕이 있다.

④ **방열관** : 방열관은 상부탱크, 하부탱크의 사이에 있는 관이며, 황동제의 세관 또는 알

루미늄제의 관을 조합해서 냉각수를 통하게 해서 온도가 높은 냉각수가 상부탱크에서 방열관을 통하는 사이에 냉각되어 하부탱크로 흘러 들어간다. 방열관은 공기에 접촉되는 방열면적을 될 수 있는 한 크게 하기 위해 보통 그림10.12에서 보이는 것과 같은 관상형과 벌집형 방열관이 많이 이용되고 있다.

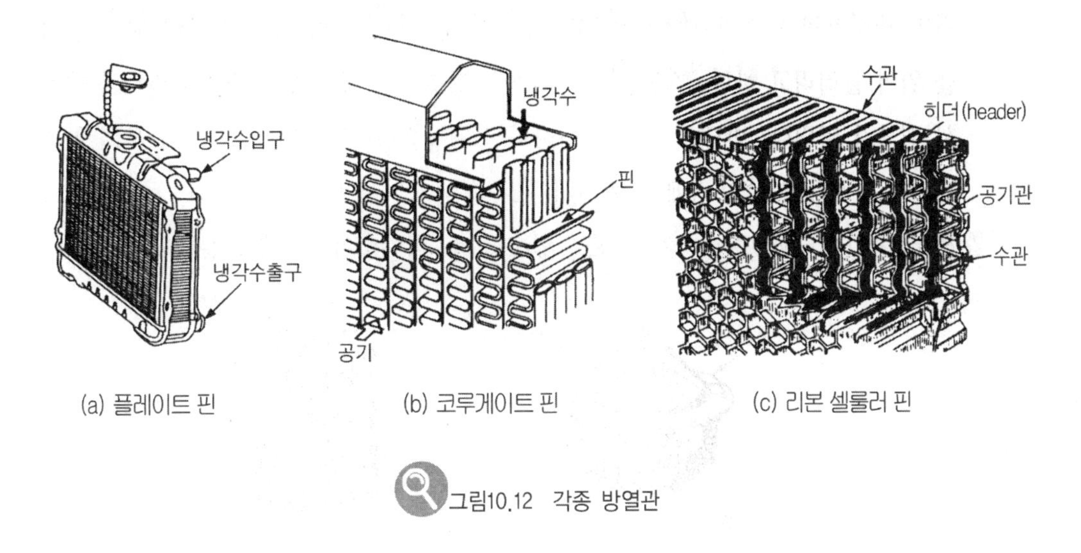


그림10.12 각종 방열관

라디에이터는 냉각수와 공기 저항이 적고 단위 면적당의 발열량이 커야하기 때문에 코어를 얇은 구리 판 또는 최근에는 알루미늄으로 성형 재단하여 납땜하여 제작한다.

⑤ 팬 시라우드(Fan Shroud) : 특히 전륜 구동 자동차는 라디에이터가 기관 전면에 설치되어 있지 않은 관계로 냉각 팬을 전동기가 돌려야 함으로 공기의 흐름을 효율적으로 이용하며 팬을 보호하기 위해 합성수지로 시라우드를 사용한다.

## 4 냉각수온 조절 장치

냉각수의 온도는 기관의 운전 상태나 기후의 덥고 추움에 의해 변화한다. 그러나 기관효율의 최적한 냉각 온도는 90℃ 전후이므로 냉각수의 온도를 조절해서 가능한 한 일정한 온도로 유지하는 냉각 조절장치가 필요하다. 이 조절장치를 서모스탯(Thermostat)이라 부른다.

서모스탯에는 기체의 열팽창을 이용해서 벨로즈식과 왁스를 이용해서 밸브를 개폐하는 방법으로 기관과 방열기 사이에 설치되어 있으며 냉각수 온도 변화에 따라 자동적으로 개폐하여 방열기로 흐르는 유량(流量)을 조절함으로써 냉각수의 적정온도를 유지하도록 하는 역할을 한다.

### (1) 서모스탯의 종류

① **펠릿형**(Pellet Type):펠릿형 서모스탯의 작동은 수온이 규정온도(약 80℃)까지 높아지면 펠릿안의 왁스가 팽창하여 고무부분을 압축함으로써 그 중심부에 있는 스핀들을 밀어 올리려고 하나, 스핀들은 케이스에 고정되어 있으므로 펠릿이 밑으로 내려가서 밸브가 열린다. 반대로 수온이 낮아지면 팽창했던 왁스가 수축되고 고무의 압축이 제거되어 펠릿은 스프링에 의해 원위치로 돌아가면서 밸브는 닫힌다.

② **벨로즈형**(Bellows Type):에텔 또는 알코올 등 휘발성이 큰 액체 봉입되어 있다.

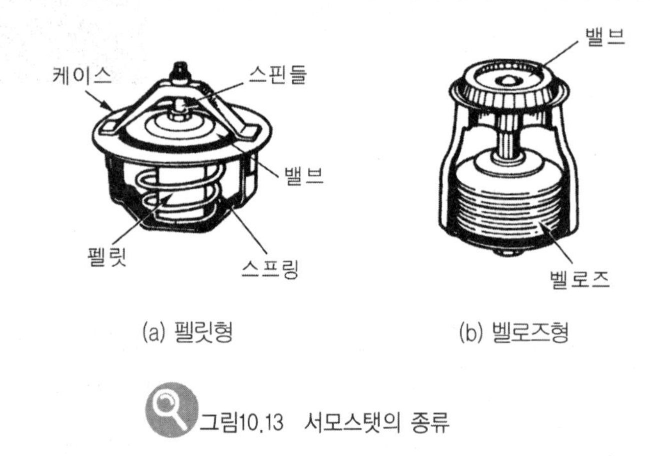


그림10.13 서모스탯의 종류

### (2) 수온 조절기와 바이패스 통로(냉각수 제어)

기존의 수냉식 냉각장치는 출구 제어 방식이 주로 사용하였으나 최근의 전자제어 자동차에는 냉각효율을 효과적으로 향상시킬 수 있는 그림10.14와  같은 입구제어 방식 냉각장치가 적용되고 있다.

#### 1) 출구제어 방식

수온조절기가 열려 라디에이터에 온수가 흐르면 펌프에 의해 방열기로부터 차가운 냉각수가 기관으로 들어와 냉각수의 온도는 상승하강을 크게 반복하게 된다(Over-Shoot현상).

서모스탯에 장착된 냉각수온 센서의 온도는 실린더헤드 및 블록의 실제적인 온도와는 큰 차이가 있으며, 이러한 현상은 외기온이 낮을수록 크게 발생하므로 기관에는 좋지 못하다. 즉 ECU가 냉각수온으로 분사시간과 점화시기를 보정하는데 부정확하여 연비나 배출가스 조절에 오차가 발생할 수 있으며, 수온조절기가 열려있는 시간이 길다. 이러한 문제점을 해소하고자 최근의 기관에는 출구제어 방식에서 입구제어 방식으로 바뀌고 있다.

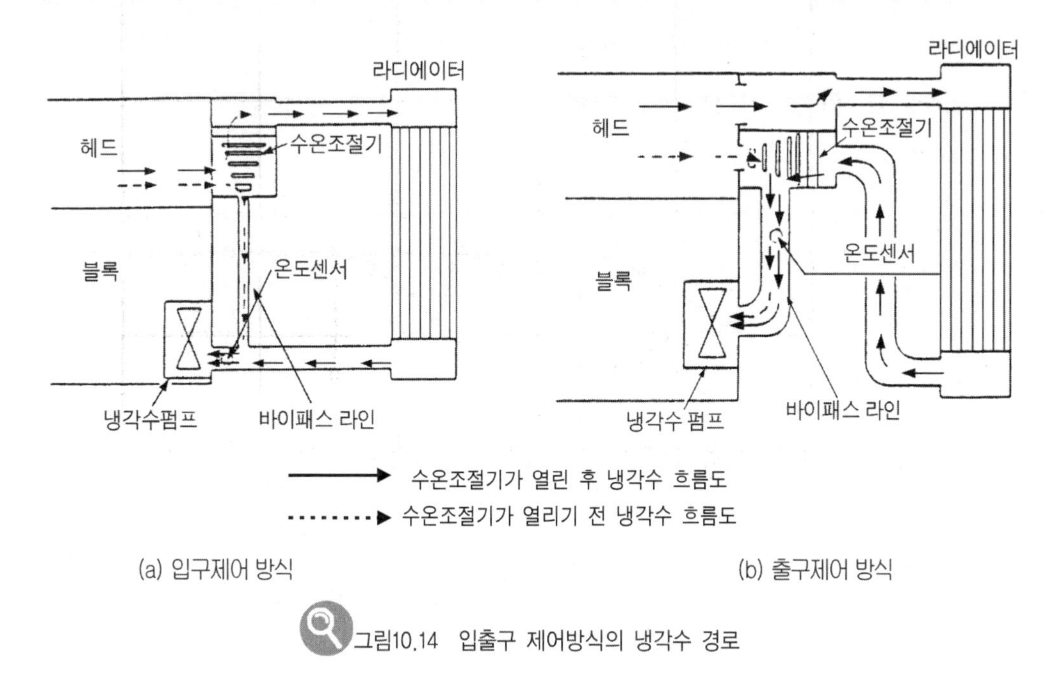


그림10.14 입출구 제어방식의 냉각수 경로

## 2) 입구제어 방식

입구제어 방식은 서모스탯이 열리자마자 라디에이터에서 유입되는 냉각수에 의해 서모스탯의 열림이 결정되기 때문에 냉각수가 조금씩 유입되면서 서모스탯의 열림이 적절히 조절된다.

기관으로부터 나온 냉각수는 큰 바이패스 통로를 통해 워터펌프에 흡입되며 냉각수온도가 수온조절기 개변온도에 달하면 수온조절기는 바이패스 통로를 교축함과 동시에 메인 밸브가 라디에이터로부터의 통로를 열어 워터펌프의 냉수와 온수를 혼합하여 흡입한다. 따라서 냉각수온 조절을 정밀하게 할 수 있으며 웜업시간이 단축된다. 그러나 냉각수 주입과 에어 빼기가 어렵고, Cavitation현상이 발생할 수 있다.

입구제어 방식과 출구제어 방식의 냉각수 온도변화는 그림10.15와 같다.

그림 10.15에서 보듯이 입구제어방식은 한번 웜업이 끝나면 온도변화가 거의 없이 적절히 냉각수온도를 유지하는 반면, 출구제어방식은 온도의 변화폭이 약 40℃ 정도로 매우 큼을 알 수 있다.

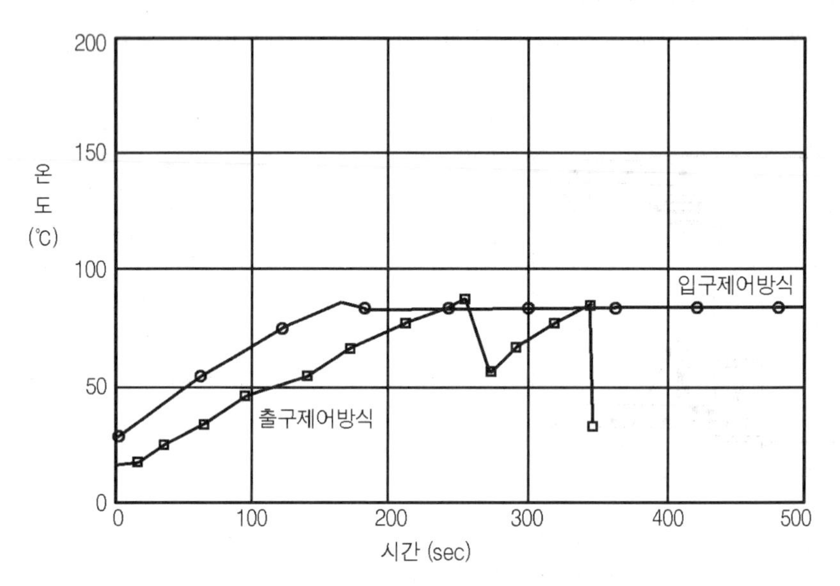


그림10.15 입출구 제어방식의 냉각수온 변화 비교

① 입구제어방식의 장·단점

<<장점>>

- 냉각수 온도변화폭이 적다.
- 바이패스 파이프를 삭제할 수 있다.
- 웜업기간 중 기관의 냉각수 온도분포가 균일하다.

<<단점>>

- 냉각수 주입이 어렵다(공기빼기가 어렵다).
- 서모스탯 하우징구조가 복잡하다.
- 냉각수 통로의 진공(Cavitation)발생 우려가 크다.

### 3) 가변 냉각수온 제어장치

수온 조절기가 열리는 온도를 기관의 부하 유무에 따라 가변하도록 한 것으로 경부하일 때는 110℃에서 열리도록 하여 냉각수온을 높게 유지시킴으로 연비가 향상되도록 하고, 고부하일 때는 열림 온도를 낮추어 노크 특성과 체적효율을 향상시켜 출력을 증대한다.

그 외에도 실린더 헤드를 집중적으로 냉각하고 블록은 공냉 또는 오일만으로 냉각하여 출력과 연비성능을 증대시키는 것도 있다.

## 06 냉각수와 부동액

수냉식 냉각장치에서 사용하는 냉각수로서 칼슘. 마그네슘 등의 염화물을 포함한 경우를 사용하면 열에 의해 라디에이터의 방열관(코어)이나 물재킷의 내면에 물때(스케일 ; Scale)가 부착해서 냉각효과를 나쁘게 하여 기관의 과열원인이 된다. 그 때문에 냉각수에는 빗물이나 수돗물 등의 가능한 한 불순물이 적은 연수를 사용하며, 정기적으로 냉각수를 바꿔 넣을 필요가 있다. 스케일은 일종의 석회석 성분으로, 금속의 접촉면에 눌러 붙어 냉각수가 열을 흡수하는 것을 방해하는 것이다.

또, 혹한일 때 냉각수가 빙결해서 방열관을 파열시키는 일이 있으므로, 이것을 방지하기 위해 냉각수에 부동액을 혼합해서 빙결하는 온도를 저하시키는 방법을 사용하고 있다.

### 부동액(Anti Freezing solution)

부동액은 알코올, 글리세린, 에틸렌글리콜, 케로신 등이 이용되며, 물에 의한 녹 발생 등의 문제를 해결하기 위해 부식 방지제나 동결 방지제가 첨가된 냉각수를 쓰게 되었다. 이러한 동결을 방지할 목적으로 쓰이는 것을 부동액이라 한다.

부동액을 선정할 때에는 라디에이터의 재질에 따라 선택해야 하며, 종래의 황동제에서는 일반적인 부동액을 사용했으나 알루미늄 라디에이터에서는 알루미늄 전용의 부동액을 사용해야 한다. 황동제의 라디에이터에서는 알루미늄 전용 부동액을 사용해도 무방하나 알루미늄제인 경우에는 일반 부동액과 혼용하면 냉각계통의 부식 또는 침전물이 생기기 때문에 주의할 필요가 있다. 또한 여름철이라고 부동액을 빼고 물만 사용하게 되면 쉽게 녹이 발생되기 때문에 피해야 한다.

냉각수의 산도(PH)는 용액 상태가 산성, 중성, 염기성인지를 나타내는 수치이다. 알루미늄은 양쪽성 금속으로서 산성과 염기성에서 동시에 부식을 일으킨다. 따라서 부동액에서 요구되는 PH는 중성 또는 약 염기성으로 7.0~8.5로 관리되어야 한다.

부동액의 품질은 냉각장치를 구성하는 각종 재질을 얼마나 보호해 주는가에 따라 차이가 난다. 냉각수와 접촉하는 부위는 알루미늄, 주철, 강, 황동, 동, 땜납, 고무, 합성수지 등의 재질로 되어있다. 부동액은 이러한 재질로 보호하기 위하여 금속부식방지제, 산화방지제, 소포제등의 특수한 첨가제를 사용하여야 한다. 특히 물과 부동액이 반응하여 침전물이 생기고 급기야 금속을 부식시키게 되므로 부동액은 1~2년 안에 교환하여야 한다.

사용한 냉각수는 중금속 화합물, 유기 화합물로서 매우 유독성이 크며 수질, 토양의 오염원이므로 반드시 지정된 폐기업체에서 수거하여 폐기하도록 해야 한다.

### (1) 부동액의 종류

① 메탄올(Methanol) : 비등점 82℃, 응고점 −30℃, 저온에서 견딜 수 있으나, 비점이 낮아 증발되기 쉬움

② 에틸렌글리콜(Ethylene Glycol) : 비등점 197.2℃, 응고점 −50℃

③ long life coolant : Ethylene Glycol에 방청제 및 산화 방지제 첨가

표10.3 부동액의 일반적인 성질

| 항 목 | 물 | 부동액(에틸렌글리콜) |
|---|---|---|
| 상 태 | 액체 | 무색, 무취의 흡습식 시럽 |
| 끓는점(760mmHg) | 100℃ | 197℃ |
| 응고점 | 0℃ | −12.6℃ |
| 비중(20℃) | 0.999 | 1.113 |
| 표면장력 | 72.5 | 46.5 |
| 비 열 | 1 | 0.561 |
| 열팽창(끓으면 변할 수 있는 것) | 3% | 4.2% |

### (2) 부동액의 농도산출

냉각수 온도에 따른 비중을 측정한 후 다음 표를 사용하여 비중과 온도와의 관계로부터 농도를 산출해 낸다.

**표10.4 냉각수 농도와 비중과의 관계**

| 냉각수 온도(℃) 및 비중 | | | | | 빙점(℃) | 안전작동 온도(℃) | 부동액 농도(%) |
|---|---|---|---|---|---|---|---|
| 10 | 20 | 30 | 40 | 50 | | | |
| 1,054 | 1,050 | 1,046 | 1,042 | 1,036 | -16 | -11 | 30 |
| 1,063 | 1,058 | 1,054 | 1,049 | 1,044 | -20 | -15 | 35 |
| 1,071 | 1,067 | 1,062 | 1,057 | 1,052 | -25 | -20 | 40 |
| 1,079 | 1,074 | 1,069 | 1,064 | 1,058 | -30 | -25 | 45 |
| 1,087 | 1,082 | 1,076 | 1,070 | 1,064 | -36 | -31 | 50 |
| 1,095 | 1,090 | 1,084 | 1,077 | 1,070 | -42 | -37 | 55 |
| 1,103 | 1,098 | 1,092 | 1,084 | 1,076 | -50 | -45 | 60 |

## 07 냉각 팬

라디에이터 뒤쪽에 부착하여 워터 펌프 축과 일체로 회전하며 강제로 통풍시킴으로써 냉각 효과를 충분히 얻게 하고, 고속시에는 배기 매니폴드 등의 과열을 방지하는 역할도 한다.

팬의 회전을 자동적으로 조절하여 팬의 구동에 소비되는 동력의 손실을 될 수 있는 대로 적게 하고, 기관의 과냉이나 팬의 소음을 작게 하기 위하여 유체 커플링식, 팬 클러치식, 전기식 등이 있다.

### 유체 커플링식(Fluid Coupling Type Fan)

유체 커플링식은 팬의 구동에 소비되는 동력의 손실을 될 수 있는 데로 적게 하고, 기관의 과냉이나 팬의 소음을 적게 하기 위한 것으로 팬과 물펌프 사이에 실리콘 오일을 봉입한 유체 커플링을 설치한 것이며, 동력의 전달은 오일의 유체 저항을 이용한다.

그 구조는 그림10.16과 같이 유체 커플링 케이스 안에 물펌프 축에 고정된 커플링 로터가 있으며 유체 커플링 케이스는 베어링 케이스에 부착되고, 베어링 케이스는 물펌프 축에 베어링으로 결합되어 있으므로 자유로이 회전할 수 있다. 로터가 고속으로 회전하면 실리콘 오일의 유동저항으로 커플링 케이스가 회전하여 여기에 부착된 팬도 회전한다.

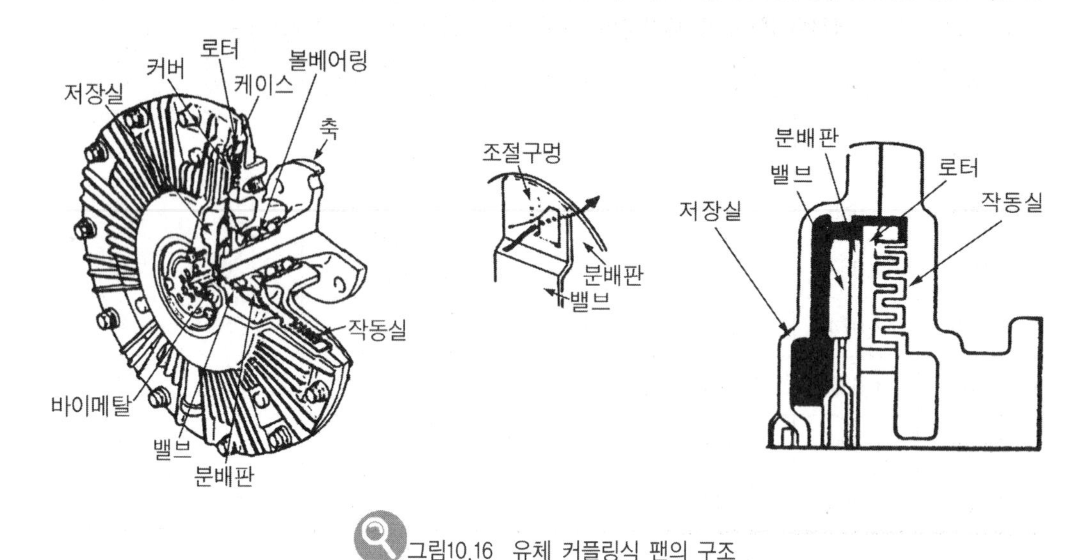


그림10.16 유체 커플링식 팬의 구조

이 방식은 저속에서는 팬이 물펌프 축과 같은 속도로 회전하나 라디에이터를 통과하는 공기의 온도에 의해 팬의 회전속도가 자동 조절되며, 분배판 조절구멍으로 유동하는 실리콘 오일량에 비례하여 오일량이 많아지면 회전력과 회전수 증가하고, 고속이 되면 팬의 회전저항이 증가하므로 커플링이 미끄러져 팬의 회전속도는 펌프의 회전에 비해 미끄러진 만큼 떨어진다.

① 라디에이터를 통과하는 공기의 온도가 낮을 때

밸브는 분배판의 조절구를 막는다. 펌프구멍으로부터 역힘을 받은 실리콘 오일은 저장실에 저장되며 작동실로 보내어지지 않는다. 그 동안에 실리콘 오일은 작동실에서 감소되고 케이스와 커버의 슬립으로 인한 결과로 로터는 저속회전하게 된다.

② 라디에이터를 통과하는 공기의 온도가 증가할 때

온도가 상승하면 분배판의 조절구멍이 서서히 열려 실리콘 오일이 작동실로 흐르므로 케이스와 커버 사이의 실리콘 오일 접속범위에 따라 서서히 로터의 회전이 증가하고 회전력이 팬으로 전달되어 고속으로 된다.

③ 라디에이터를 통과하는 공기의 온도가 높을 때

밸브가 분배판의 조절구멍을 완전히 열어 더욱 많은 실리콘 오일이 작동실로 흐르므로 최대 회전력이 샤프트에서 팬으로 전달되어 팬이 최대속도로 회전한다.

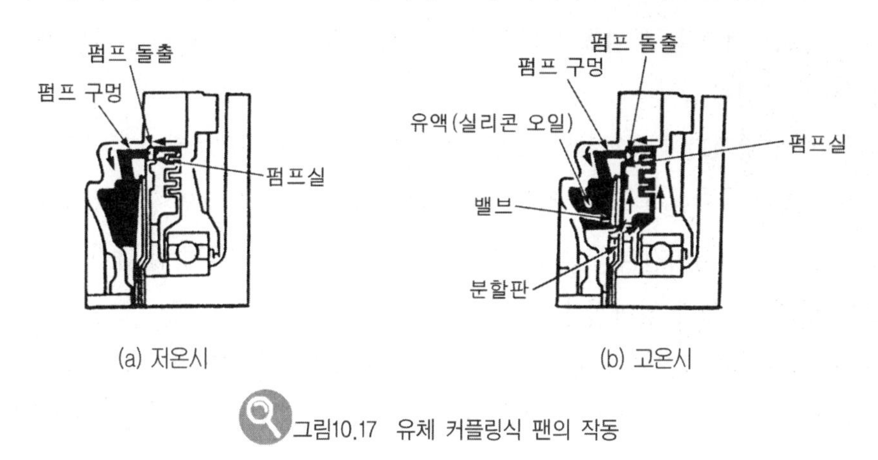


그림10.17 유체 커플링식 팬의 작동

## 2 팬 클러치식

팬 클러치식의 구조는 그림10.18과 같으며, 라디에이터를 통과하는 공기의 온도를 감지하여 팬의 회전속도를 자동 변속시킨다.

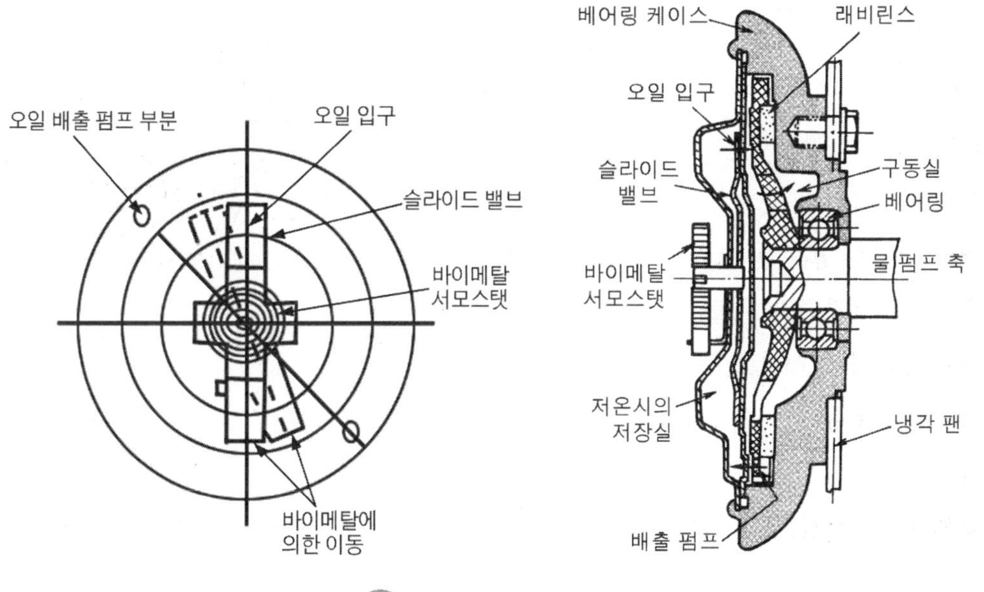


그림10.18 서모스태틱 팬

작동은 바이메탈 서모스탯 코일의 한쪽 끝이 커버에 고정되고, 다른 쪽 끝은 슬라이드 밸브에 부착되어 있다. 기관의 온도가 상승하여 라디에이터를 통과하는 공기의 온도가 높아지면 서모스탯 코일이 변형하여 슬라이드 밸브를 작동시키며, 오일 입구가 열려 오일이 케이스 안으로 흘러들어가고, 물펌프의 회전에 의한 원심력으로 팬 클러치의 기동 토크가 커져 회전속도가 빨라진다.

라디에이터가 냉각되어 통과하는 공기의 온도가 내려가면 바이메탈이 수축하여 슬라이드 밸브가 오일 입구를 닫는다. 이때 실리콘 오일은 원심력에 의해 오일 출구를 통해 케이스에 흘러나가 오일 실로 돌아간다. 그 결과 케이스 안에는 오일이 조금밖에 남지 않으므로 토크가 감소하여 회전속도가 낮아진다.

이와 같이 하여 팬 클러치의 회전속도는 고속과 저속의 2단으로 변속하고, 바이메탈에 접촉하는 공기의 온도가 50℃정도까지는 팬의 회전속도를 1,500rpm 정도로 유지하고, 50℃ 이상이 되면 회전속도가 점차 빨라져 최종적으로 기관 회전속도의 1/2까지 올라간다.

##  전동 팬

전동 팬은 자동차에서 사용하는 형식으로 전동기로 냉각팬을 구동하는 것이며, 축전지의 전원을 이용한다. 라디에이터의 설치가 자유롭고 기관의 워밍업이 빠르며, 추운 날, 주행 중 외부의 찬 공기만으로도 라디에이터를 냉각시켜 팬 작동이 필요 없으므로 동력이 절약된다.

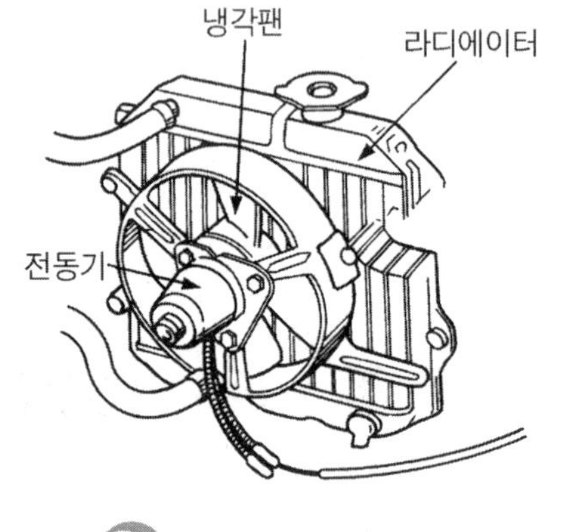

그림10.19 전동 팬의 예

팬의 작동은 냉각 팬 스위치가 하였지만 최근에는 수온센서로 냉각수의 온도를 감지하여 어느 온도에 달하면 ECU가 릴레이를 구동하여 팬 모터를 저·중·고속으로 작동시키고, 차속에 따라서도 속도를 제어하며, 이러한 것을 무단제어 하는 것도 있다.

수온센서의 설정온도는 일반적으로 90~100℃이고, ON/OFF의 온도차는 대략 3~5℃이다.

전동 팬의 장점은 라디에이터의 설치 위치가 자유롭고, 히터의 난방이 빨리 되며 일정한 풍량을 항상 확보할 수 있어 공회전시나 번잡한 시가지 주행시에도 충분한 냉각성능을 갖는다. 단점으로는 팬을 가동하는 소비전력이 많고, 소음이 큰 것 등을 들 수 있다.

전동 팬의 송풍량은 전동기의 용량에 따라 결정되며, 전동기의 용량은 일반적으로 35~130 W의 범위이다.

팬의 지름은 190~280Φ이고 송풍량은 500~1,400㎥/h정도이다.

### (1) 냉각 팬 3단 제어

#### 1) 제어방법

냉각 효율증대와 냉각팬 모터구동 전류를 최소로 하기위하여 냉각 수온, 차속, 에어컨 스위치 신호 및 에어컨 컴프레서 작동 신호등을 근거로 라디에이터 팬 & 콘덴서 팬 속도를 저속, 중속, 고속 3가지 속도 모드로 제어한다.

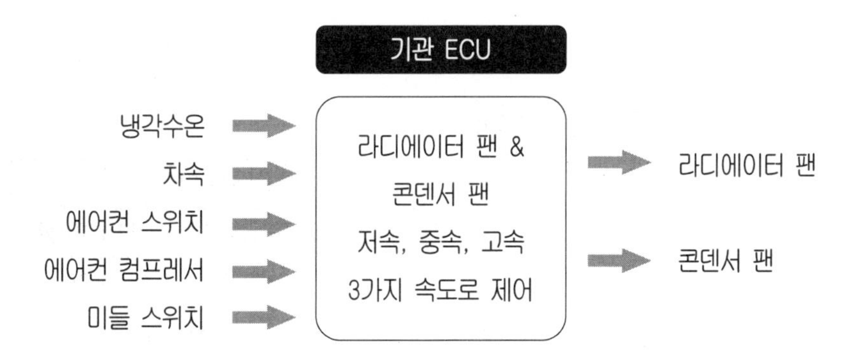


#### 2) 팬 속도 모드

| 팬속도 모드 | 팬 릴레이 제어 | |
|---|---|---|
| | ECU LOW 단자 | ECU HI 단자 |
| OFF | OFF | OFF |
| 저속(LOW) | ON | OFF |
| 고속(HI) | OFF | ON |
| 중속(MID) | ON | ON |

### 3) 제어 로직

<table>
<tr><td></td><td></td><td colspan="4">ECU "HIGH"</td><td></td><td></td></tr>
<tr><td></td><td></td><td colspan="2">OFF</td><td colspan="2">ON</td><td></td><td></td></tr>
<tr><td rowspan="4">ECU<br>"LOW"</td><td rowspan="2">OFF</td><td>OFF</td><td>OFF</td><td>MID</td><td>MID</td><td>OFF</td><td rowspan="4">A/C<br>S/W</td></tr>
<tr><td>OFF</td><td>OFF</td><td>MID</td><td>MID</td><td>ON</td></tr>
<tr><td rowspan="2">ON</td><td>LOW</td><td>OFF</td><td>HIGH</td><td>MID</td><td>OFF</td></tr>
<tr><td>LOW</td><td>LOW</td><td>HIGH</td><td>HIGH</td><td>ON</td></tr>
<tr><td></td><td></td><td>RAD팬</td><td>CON팬</td><td>RAD팬</td><td>CON팬</td><td></td><td></td></tr>
</table>

### 4) 제어 조건표

<table>
<tr><td colspan="2">A/CON COMP. ON시</td><td colspan="3"></td></tr>
<tr><td rowspan="2">차속(KPH)</td><td rowspan="2">FAN 종류</td><td colspan="3">냉각 수온(℃)</td></tr>
<tr><td>95℃이상</td><td>105℃이상</td><td>115℃이상</td></tr>
<tr><td rowspan="2">44이하</td><td>R/FAN</td><td>LOW</td><td>MIDDLE</td><td>HIGH</td></tr>
<tr><td>C/FAN</td><td>OFF</td><td colspan="2">MIDDLE</td></tr>
<tr><td rowspan="2">80이상</td><td>R/FAN</td><td>OFF</td><td colspan="2">HIGH</td></tr>
<tr><td>C/FAN</td><td>OFF</td><td colspan="2">MIDDLE</td></tr>
</table>

<table>
<tr><td colspan="2">A/CON COMP. OFF시</td><td colspan="3"></td></tr>
<tr><td rowspan="2">차속(KPH)</td><td rowspan="2">FAN 종류</td><td colspan="3">냉각 수온(℃)</td></tr>
<tr><td>95℃이상</td><td>105℃이상</td><td>115℃이상</td></tr>
<tr><td rowspan="2">20이하</td><td>R/FAN</td><td>LOW</td><td>MIDDLE</td><td>HIGH</td></tr>
<tr><td>C/FAN</td><td>LOW</td><td>MIDDLE</td><td>HIGH</td></tr>
<tr><td rowspan="2">80이상</td><td>R/FAN</td><td>OFF</td><td colspan="2">HIGH</td></tr>
<tr><td>C/FAN</td><td>OFF</td><td colspan="2">HIGH</td></tr>
</table>

A/C ON시 MIDDLE S/W ON 되면 RAD, CON FAN HIGH 작동

## 5) 냉각 팬 제어 조건표

| FAN LOW | ➡ | ECU LOW 단자 ON 시 |
|---|---|---|
| FAN MIDDLE | ➡ | ECU HI 단자 ON 시 |
| FAN HIGH | ➡ | ECU LO & HI 단자 ON 시 |
| WTS 고장시 R/FAN & C/FAN HIGH | | |
| MIDDLE S/W ON 시 R/FAN & C/FAN HIGH | | |
| 수온 115℃ 이상시 A/CON COMP. OFF | | |

## 6) RAD & CON FAN 속도변화시 작동요소(EF, XG)

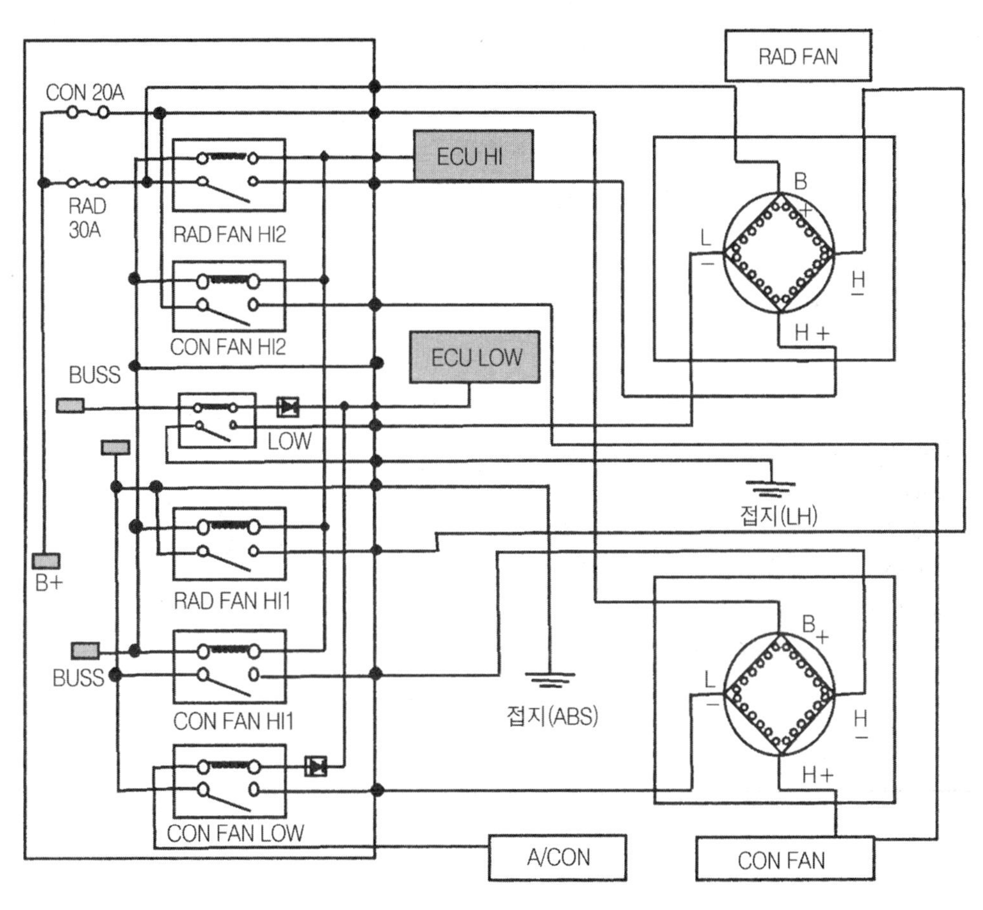


그림10.20 작동 회로

| 팬 속도 | 작 동 요 소 | | | | | 비 고 |
|---|---|---|---|---|---|---|
| | ECU | RELAY | FAN | 접지 | A/CON | |
| RAD FAN LOW | ECU FAN LOW ON | RAD FAN LOW ON | 〈RAD FAN〉<br>• B+→LO "−" | 내측 | OFF | |
| RAD CON FAN LOW | ECU FAN LOW ON | RAD FAN LOW ON<br>CON.FAN LOW ON | 〈RAD FAN〉<br>• B+→LO "−"<br>〈CON.FAN〉<br>• B+→LOW "−" | 내측<br>ABS측 | ON | |
| RAD CON FAN MIDDLE | ECU FAN HI ON | RAD FAN H12 ON<br>RAD FAN H11 ON<br>CON FAN H12 ON<br>CON FAN H11 ON | 〈RAD FAN〉<br>• B+→HI "−"<br>• HI "+" → "−"<br>〈CON.FAN〉<br>• B+→HI "−"<br>• HI "+" →HI "−" | | ON<br>OR<br>OFF | ※ A/CON ON. OFF시나 동일 |
| RAD FAN HIGH & CON FAN MIDDLE | ECU FAN HI ON & ECU FAN LOW ON | RAD FAN H12 ON & RAD FAN LOW ON & RAD FAN HI1 ON<br>CON FAN HI2 ON & CON FAN HI1 ON | 〈RAD FAN〉<br>• B+→LOW "−"<br>• B+→HI "−"<br>• HI"+"→HI "−"<br>〈CON FAN〉<br>• B+→HI "−"<br>• HI"+"→HI "−" | 내측<br>ABS측 | OFF | |

| 팬 속도 | 작 동 요 소 | | | | | 비 고 |
|---|---|---|---|---|---|---|
| | ECU | RELAY | FAN | 접지 | A/CON | |
| RAD FAN<br>HIGH &<br>CON<br>FAN HIGH | ECU FAN<br>HI<br>ON<br>&<br>ECU FAN<br>LOW<br>ON | RAD FAN HI2<br>ON<br>&<br>RAD FAN LOW<br>ON<br>&<br>RAD FAN HI1<br>ON<br><br>CON.FAN HI2<br>ON<br>&<br>CON.FAN HI1<br>ON<br>&<br>CON.FAN LOW<br>ON | 〈RAD FAN〉<br>• B+→LOW "–"<br>• B+→HI "–"<br>• HI"+"→HI "–"<br><br>〈CON.FAN〉<br>• B+→HI "–"<br>• H"+"→HI "–"<br>• B"+"→LOW "–" | 내측<br>ABS측 | ON | |

## 08 공냉식 냉각장치

공냉식 냉각장치는 다수의 방열핀에 공기를 쐬어 기관을 냉각시키고 있다. 따라서 방열기나 물펌프 등을 필요로 하지 않고 기관의 중량을 경감할 수 있으므로 항공기용 기관이나 오토바이 등의 소형기관에 많이 이용되고 있다.

보통 주행 중에 받는 공기의 자연통풍에 의해 냉각하지만, 팬을 돌려서 통풍량을 많게 하며(강제 공냉), 실린더 각부를 균등히 냉각하기 위해 실린더에 도풍관이라 불리는 시라우드로 냉각공기를 인도하기 위한 판을 설치하는 것도 많다.

수냉식과 비교하면 구조가 간단하며 누수, 빙결 등에 의한 고장이 없으나, 기후나 운전상태에 의해 변화하는 기관의 온도를 일정하게 조절하기가 곤란하다.

실린더와 연소실의 열은 냉각핀의 표면으로 전도되어 공기 중에 방열된다. 따라서 공기

중으로 방출하는 열량은 냉각핀의 표면적, 재료의 열전도율, 형상 및 공기의 속도 등에 의해 바뀐다. 냉각핀은 열전도율을 좋도록 단면적을 크게 하여 최대의 방열량을 줄 수 있는 형상으로 하며 재료로는 알루미늄 합금이 많이 이용되고 있다. 또 단면의 이상적 형상은 그림 10.21(a)에서 보이듯이 2본의 포물선으로 둘러쌓인 형상이지만, 이와 같은 형상으로 만들기는 곤란하므로 보통 그림10.21(b)와 같은 단면으로 만든다.

각 냉각핀의 간격을 피치라 하며 이 피치를 작게 하면 냉각면적이 증가해서 방열량이 많아지지만 너무 작아지면 오히려 냉각능력이 저하한다. 또 냉각핀의 두께를 얇게 하면 많은 냉각핀을 붙일 수 있어 냉각능력이 좋아지지만 너무 얇으면 열이 핀의 선단까지 충분히 전해지지 않고 오히려 열전도를 나쁘게 해서 냉각능력이 저하한다.

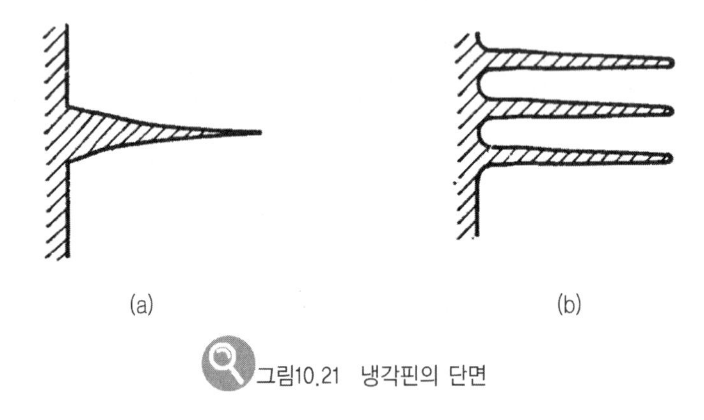

(a) (b)

그림10.21 냉각핀의 단면

PART ELEVEN

# 11 배출가스의 대기오염과 대책

# 11 PART 배출가스의 대기오염과 대책

내연기관 연료의 소비 증가로 발생하는 대기 오염 등 부정적인 환경 문제는 큰 사회비용을 유발하며, 오염을 해결하려는 노력이 전 세계의 공통 문제가 되었다. 특히 최근에는 기후변화 협약과 연계하여 온실 가스인 이산화탄소($CO_2$)를 지구 오염물질로 취급함에 따라, 경제협력개발기구(OECD)에서는 오염물질의 배출량 중 큰 비중을 차지하는 자동차 배기가스를 더 한층 강화하고 있다.

자동차에서 배출되는 오염물질에는 수백 종의 화합물이 포함되어 인체 건강과 환경에 악영향을 초래하는데, 지역적으로는 산성비와 광화학 산화물을 생성하거나 성층권 오존층 파괴 및 지구 온난화 등의 영향을 미친다. 특히 디젤 기관에서 배출되는 미세 입자상 물질의 건강위해성에 따라, 자동차로부터의 오염 문제는 가중될 전망이다.

## 01 배기가스의 공해성

### 1 배기가스 성분과 환경 오염물질

탄화수소를 연료로 하는 기관이 이론공연비로 연소하면 유해 물질이 생성되지 않게 된다. 그러나 실제 연소과정에서 완전연소는 될 수가 없으며 유해물질이 배출하게 된다.

배기가스의 주성분은 이산화탄소($CO_2$), 수증기($H_2O$), 수소($H_2$), 일산화탄소(CO), 질소($N_2$), 산소($O_2$)와 미량의 질소산화물(NOx), 미연 탄화수소(HC)이며, 이중 유해하여 배출량을 규제하는 것은 CO, HC, NOx 이다.

가솔린 기관의 오염물은 연소에 의해 발생하는 배기가스와 연료장치 및 기관본체로부터 발생하는 증발가스 등으로 구분할 수 있다. 배기가스는 오염물질, 질소, 수증기 및 이산화탄소 등이고, 증발가스는 주성분이 탄화수소 등이다.

##  배출가스가 환경과 인체에 대한 영향

대기오염물질은 대부분 기체 상태나 미세한 입자상 물질로 대기 중에 배출되기 때문에, 확산되어 피해 영역을 광역화하는 특징이 있다. 또한 대기오염물질은 사람의 호흡기계통을 통해 흡입되어 폐, 기관지 등 호흡기 계통의 질병을 유발시키는데, 자동차 배출가스는 도로 위 30~50cm에서 배출되기 때문에, 사람이나 생물체에 보다 많은 영향을 미치고 피해를 주는 특성이 있다.

자동차에서 배출되는 대기오염물질은 연료 중에 함유된 것과, 연료의 불완전 연소로 생성된 것이 배기관을 통하여 배출되는 일산화탄소, 질소산화물, 탄화수소, 황산화물, 매연, 입자상 물질, 납화합물질과 자동차의 연료 공급계통에서 배출되는 증발 탄화수소가 대표적이다. 또한 자동차의 종류와 사용하는 연료에 따라서 오염물질 배출 상태가 달라지는데, 휘발유 사용 자동차는 주로 일산화탄소와 탄화수소가, 경유를 사용하는 자동차는 매연. 질소산화물. 입자상 물질이 많이 배출되며, 인체에 직접 해를 미치는 배기가스 성분은 CO와 NOx로서 이들은 혈액 중의 혈색소(헤모글로빈)와 결합해서 산소 운반능력을 서서히 저해한다.

NOx는 CO보다도 독성이 강하다고 하지만, 배기가스 중의 가스농도가 낮고, 실제 유해로서 인정되고 있는 것은 점막이 자극되어서 눈이 따금따금한 것, 호흡기에 심한 고통을 주는 것 등이다.

대기오염으로 유명한 미국의 로스앤젤레스에서는 상공에 다색의 안개, 광화학 스모그가 발생해서 시계를 가리고, 심한 경우에는 피부나 점막이 자극되는 일도 있었으며, 이것은 질소산화물과 탄화수소가 태양의 자외선에 의해 광화학 반응을 일으켜서 오존, 알데히드류 PAN(Peroxy Acetyl Nitrate)를 생성하기 때문이라고 추정되고 있다. 이들의 자극물질을 옥시던트(Oxidants)로 총칭하고 있다.

① CO(Carbon Monoxide) : 불완전 연소시 발생하는 무색·무취의 가스로서 피부나 점막에 대한 자극도 없어서 감지할 수 없다. 일산화탄소는 혈액 중에 헤모글로빈과의 결합력이 산소보다도 300배나 강하다.

일산화탄소가 헤모글로빈과 결합하면 체내의 조직에 산소공급을 방해하는 인체에 가장 유해한 치명적인 가스이다. CO-Hb의 결합체가 20%가 되면 두통. 어지럼증 등 중독증상이 나타나고, 50%에서 의식불명, 70%에 달하면 사망하는 것으로 알려져 있다. 일산화탄소의 유독성은 농도에만 관계되는 것이 아니고, 노출된 시간에도 관계가 된다.

**표11.1 CO 농도에 따른 증상**

| 공기중 CO농도 | 흡입시간 | 혈액중의 CO-Hb | 증 상 |
|---|---|---|---|
| 0.01% | 6 | 10% | 심한 작업에서 숨이 차다. |
| 0.05% | 1 | 20% | 몸을 움직이면 숨이 차고 두통 |
| 0.15% | 1 | 40% | 심한 두통, 경련 |
| 0.50% | 0.5 | 50% | 의식 불명 사망 |

② HC : 연소과정과 가솔린 증발가스 등에서 유출되어 지구 온난화의 원인이 되고, 햇빛 아래에서 NOx와 반응하여 오존을 생성한다. HC가 산화하여 생기는 알데히드(Aldehyde R-cho)는 눈, 점막, 피부 등을 심하게 자극하고, 호흡기 질환을 일으키며 심지어 농작물 수확에도 영향을 준다. 다시 산화하면 과산화물이 형성되고 광화학스모그의 원인이 된다.

③ NOx(Nitrogen Oxides) : N은 안정된 원소로서 간단히 산화되지 않으나 연소에 필요한 공기가 충분히 있고, 연소온도가(2000℃) 높을수록 NOx의 발생량은 증가한다. 즉 출력이 클 때와 CO 감소를 목적으로 희박한 혼합기 사용시 NOx가 증가한다.

NO는 헤모글로빈과 결합하며, 일산화질소 헤모글로빈(NO-Hb)은 결합력 CO의 100배, O의 30,000배이며, 산소 운반 능력이 없으므로 호흡작용 방해, 산소결핍증, 신경기능이 감퇴되며, 심할 경우 중추 신경기능 장애도 유발되고, 대기반응의 주된 역할을 한다.

### 표11.2 NOx 농도에 따른 증상

| 농 도 (PPM) | 증 상 |
|---|---|
| 3~5 | 냄새 확인 |
| 10~20 | 눈, 코 등에 가벼운 자극 |
| 30~50 | 목에 격통, 기침, 두통, 어지러움 |
| 200~300 | 기관지염, 심한 호흡 곤란, 폐 장애 |
| 300~700 | 몇 분 동안 폐부종, 단시간 내 사망 |

④ PM (Particulate Matter) : PM은 공기중 10㎛이하의 아주 작은 입자를 통칭하며 호흡기를 자극하고 중금속오염, 황산염, 질산염 등을 생기게 하기도 한다. 가솔린 기관에서는 생기지 않으며 디젤 기관에서 주로 많이 배출된다.

⑤ $SO_2$(Sulfur Dioxde) : 황을 포함하는 복합 화합물들을 일컬으며 주로 석탄, 오일을 태우는 과정에서 많이 생성된다.

⑥ $CO_2$: 이산화탄소는 자연대기 중 0.032~0.035% 함유되어 있으며, 호흡신경을 자극하여 정상적인 호흡을 하게 한다. 농도가 높아지는 경우 산소의 결핍으로 질식, 지구온난화(엘니뇨현상)의 주요 원인물질이다.

### 표11.3 자동차배기량에 따른 이산화탄소 배출량 비교

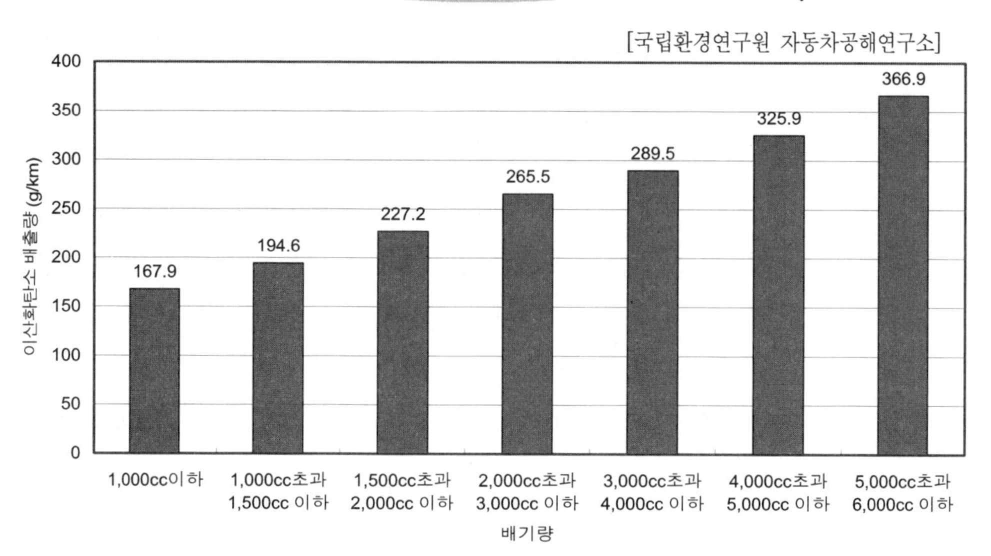

⑦ Carbon : 탄소가 주성분이고 매연상태로 대기 중에 부유하며 호흡을 통해 폐에 축적되지만 탄소만으로는 그다지 피해를 주지 않으나, 여러 가지 가스를 흡착하고 있으므로 호흡기에 피해를 준다.

## 02 배기가스 규제

1950년대 미국에서는 급속한 산업화와 자동차의 증가로 인한 대기오염이 심각한 사회 문제화가 되기 시작하였다. 대기오염의 구성을 분석한 결과 스모그를 유발하는 인자의 50% 이상이 차량으로부터 나오는 것으로 밝혀졌다.

차량배기가스에 대한 규제는 미국 캘리포니아주가 대기 안전국(CARB : California Air Resources Board)을 1967년에 설립하면서 세계 최초로 시작하였으며 이후 미연방 환경청(EPA : Environmental Protection Agency)을 설립하고 자동차의 배기가스 규제를 미국 전역에 걸쳐 시행하게 되었다.

차량의 대부분은 승용차로 배기가스규제 역시 가솔린기관 차량에 대해 가장 먼저 시행되었다. 초기의 배기가스규제는 기관의 블로바이가스 방출 규제로부터 시작하여 1970년대 이후부터 대기의 전체오염도는 줄어들었으나 여전히 목표치에는 미달하여 1990년 수정 대기안전법을 채택하면서 본격적으로 차량의 배기가스규제를 실시하게 된 것이다.

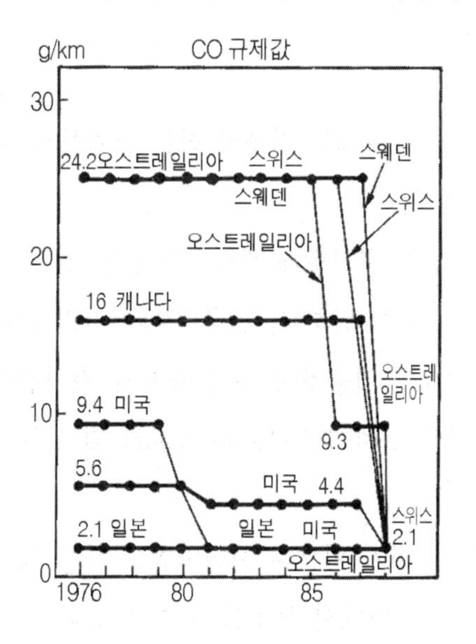


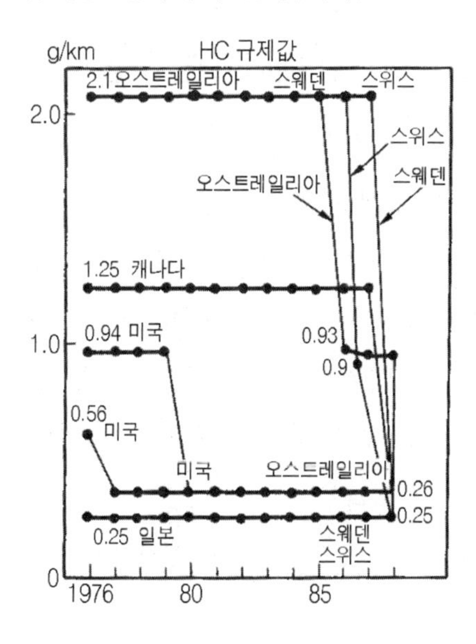

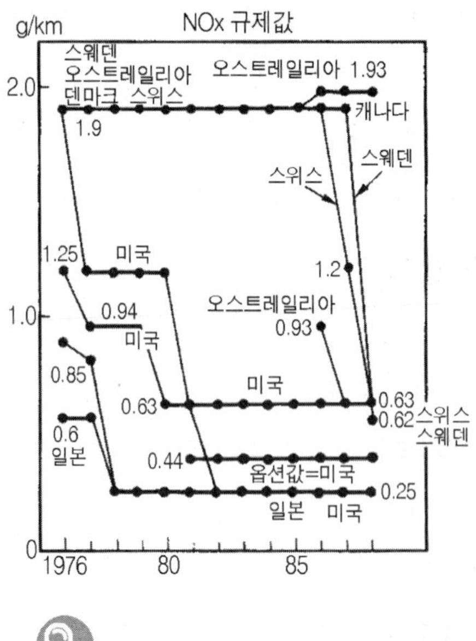


그림11.1 배기가스 규제값의 비교

배기가스규제는 해를 거듭할수록 강화되어 자동차기술 발전이 규제의 강화와 그 궤를 같이 한다고 해도 큰 무리가 없다.

각국의 배기가스 규제의 근간이 되는 미국의 가솔린 배기가스 규제를 살펴보고 어떻게 발전해 왔는가 알아보도록 한다.

## 미국의 배기가스 규제

세계의 배기가스규제는 크게 나누어 각국별로 미국의 규제를 기초로 하는 국가들과 유럽의 규제 그리고 일본의 배기가스 규제로 나눌 수 있다.

미국의 규제는 세계에서 가장 먼저 배기규제를 실시한 국가답게 광범위한 부분에 걸쳐 규제와 상세한 시험방법 등 다른 지역에 비해 표준적이라 할 만하다. 미국의 배기가스 관련법규는 배기배출가스, 증발가스, 그리고 주유시 증발가스 배출치에 대한 규제와 자기진단규정, 그리고 지역별, 계절별 사용연료에 대한 규제가 있으며 연식(Model Year) 별로 규제를 강화하고 있다.

EPA와 CARB는 각각의 규제치가 있으나 약간씩 차이가 있으며 시험방법도 다른 경우가 있으나 자동차 메이커의 요청을 받아들여 많은 부분에 대해서 동조를 이루고 있다.

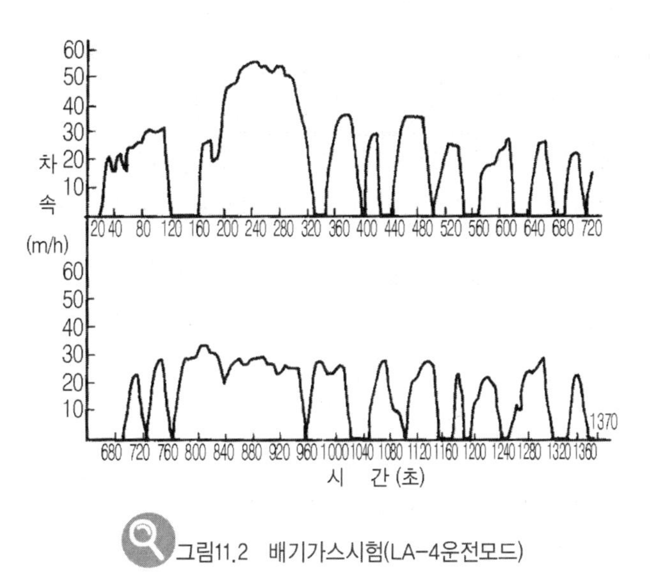


그림11.2 배기가스시험(LA-4운전모드)

(1) 배출가스 규제

CARB는 1994년부터 저공해 자동차 규제를 시작하여 2003년까지 정해져 있는 차종들의 평균 규제치를 만족해야 한다. LEV차량은 TLEV, ULEV로 구성되며 자동차 메이커는 각 규제를 만족하는 차종을 적절히 조합하여 FAS규제를 만족할 수 있다.

우리나라는 현재 0.25 HC 규제이다. 2004년부터 적용될 더욱 강화된 LEV-2규제는 법안의 제안 상태이다. EPA는 현재는 Tier-1(0.25 NMHC-Non Methane HC)규제치이나 미국 전역에 걸친 연방LEV의 발효로 인구 밀집지역에서는 1999년부터 캘리포니아와 동일한 차종들의 조합으로 이루어지는 FAS를 만족하여야 하며 각 규제치는 저지대에서 뿐만 아니라 고지대에서도 만족하여야 한다. 또한 CARB에 없는 EPA 고유의 규제도 만족하여야 한다.

표11.4 배기가스 규제

| 구 분 | 배기가스 규제 (g/mile) | | |
|---|---|---|---|
| | HC | CO | NOx |
| TLEV | 0.125 | 3.4 | 0.4 |
| LEV | 0.075 | 3.4 | 0.4 |
| ULEV | 0.04 | 1.7 | 0.2 |

### (2) 증발가스 규제

차량에서 증발되는 가스는 장기 주차시에 발생하는 증발가스, 차량 주행중에 증발되는 가스, 주행 종료 후 기관이 아직 뜨거울 때 발생하는 증발가스의 세 가지로 나누어 규제한다. EPA와 사용연료의 성상 및 시험방법에 따라 약간의 차이가 있으나 법규의 일원화로 EPA시험에 따른다.

### (3) 주유시 증발가스 규제

주유시 발생되는 증발가스를 규제하며 각 주유소는 주유기의 주유 속도를 정해진 규격 이내로 하여야 하며 차량은 증발가스를 포집할 수 있는 장치를 하여야 한다.

### (4) 자기진단장치 규정(On-Board Diagnostics)

이 규정은 각 규제치의 강화에 따라 차량의 증가로 차량의 사용 중에 발생하는 배기가스 저감장치의 고장을 미리 발견하여 운전자로 하여금 적절한 정비를 받고자 하는 취지로 1988년부터 채택되었다.

초기의 OBD-I은 정비성과 사용 중인 차량의 배기가스를 저감 시킬 목적으로 각 배기가스 관련부품의 고장을 감지하도록 하여 부품의 고장 발생시 운전자에게 경고하기 위한 On-Board Computer의 장착을 요구하였다.

1994년부터는 더욱 강화된 규제를 적용하기 시작하여 감지영역 및 감지폭을 엄격히 적용하는 강화 OBD-II법규를 채택하게 되었다.

OBD-II는 OBD-I에 비해 강화된 규정으로 각 배기가스 관련부품의 고장뿐만 아니라 미세한 부분까지 감지하도록 한 진단 능력의 향상 및 개선 그리고 표준화와 관련된 여러 가지 규정만족을 요구한다. OBD-II와 관련된 주요 진단항목은 기관실화, 촉매장치의 효율감지, 연료장치 및 증발가스 제어장치의 누설 등을 감지하도록 하고 있다.

### (5) 차량 연비규제

배출가스 외에도 차량의 연비가 특정치 이하이면 벌금을 부과하고 과중한 세금을 부과한다. 매년 인증시에 EPA는 해당 차종의 공식연비를 발표하고 차량에 연비 라벨을 붙이도록 하고 있다.

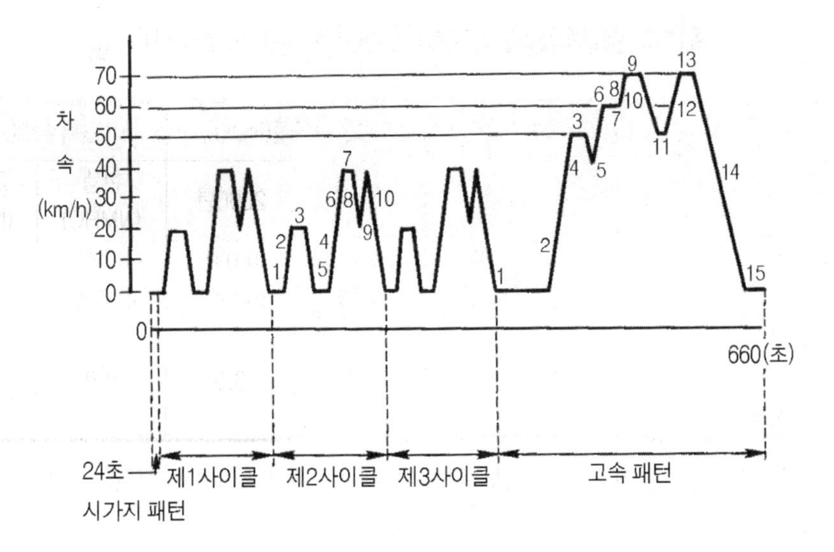


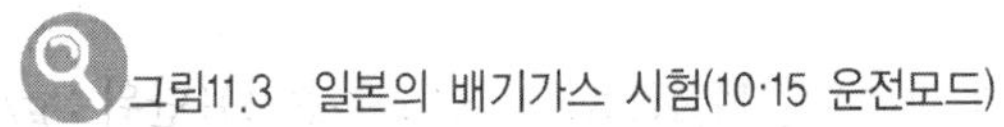
그림11.3 일본의 배기가스 시험(10·15 운전모드)

## 2 우리나라의 배기가스규제

환경부는 '06년부터 적용되는 자동차 배출가스 허용기준을 휘발유자동차는 미국 캘리포니아, 경유자동차는 유럽연합 수준으로 대폭 강화하는 내용을 주요골자로 하는 대기환경보전법시행규칙을 2003년 12월 10일자로 개정·공포하였다.

개정된 시행규칙의 주요내용은 다음과 같다.

### (1) 휘발유자동차 기준을 미국 캘리포니아의 초저공해차(Ultra Low Emission Vehicle) 수준으로 강화

휘발유 및 가스자동차의 배출가스 허용기준을 세계에서 가장 엄격한 미국 캘리포니아의 ULEV 수준으로 강화하여 '06년부터 적용하며 2003년 기준 대비 일산화탄소(CO)는 50%, 질소산화물(NOx)은 77%, 탄화수소(HC)는 39% 강화하였다.

**표11.5 휘발유·가스차 기준강화 계획**(단위 : g/km, g/kWH)

| 구분 | 일산화탄소(CO) | | 질소산화물(NOx) | | 탄화수소(HC) | |
|---|---|---|---|---|---|---|
| | 현 행 | 2006년 | 현 행 | 2006년 | 현행 (NMHC) | 2006년 (NMOG) |
| 소형승용 (승용1) | 2.11 (2.61) | 1.06 (1.31) | 0.12 (0.19) | 0.031 (0.044) | 0.047 (0.056) | 0.025 (0.034) |
| 대형 및 초대형 승용·화물 (승용4·화물4) | 4.0 | 1.50 | 3.5 | 3.5 | 0.9 | 0.46 |

※ 괄호안의 기준은 배출가스 보증기간이 10년 또는 16만km인 경우에 적용하고, 그 외는 5년 또는 8만km인 경우에 적용

**표11.6 미국과의 배출허용기준 비교(승용차)**(단위 : g/km)

| 구 분 | | 일산화탄소(CO) | 질소산화물(NOx) | 탄화수소(NMOG) |
|---|---|---|---|---|
| 미국 (캘리포니아) | LEV | 2.11/2.61 | 0.12/0.19 | 0.047/0.056 |
| | ULEV | 1.06/1.31 | 0.031/0.044 | 0.025/0.034 |
| 한국 | 2006 | 1.06/1.31 | 0.031/0.044 | 0.025/0.034 |

※ 배출가스 보증기간 5년 8만km / 10년 또는 16만km 적용시 기준

### (2) 경유자동차 기준을 유럽연합(EU)국가의 유로-4 수준으로 강화

경유자동차의 배출가스 허용기준을 유럽연합에서 '05년부터 적용되는 유로-4 수준으로 강화하여 '06년부터 적용하며, 2003년 기준 대비 일산화탄소(CO)는 21~47%, 질소산화물(NOx)은 30~67%, 미세먼지(PM)는 40~80% 강화하였으며 다만, 경유승용차는 현행기준이 유럽보다 강하여(미세먼지는 5배, 질소산화물은 25배) 통상마찰을 야기하고 있는 점을 고려, '05년 1년간 유로-3 기준(유럽연합국가에서 '00~'04년 적용)을 한시적으로 도입하고, '06년부터 유로-4 수준으로 강화하였다.

### 표11.7 '05년에 한하여 적용하는 경유승용차 기준 EURO-3

| CO | NOx | HC + NOx | PM | 매연 |
|---|---|---|---|---|
| 0.64g/km이하 | 0.50g/km이하 | 0.56g/km이하 | 0.05g/km이하 | 15%이하 |

### 표11.8 경유차 기준강화(단위 : g/km, g/kwH)

| 구 분 | 일산화탄소(CO) | | 질소산화물(NOx) | | 탄화수소(HC) | | 입자상물질(PM) | |
|---|---|---|---|---|---|---|---|---|
| | 현행 | 차기 | 현행 | 차기 | 현행 | 차기 | 현행 | 차기 |
| 소형 승용(승용1) | 0.5 | 0.50 | 0.02 | 0.25 | 0.01 | 0.30 | 0.01 | 0.025 |
| 대형 및 초대형 승용·화물 (승용4·화물4) | 2.1 | 1.50 | 5.0 | 3.5 | 0.66 | 0.46 | 0.10 | 0.02 |

※ RW는 시험중량을 의미하며, 탄화수소의 차기기준은 질소산화물과 탄화수소를 합한 수치임

### 표11.9 유럽과의 승용차 배출허용기준 비교(단위 : g/km)

| 구 분 | | 일산화탄소 (CO) | 탄화수소 및 질소산화물 (HC+NOx) | 질소산화물 (NOx) | 입자상물질 (PM) |
|---|---|---|---|---|---|
| 유 럽 | EURO 3( · 00) | 0.64 | 0.56 | 0.5 | 0.05 |
| | EURO 4( · 05) | 0.50 | 0.30 | 0.25 | 0.025 |
| 한 국 | 2006년 | 0.50 | 0.30 | 0.25 | 0.025 |

(3) 천연가스버스 등 대형천연가스자동차에 적용되는 배출가스 허용기준을 '04년부터 강화하여 배출가스저감장치(디젤산화촉매장치)를 의무적으로 부착하며 이는 2003년 기준 대비 일산화탄소(CO)는 90%, 탄화수소(HC)는 80% 강화한 것이다.

표11.10 천연가스버스 배출가스 허용기준

| 구 분 | CO | THC | NMHC | CH4 | NOx | 블로바이가스 |
|---|---|---|---|---|---|---|
| 현행기준 | 4.0 | | 0.9 | | 3.5 | 0g/1주행 |
| '04.1기준 | 0.4 | | 0.2 | | 3.5 | 0g/1주행 |
| EURO4기준 ('05.10) | 1.50 | 0.46 | | | 3.5 | |
| | 4.0 | | 0.55 | 1.1 | 3.5 | |

(4) 자동차에서 배출되는 오염물질이 기준을 초과할 경우 이를 운전자에게 알려주는 배출가스 자기진단장치(On-Board Diagnostics)를 '05년부터 단계적으로 부착토록 하여 '07년부터는 모든 승용자동차에 부착을 의무화

(5) '04년부터 Tier-Ⅰ, '05년부터 Tier-Ⅱ 수준으로 건설기계 종류별, 출력별로 단계적으로 시행

표11.11 배출허용기준 및 규제대상 기종

| 구 분 | 적용일자 | 적용대상 | 대상 기종 |
|---|---|---|---|
| Tier-Ⅰ | '04.1월 | 130KW이상 | 굴삭기, 로더, 지게차(3종) |
| | '04.7월 | 130KW미만 | |
| Tier-Ⅱ | '05.1월 | 130KW이상 | 굴삭기, 로더, 지게차, 불도저, 기중기, 롤러(6종) |
| | '06.1월 | 75~130KW | |
| | '07.1월 | 75KW미만 | |

**표11.12 미국 · 유렵과의 배출허용기준 비교**(기관출력 : 75~130kW)

<table>
<tr><th colspan="2" rowspan="2">구분</th><th rowspan="2">적용년도</th><th colspan="4">오염물질 기준(g/kW·h)</th></tr>
<tr><th>CO</th><th>HC</th><th>NOx</th><th>PM</th></tr>
<tr><td rowspan="2">유럽</td><td>STAGE Ⅰ</td><td>1998.10</td><td>5.0</td><td>1.3</td><td>9.2</td><td>0.70</td></tr>
<tr><td>STAGE Ⅱ</td><td>2003</td><td>5.0</td><td>1.0</td><td>6.0</td><td>0.30</td></tr>
<tr><td rowspan="3">미국</td><td>Tier-1</td><td>1997</td><td>–</td><td>–</td><td>9.2</td><td>–</td></tr>
<tr><td>Tier-2</td><td>2003</td><td>5.0</td><td colspan="2">6.6</td><td>0.30</td></tr>
<tr><td>Tier-3</td><td>2007</td><td>5.0</td><td colspan="2">4.0</td><td>0.30</td></tr>
<tr><td rowspan="2">한국</td><td>Tier-1</td><td>2004</td><td>5.0</td><td>1.3</td><td>9.2</td><td>0.60</td></tr>
<tr><td>Tier-2</td><td>2005</td><td>5.0</td><td colspan="2">6.6</td><td>0.30</td></tr>
</table>

(6) '04년부터 수도권지역에 등록된 자동차에 대한 배출가스정밀검사 대상을 133만대('03년도는 34만대)로 확대·시행하며 이는 비사업용 승용차는 차령 12년 이상에서 7년 이상으로, 사업용 승용차(택시 등)는 차령 3년 이상에서 2년 이상 된 차량으로 확대한 것이며, 기존검사(무부하검사) 불합격률은 9%이고 정밀검사 불합격률 32%이었다.

**표11.13 정밀검사 대상자동차**

<table>
<tr><th>구분</th><th>차종</th><th>2003년까지</th><th>2004~2005</th><th>2006년 이후</th></tr>
<tr><td rowspan="2">비사업용</td><td>승용 자동차</td><td>차령12년 경과</td><td>차령7년 경과</td><td>차령4년 경과</td></tr>
<tr><td>기타 자동차</td><td>차령7년 경과</td><td>차령5년 경과</td><td>차령3년 경과</td></tr>
<tr><td rowspan="2">사업용</td><td>승용 자동차</td><td>차령3년 경과</td><td>차령2년 경과</td><td>차령2년 경과</td></tr>
<tr><td>기타 자동차</td><td>차령4년 경과</td><td>차령3년 경과</td><td>차령2년 경과</td></tr>
</table>

(7) 자동차 연료 환경품질기준을 최고 14배 강화, 초저황경유 공급(2006년 시행)

미세먼지 및 질소산화물 배출량을 줄이기 위하여 휘발유의 황함량을 130ppm → 50ppm, 경유의 황함량을 430ppm → 30ppm으로 대폭 강화하여 초저황경유를 '06년부터 공급한다.

표11.14 휘발유 환경품질기준

| 항 목 | '02.1.1일부터 | '06.1.1일부터 |
|---|---|---|
| 방향족화합물(부피%) | 35(30)이하 | 30(27)이하 |
| 벤젠함량(부피%) | 1.5이하<br>('05.1.1부터 1이하) | 1.0이하<br>('05.1.1~) |
| 납함량(g/ℓ) | 0.013이하 | 현행과 같음 |
| 인함량(g/ℓ) | 0.013 | 현행과 같음 |
| 산소함량(무게%) | 1.0이상 2.3이하<br>(4월~10월간 2.3이하) | 1.0이상 2.3이하<br>(4월~10월간 0.5 이상 2.3이하) |
| 올레핀함량(부피%) | 18(23)이하 | 18(21)이하 |
| 황함량 | 130이하 | 50이하 |
| 증기압(kPa,37.8℃) | 70이하 | 65이하 |
| 90%유출온도(℃) | 175이하 | 현행과 같음 |

※ 올레핀함량( ) 기준을 적용하는 경우 방향족화합물함량( ) 기준을 적용한다.

표11.15 경유 환경품질 기준

| 항 목 | '02.1.1~ | '06.1.1~ |
|---|---|---|
| 10%잔류탄소량(%) | 0.15이하 | 현행과 같음 |
| 밀도@15℃(kg/㎥) | 815~855 | (실증실험 후, 재검토) |
| 황 함량(ppm) | 430이하 | 30 |
| 다고리방향족(무게%) | - | 11이하 |
| 윤활성(㎛) | - | 460이하 |

표11.16 LPG 환경품질 기준

<table>
<tr><th colspan="2">항 목</th><th>'00.10.30~</th><th>'04.1.1~</th></tr>
<tr><td colspan="2">황함량(ppm)</td><td>200이하</td><td>100이하</td></tr>
<tr><td colspan="2">증기압(40℃, MPa)</td><td>1.27이하</td><td>현행과 같음</td></tr>
<tr><td colspan="2">밀도</td><td>500~620</td><td>현행과 같음</td></tr>
<tr><td colspan="2">동판부식</td><td>1 이하</td><td>현행과 같음</td></tr>
<tr><td colspan="2">100㎖ 증발잔류물(㎖)</td><td>0.05이하</td><td>현행과 같음</td></tr>
<tr><td rowspan="2">프로판 함량<br>(mol%)</td><td>11.1~3.31</td><td>15이상 30이하</td><td>15이상 40이하</td></tr>
<tr><td>4.1~10.30</td><td></td><td>15이하</td></tr>
</table>

## 03 배기가스의 생성

그림 11.4에 4사이클 가솔린 기관에 있어서 공연비를 변화시킨 경우의 CO, HC, NOx 농도와 제동평균 유효압의 관계를 보인다. 이론 혼합비 부근에서 완전연소가 행해지는 경우에는 CO와 HC의 배출량은 적다.

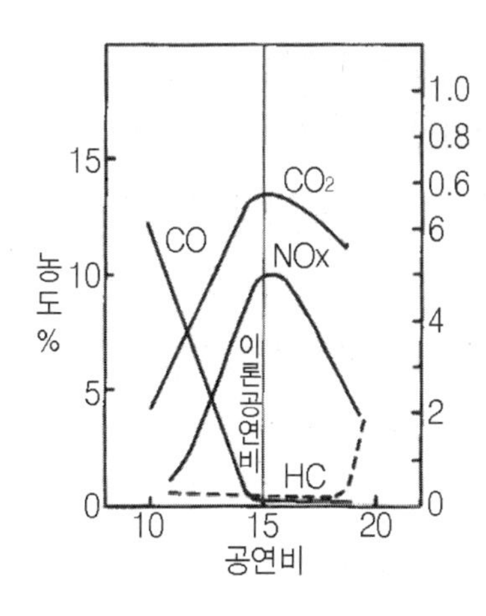

그림11.4 공연비에 대한 배기가스성분의 특성

CO는 연료 중의 탄소가 탈 때 완전연소하면 탄산가스가 발생하나 산소(공기)부족이 주된 원인인 불완전 연소의 경우에 발생하기 때문에 혼합비가 희박한 경우에는 거의 생성되지 않으나, 농후한 경우에는 급격히 증대하며 배기과정에서 잉여의 산소와 만나면 산화되기도 하나 보통의 배기온도에서는 그 속도는 완만하다. 따라서 CO를 감소시키려면 희박한 혼합비로 연소시키면 좋지만 그렇게 하면 HC나 NOx가 발생하기 쉽거나 엔진출력이 저하하게 된다.

HC는 미연 연료와 연소의 중간 생성물로서 정상적인 화염연소가 일어나는 중 연소실의 소염층에 잔류하는 미연 혼합기에 의하는 것이므로 소염층의 면적과 혼합비가 주된 요인이 된다. 즉 연소실 벽면 부근의 온도가 낮아 그 부근에서는 연소온도에 미달하기 때문에 발생하거나 실화, 흡배기 밸브의 오버랩에 의한 흡입가스의 배기 등이다. 배출되는 미연 혼합기는 배기관 내에서 고온의 가연가스와 혼합됨으로써 산화되는데 그 확산속도가 CO보다 빠르므로 배기온도의 영향을 많이 받는다.

일반적으로 연소온도가 높은 조건하에서 배기온도도 높아지나 배기온도는 배기밸브가 열리는 시기까지의 연소의 진행 상황이 중요한 영향인자가 된다. 예를 들면 연소가 배기행정 끝까지 길게 지속되면 배기온도가 높게 된다. 이 경우는 발생된 열의 많은 양이 배기되므로 연료손실의 증가를 초래한다. 배기온도를 높게 유지하기 위해서는 배기계통으로부터 외부로의 열 전달량이 감소 되도록 적합한 설계를 하는 것도 중요하다.

NOx는 이론혼합비의 약 10% 희박측에서 최대치로 되어 연소온도가 높고 잉여산소의 존재하는 분위기에서 발생한다. NOx는 그 생성이 온도에 크게 의존하며 일단 생성되면 대부분 그대로 배출되므로 연소최고온도에 영향을 미치는 인자가 중요한 것이다. 그러나 생성에 필요한 산소는 연소 ,발열을 위해 앞당겨 소비되므로 잉여 산소의 존재, 즉 혼합비의 영향도 받는다. 연소 최고온도는 정적인 연소온도 외에 변화되는 체적 속에서의 연소의 진행상황에도 관계되는데 전자에는 혼합비, 잔류가스, 대기조건, 압축비 등의 연소전의 화학적, 열화학적인 초기조건이 주로 영향을 미치고 후자에는 점화시기, 화염의 전파속도와 도달거리, 연소실체적의 시간적 변화 등이 영향을 미친다.

##  공연비의 영향

배출가스조성에 영향을 주는 여러 가지 인자 가운데 가장 큰 영향을 주는 것은 공기와 연료의 혼합비이다. 기관에 공급되는 혼합비는 연소효율이 가장 높은 이론공연비(14.7 : 1)를 중심으로 이 보다 조금 희박한 경제혼합비(16 : 1)와 반대로 더 농후한 최대출력 혼합비(12.5 : 1)의 범위에서 사용된다. 이러한 혼합기는 기관의 성능면에서는 가장 좋으나 배기가스에 함유된 유해가스의 발생량과의 사이에는 다음과 같은 관계가 있다.

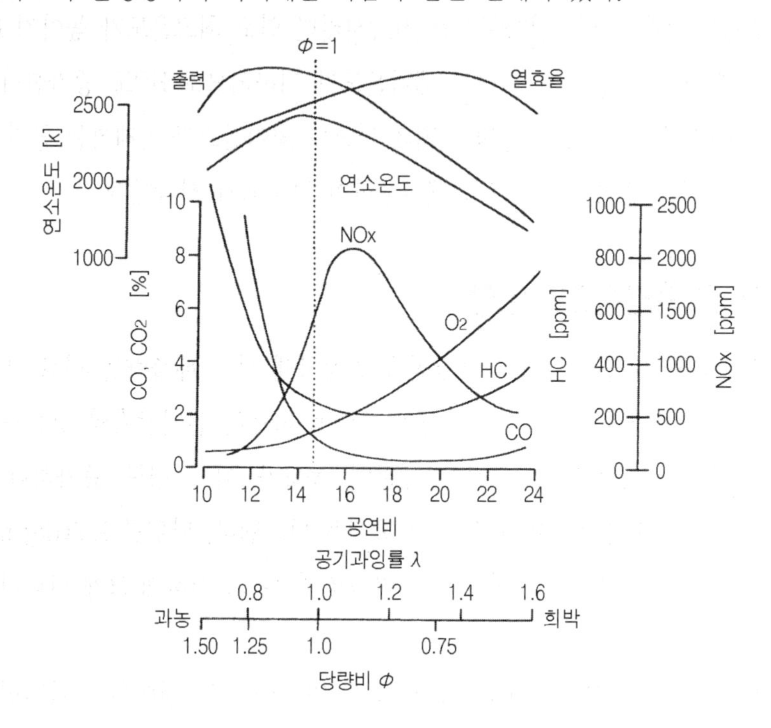


그림11.5 혼합기 농도에 따른 배기가스 발생량

표11.17 기관의 상태와 배출가스의 생성

| 기관의 상태 | 요구 조건 | 혼합비 | 배출가스 성분 |
|---|---|---|---|
| 기동 및 난기 | 가능한한 확실한 착화 | 매우 농후 | CO, HC가 많이 나옴 |
| IDLING | 〃 | 농후 | CO가 나옴 |
| 가속 주행 | 높은 TORQUE | 약간 농후 | CO, NOx, HC가 나옴 |
| 정속 주행 | 좋은 연비 | 가능한한 희박 | NOx 많음 |
| 고출력 주행 | 높은 출력 | 이론혼합비보다 약간 농후 | CO, HC도 다소 나오나 특히 NOx가 많이 나옴 |

##  점화시기의 영향

점화시기는 공연비와 함께 연소경과에 영향을 가장 크게 미치는 요인의 하나이며 배출물에 미치는 영향도 매우 크다. 점화시기를 진각시키면 연소 최고온도가 높아져 NOx가 증가되고 동시에 연소의 종료시기가 빨라져 배기온도가 저하되므로 HC도 증가한다. 농후 공연비에서는 점화시기가 CO에 대한 영향은 거의 없으나 잉여산소가 존재하는 공기 연료비 15:1의 예에서는 점화시기를 늦추면 CO도 재반응하여 감소되기 시작한다.

##  부하 및 회전속도의 영향

부하 및 회전속도의 영향은 최대 출력점을 일정하게 하고 배출량을 연료소비율(g/PS.h)로 표시한 경우의 예를 들면 NOx는 부하의 증대에 따르는 흡기압력의 상승과 냉각손실의 상대적인 감소로 연소온도가 높아지기 때문에 농도가 어느 정도 증가하나 연료소비율(g/PS.h)단위로 하면 회전속도에 따라 다른 특성을 나타낸다. 단위를 토크(kg.m)로 하면 회전속도에 따라 증가하는데 그 증가율은 저부하영역에서는 현저하게 크게 나타나고 중부하영역에서는 완만한 커브를 표시한다.

HC는 점화시기가 일정할 때 부하나 회전 속도 가운데 어느 것이든 증가되면 배기온도의 상승으로 감소한다. 그러나 부하가 높고 저속운전할 때는 밸브 오버랩시에 일부혼합기가 그냥 배출되어 HC를 방출하게 된다.

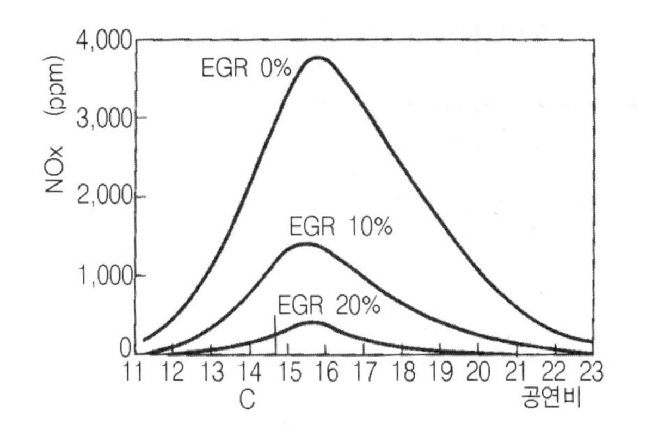

그림11.6 NOx제에 대한 EGR의 효과

## 압축비 영향

압축비가 증대하면 폭발시의 에너지가 크게 된다. 즉 고온의 연소가 이루어지므로 NOx도 증가되며, 연소실 벽면에서의 저온도가 증가하므로 HC는 증가한다.

## 대기조건의 영향

습도가 증가되면 비열이 증가되고 산소농도의 감소로 연소온도가 저하되며 그것의 영향으로 NOx가 감소된다. 대기온도는 그 자체가 연소온도에 직접적으로 미치는 영향은 적다. 대기압도 흡기압력에 따라 출력을 제어하는 가솔린기관의 성질상 연소온도에 직접적으로 영향을 미치지 않으나 혼합비의 변화는 간접적인 영향을 미친다.

지대가 높은 곳에서는 대기압의 영향이 나타나므로 대기압에 따르는 공연비 보정장치를 두기도 한다.

## 연료조성의 영향

가솔린은 각종 탄화수소의 혼합물인데 CO는 그 조성의 영향을 거의 받지 않는다. 연소온도는 일반적으로 연료의 수소/탄소비가 작을수록 높으므로 올레핀이나 방향족이 많아지면 NOx가 증가한다. 배출되는 HC의 성분조성은 연료조성의 영향을 받으나 전 탄화수소로서 보면 별로 바뀌지 않는다.

광화학반응성이 높은 것은 올레핀이나 방향족과 같은 불포화 성분으로 이 가운데에서 저급 올레핀은 연료 속에 고급파라핀 또는 올레핀이 분리된 것, 고급 올레핀은 대부분 연소성분이 그대로 배출된 것으로 그 생성에 있어 방향족의 영향은 받지 않는다. 배기 속에 방향족이 많아지면 증가되나 연료속의 파라핀이나 올레핀은 방향족의 증가분만큼 감소하므로 배출 HC의 광화학 반응성에 대한 연료속의 방향족 영향은 비교적 작은 것으로 생각된다.

# 05 가솔린기관의 배기가스 대책

## 기관에 있어서의 배기가스 대책

CO의 생성은 과농 혼합비에 있어서 운전이 발생원인이기 때문에 부하, 회전수의 전운전 범위에 걸쳐 정밀한 공연비 제어를 행하고 과농 혼합기의 운전을 작게 하는 것이 CO 저감의 방법이 되고, 공회전수 증가시키며 감속시 연료 컷(Fuel Cut)을 한다.

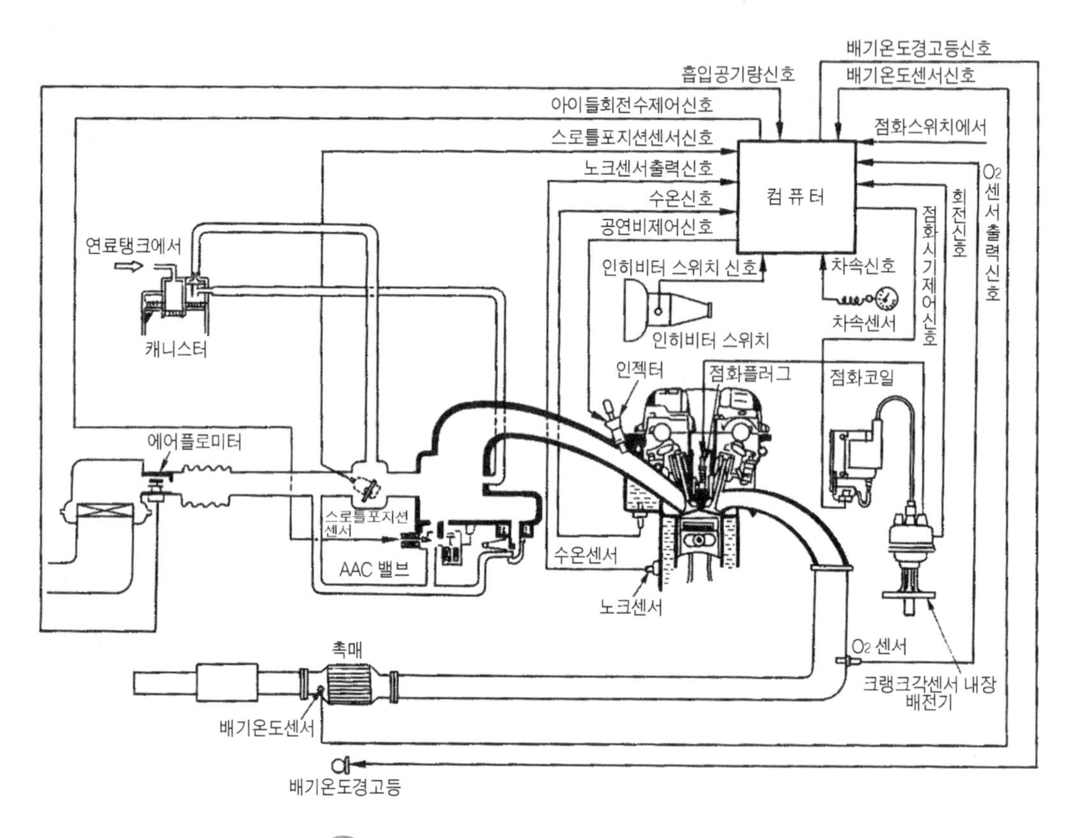


그림11.7 가솔린 기관의 배기가스 정화장치

HC의 농도를 저하시키기 위해서는 소염층의 연료를 감소시키는 것과 연소실 표면적이 작은 구형 연소실이 유효하다. 또, 연소실 벽면온도를 올리거나 감속시에는 연료를 차단하는 등의 대책도 효과가 있으며, 증발가스 포집장치(E.L.C.D ; Evaporative Emission Loss Control Device, Chacoal Canister)를 설치한다.

NO 발생의 주원인은 고온의 연소에 있으므로 NO 발생을 억제하기 위해서는 최고온도를 내리고 동시에 연소가스중의 잉여산소를 감소시키면 된다. 이 때문에 배기가스의 일부를 흡기에 공급하는 배기가스 재순환(Exhaust Gas Recirculation ; EGR)이 행해진다. 흡입중에 불활성 배기가스가 혼입한 것은 실린더 내 혼합기의 열용량이 증가해서 연소최고온도가 저하하기 때문에 NO 농도가 반감한다. 노크 센서(Knock Sensor)를 설치하여 노크가 일어나면 ECU가 점화시기를 지연시킨다.

산소센서($O_2$Sensor)가 최적 연소상태를 감지하여 ECU(Electronic Control Unit)에 입력하면 최적 상태를 계산 하여 이론공연비(14.7:1)로 만드는 폐회로제어(Feedback Control)를 한다.

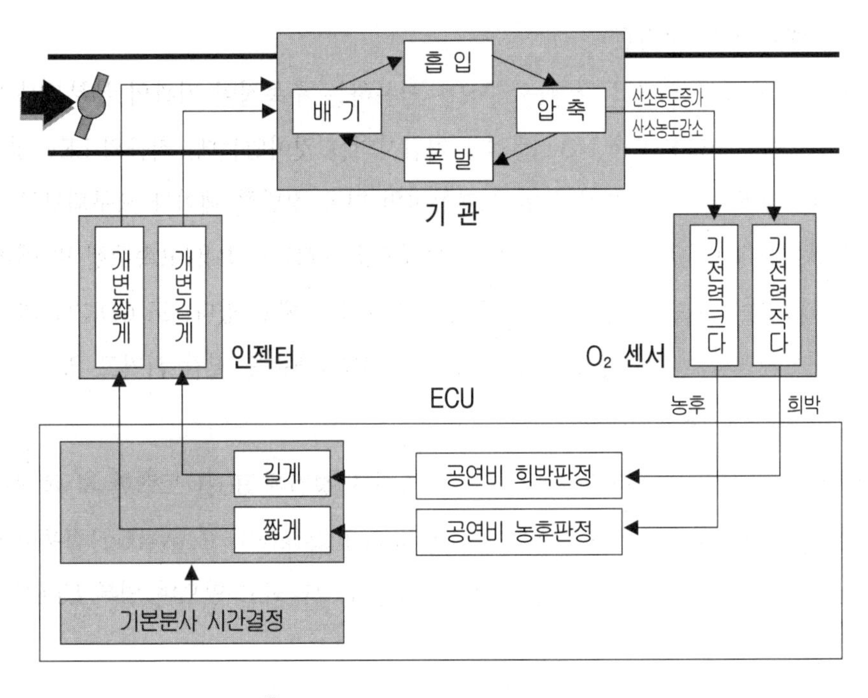


그림11.8 산소센서 피드백 다이어그램

##  기관본체의 배기가스 저감

(1) 크레비스 체적의 감소

HC발생에 중요한 역할을 하는 크레비스 체적을 작게 하기 위하여 피스톤 및 피스톤 톱 랜드 높이를 재설계한다. 그러나 톱 랜드 높이의 저감에 의한 피스톤 내구성이 악화될 염려가 있음으로 재질의 변경 등을 한다.

(2) 기관오일의 소비저감

연소실 내에 기관오일이 미연소 상태로 배출되면 오일 속에 함유된 유황, 인, 등의 성분이 촉매를 피독시켜 성능을 악화 시키게 하므로 기관오일소비를 감소시킬 필요가 있다. 따라서 피스톤간극을 작게 설정하거나 실린더 및 피스톤의 표면가공 개선, 피스톤링 설계 및 재질 개선, 그리고 배기밸브 스템실 개선 등을 한다.

(3) 전자식 배기가스 재순환

전자식으로 연료제어를 하기 전에는 EGR을 사용하는 주목적이 기관의 부분부하 영역에서 연소실의 연소온도를 낮추어 NOx 생성을 저감시키는 것이었는데, 최근의 LEV 및 ULEV에서는 고부하 영역에서도 필요성이 있고 혼합비의 더욱 정밀한 제어가 요구되므로 전자식 EGR을 필요로 하게 되었다. 배기측정방법의 변경으로 SFTP를 적용(고속주행 및 에어컨 작동시)할 때 연소실의 온도가 상승하여 EEGR을 적용하는 예도 있다. 또 GDI기관의 희박상태에서 NOx를 저감하기 위하여 EEGR을 적용하여 NOx배출을 저감 시키고 있다.

(4) 탄화수소화합물 흡수

HC저감을 위한 방법으로 냉간 운전시 특히 촉매 활성전에 HC를 트랩한 후 촉매가 활성되면 HC를 방출하는 시스템이다. CCC(Close Coupled Catalytic Converter)적용이 어려운 시스템에서 LEV 또는 ULEV 대응 시스템으로 적용이 고려되고 있으며 일부 ULEV 차량에 적용하고 있다.

(5) 냉각수 전자제어

노킹특성 및 연비특성을 향상시키기 위해 흡기 선행냉각이나 실린더블록의 분리냉각식으로 하기도 하지만 촉매의 활성화온도를 올리는데 필요한 시간의 단축을 위해 시동초기에 실린더헤드의 냉각수온도가 올라갈 때 까지 서모스탯의 개폐를 전자식으로 제어하여 연료무화 및 연소조건을 개선하는 방법이다.

## 연료제어 개선

(1) 2중 산소센서

삼원촉매의 정화효율을 높게 유지하기 위해서는 공연비가 규정영역(13:1~16:1)에서 1% 이내로 제어될 필요가 있고 정상상태 이외에 스로틀개도의 급변 및 산소센서가 노화됨에 따라 제어장치 및 정밀도 유지를 위하여 2중 산소센서를 이용한 제어가 필요하게 되었다. 두 번째 산소센서는 촉매 후방에 장착되어 첫 번째 산소센서를 감지하고 열화를 고려하여 정확한 연료제어가 유지되도록 한다. 두 번째 산소센서의 위치로 보면 산소센서의 피독 및 열화 관점에서 노화가 덜하기 때문이다. 한편 OBD-II의 촉매 감지로도 2중 산소센서를 사용한다.

(2) 광영역 산소센서

기존의 산소센서는 공연비의 농후/희박만 판정하여 연료계의 피드백제어에 이용되었으나 광영역 산소센서는 정확한 공연비를 위해서 냉시동시의 농후작동으로 촉매 활성화를 촉진할 경우 유용하게 사용할 수 있다. 특히 센서출력의 선형성 때문에 희박한 공연비 유지시킬 수 있어 희박연소기관에는 필수적이다.

(3) 전자식 스로틀 제어

운전자가 가속페달을 밟으면 공기량 증가의 초기 지연만큼 연료공급을 지연시킴으로 공기량 측정 및 연료량의 시간지연을 제거하기 위한 방법으로 가속페달에 위치센서를 장착하여 공기량 및 연료량의 동기화를 이루어 운전성 향상을 도모하고 정확한 연료제어를 이룰 수 있다.

## 기관 외에서의 배기가스 처리

기관 내의 대책만으로는 충분히 유해성분을 삭감하는 것은 곤란하기 때문에 승용차용 가솔린 기관에서는 삼원촉매를 이용한 배기가스 처리를 한다.

이 촉매는 혼합비를 이론 혼합비 중심의 범위로 유지하면 가스의 산화와 환원이 동시에 행해져 배기중의 CO, HC, $H_2$는 산화되고, $CO_2$, $H_2O$, NOx는 환원되어서 $N_2$, $O_2$로 각각

90% 이상이 전환된다.

아래 그림은 승용차용 가솔린 기관의 배기가스 정화의 토털 시스템의 예를 보인다.

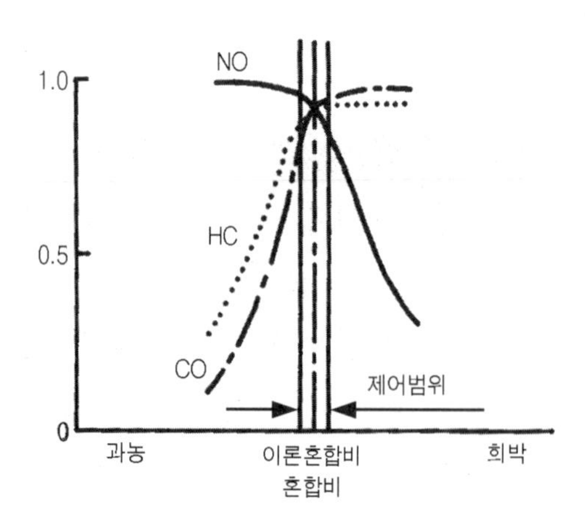

그림11.9 삼원촉매의 점화율

(1) **삼원촉매장치**(Three Way Catalyst)

삼원촉매장치란 3개의 유해가스(CO, HC, NOx)를 무해한 가스로 변환시키는 것으로, 촉매란 자기 자신은 변하지 않는 상태에서 화학반응을 일으키도록 하는 물질을 말하며, 산화(화학적으로 분해 하는 것-백금촉매)기능과 환원(화학적으로 결합 하는 것-로듐촉매)에 의해 유해물질 수준을 낮추고 무해한 가스로 변환 시키는 역할을 한다.

일산화탄소(CO) 및 탄화수소(HC)는 배출가스에 함유된 산소($O_2$)와 결합하여 산화에 의해 무해한 이산화탄소($CO_2$) 및 물($H_2O$)로 변환된다.

자동차용 삼원촉매는 귀금속, 알루미나, 금속체의 3가지로 구성되어 있다. 귀금속은 배출가스중의 HC, CO, NOx를 정화하는 것으로 주로 백금, 로듐 등이며 이 금속들의 특징은 반응 효율 및 내구성이 우수하므로 고가임에도 불구하고 널리 사용된다. 또한, 이들 금속은 각 원소에 따라 반응 선택성이 다르기 때문에 사용 목적, 조건에 따라 성분과 양이 결정된다. 최근의 동향은 배기규제가 강화됨에 따라 촉매의 장착 위치가 엔진 가까운 쪽으로 이동됨에 따라 내열성이 뛰어나고 로듐이나 백금보다 가격측면에서도 장점이 있는 팔라듐(Pd)의 사용 빈도가 높아졌다.

촉매장치는 유해물질의 배출을 줄이기 위해 기관을 충분히 워밍업 시켜야 한다. 왜냐하면 유해물질에서 무해물질로의 변환이 가장 효과적인 온도가 600℃부근에서 가장 잘 반응하기 때문이다. 또한 이론 공연비 이외의 영역에서는 잘 반응하지 못하기 때문에 공기와 연료의 비율이 이론 공연비 부근에 있어야 한다.

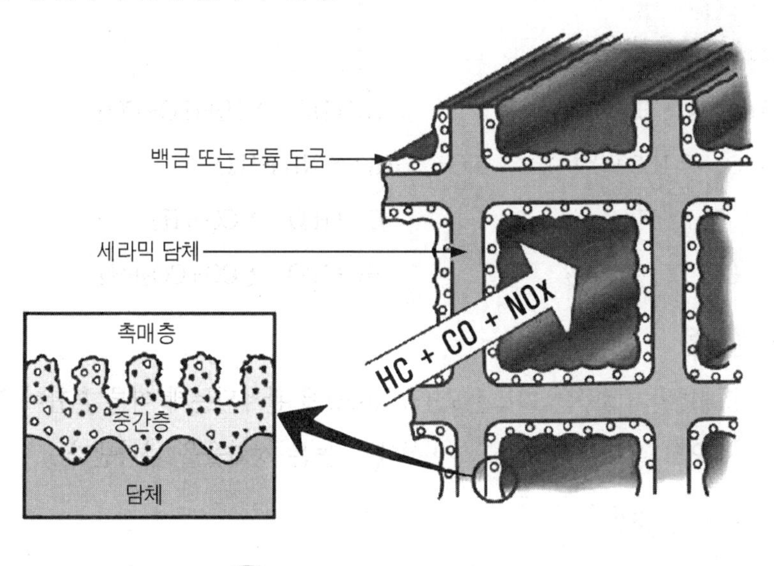


그림11.10 세라믹형 담체구조

기관에 사용하는 촉매는 약 5,300개의 평행통로로 되어 있으며 벌집모양의 세라믹 촉매 본체는 배기 머플러와 유사한 하우징에 장착된다. 세라믹 촉매 본체와 금속 하우징 사이는 서로 다른 열팽창을 동일하게 하는 금속망 혹은 광물성 재질이 내장되어 있다. 촉매는 약 250℃이하에서는 기능을 발휘하지 못한다. 이것은 냉시동이나 크랭킹시에는 촉매의 효용가치가 떨어진다는 것을 의미하며 따라서 EHC(Electric Heating Control)를 장착하여 냉시동시나 급가속시, 크랭킹시에도 무해한 가스로 되도록 한다.

촉매장치는 내부온도가 약 800℃이상의 온도에서 장기간 있으면 열적으로 영향을 받아 결정구조의 변형이 일어나고 촉매코팅의 표면이 영향을 받아 효율이 떨어진다.

촉매의 활성화 특성을 향상시키기 위하여 배기매니폴드에서 가까운 위치에 촉매를 위치시켜 빠른 시간 내에 촉매의 온도를 올려주기 위한 방법으로 MCC(Manifold Catalytic Converter-매니폴드바로 밑에 장착), CCC(Close Coupled Catalytic Converter-양쪽봉인

컨버터), WCC(Warm up Catalytst) 등이 사용되고 있다. UCC(Underbody Catalytic Converter-차체 밑에 장착)에 비하여 고온의 배기가스에 노출되므로 촉매의 용해를 방지하기 위하여 특히 고온 내구성이 요구된다. 주로 백금을 위주로 하여 담체에 wash coat하는 방법을 개선하기도 한 촉매 또는 트라이메탈이 사용된다.

### 1) 배기가스의 화학적 반응

$CO+\frac{1}{2}O_2 \rightarrow CO_2$ $HC+NO \rightarrow N_2+H_2O+CO_2$

$HC+O_2 \rightarrow H_2O+CO$ $NO+2\frac{1}{2}H_2 \rightarrow NH_3+H_2O$

$H_2+\frac{1}{2}O_2 \rightarrow H_2O$ $CO+H_2O \rightarrow CO_2+H_2$

$NO+CO \rightarrow \frac{1}{2}N_2+CO_2$ $HC+H_2O \rightarrow CO+CO_2+H_2$

### 2) 촉매의 정화율

혼합비와 촉매변환기입구의 가스온도(배기온도)에 관계되는데 이론 혼합비 부근에서 정화율이 가장 높으며 온도는 약 320℃ 이상에서 높은 정화율을 나타낸다.

### 3) 배기가스온도의 영향

- 375℃ 이하 : 촉매 작용을 하지 못함으로 인하여 오염 물질이 쌓임
- 375℃~600℃ : 촉매 작용 및 내구성에 적절한 온도임
- 600℃~850℃ : 촉매 금속이 화학적 반응을 하여 촉매 효율이 떨어짐
- 1000℃ 이상 : 알루미늄 조직의 변형으로 촉매 효율이 떨어짐

### (2) 2차 공기 공급장치

배기가스 속의 CO와 HC를 배기계통에서 재연소시키면 CO와 HC의 함유량을 더 감소할 수 있다. 이를 위한 장치가 2차 공기 공급장치이며, 2차 공기를 공급하는 방식으로 공기펌프에 의한 방식과 배기 맥동을 이용한 방식이 있다.

그림 11.11은 공기 펌프 방식이며, 기관의 크랭크축에서 벨트로 구동되는 공기펌프와 여기서 가압된 공기를 제어하는 제어밸브 및 체크밸브와 공기의 분사구로서 공기분사 다기관이 있다. 2차 공기는 각 실린더에 공급하나 일반적으로 EGR가스의 배출구가 있는 실린더에는 공급하지 않는다. 또 촉매 컨버터가 부착된 경우에는 컨버터 바로 앞에 2차 공기를 공급하여 컨버터의 과열을 방지하는 것도 있다.

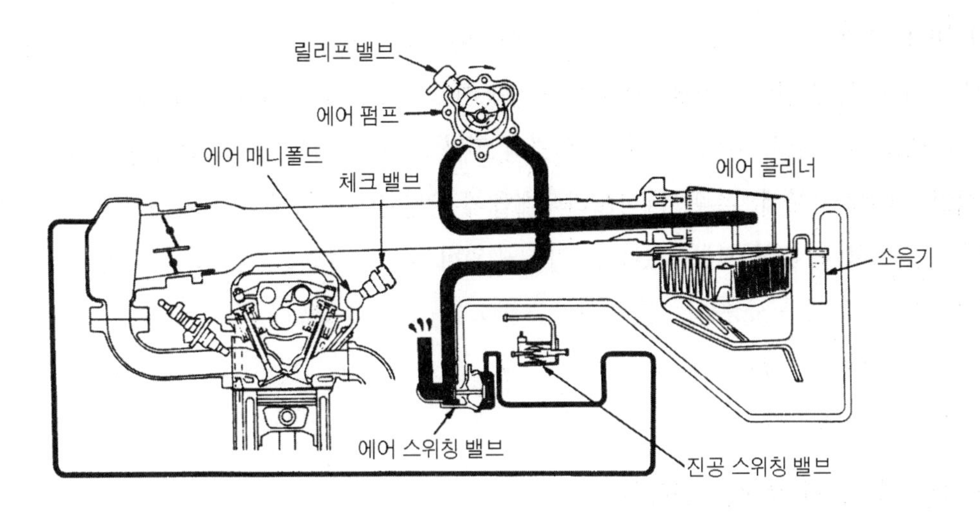


그림11.11 공기펌프 방식에 의한 2차 공기 공급장치

그림 11.12는 배기 맥동을 이용하여 2차 공기를 도입하는 방식이다. 배기다기관 안의 배기압력은 밸브 오버랩시에 피스톤이 상사점 부근에서 내려가는 흡입행정시에 부압이 생긴다. 이때 2차 공기 흡입구멍을 대기에 개방하면 부압에 알맞은 2차 공기를 배기다기관 안에 자연히 도입할 수 있다. 이 장치에는 밸브 오버랩시에 생기는 부압에 따라 개폐하는 리드 밸브가 있으며, 배기다기관 안에 부압일 때는 리드밸브가 열리고, 정상 압력일 때는 닫히게 되어 있다.

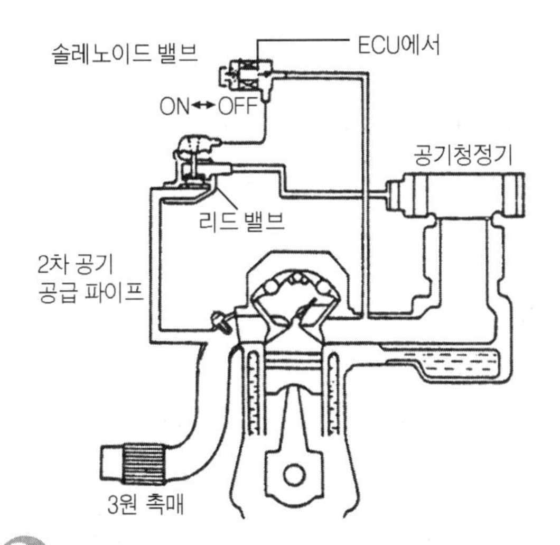


그림11.12 배기맥동 방식에 의한 2차 공기 도입장치

(3) NOx 촉매

희박연소 조건(산화조건)에서 NO가 Pt(백금)에 의하여 $NO_2$로 산화된 후, NOx저장 물질에 질산염으로 저장하여 이론 공연비 조건이 되면 Pt(백금)에서 활성화된 환원제에 의하여 질산염이 NOx로 분해 된 후, 다시 Pt(백금)에서 환원제에 의하여 $N_2$로 환원된다. 즉, 희박연소 조건에서는 NO를 저장하였다가, 이론 공연비 조건에서 $N_2$로 환원시키는 것이다. NOx 저장-환원형 촉매를 사용하는 경우 산화조건과 환원조건을 주기적으로 바꾸어 주기 때문에 반응기 출구에서 검출되는 NOx의 농도도 일정한 주기를 가지게 된다.

(4) 후처리 성능

**1) 배기파이프의 열전달 최적화**

촉매의 활성화로 특성향상 및 배기소음을 감소시키기 위하여 얇은 두께 배기파이프 및 배기매니폴드가 사용한다.

**2) 기관의 최적 맵핑**

촉매의 온도를 빨리 상승시켜 활성화시키기 위하여 점화지각, 냉간 공회전속도 최적화 및 냉간 시동시 희박공연비 설정 등의 방법을 사용하고 있다. CARB에서 모든 ULEV 및 LEV를 위해 EHC를 사용하기를 권장했으나 현재 ULEV도 EHC없이도 가능 한 것으로 판명되었고 이미 최적 맵핑 방법을 양산에 적용하고 있다.

**3) 배출가스 누설방지**

공기의 누설은 저속의 운전조건에서도 NOx 배출을 증가 시키게 됨으로 배기매니폴드/배기파이프간섭개선, 배기 매니폴드 플랜지와 촉매사이에 삽입된 부식방지 커플링 사용, 촉매의 용접방법개선, 부식이 없는 강재의 사용 등의 방법을 사용하고 있다.

**4) 전기전열식 촉매**

UCC를 사용할 수밖에 없는 차량 즉, 배기량이 큰 차량 또는 기관부품들이 조밀하게 있는 경우 ULEV를 대응하기 위해서 사용하는 방법이다. EHC, 배기가스버너, 에너지저장 방법 중 EHC가 상품성, 가격측면 및 적용성에 가장 주목을 받고 있다. 초기의 EHC는 발전기의 용량상승 및 배터리의 다른 전기계통과의 분리 등이 고려되었으나 EHC 설계개선으로 발전기에서 직접 또는 배터리와 분리 또는 조합되는 방법을 사용하여 동력을 사용이 가능하게 되었다. 현재 대부분의 ULEV는 EHC없이 대응이 가능하다.

### 5) 전기식 공기분사

냉간시 운전성 개선을 위한 농후한 공연비의 혼합기에 의해 생성된 미연 HC 및 CO를 전기식(2차)공기분사방법으로 공기를 촉매 앞에 분사하여 유해 배기가스를 저감시키기 위한 방법이다.

## 05 디젤기관의 배기가스

디젤기관의 혼합비는 항상 희박 혼합기이므로 CO는 거의 배출되지 않는다. 또 연소실 벽면부근의 경계층은 거의가 공기이므로 HC의 배출량은 적다.

NO에 대해서는 혼합비가 항상 희박측에 있으나 실제로 연소하고 있는 부분의 국소 혼합비는 이론 혼합비에 가깝기 때문에 NO의 생성은 가솔린 기관과 동일하게 많다. 이외에 디젤기관에서는 납(미립자, PM)의 배출이 많다.

납은 유기용제에 녹는 결질분의 가용성 유기분(SOF)과 매연과 같은 불용해분으로 구별된다. 불용해분은 탄소를 주체로 한 미립자의 매연(흑연)에서 평균공연비가 농후한 고부하의 경우에 많이 발생한다.

SOF의 성분은 연료나 실린더 벽에서 증발한 윤활유와 그들의 연소중간 생성물에서 생긴 탄화수소에 함유되어 있는 다환 방향족의 발암성이 문제가 되고 있다.

디젤기관 유해 물질의 형성은 연료의 완전 연소시에는 매우 작은 량이 발생하지만 노즐의 상태가 양호하고 정확한 분사 시기, 높은 분사 압력이 가능하다면 발생하는 유해가스와 연료소비를 줄일 수 있다.

다음은 가솔린기관과 디젤기관의 매연 배출 비교이다.

배출 입자는 디젤기관의 특성이며 거기에는 많은 탄소 성분이 포함되어 있다. 잔해물(회분)은 탄화수소 결합물과 염소(디젤 연료에 있는 유황성분)이다. 잔해 매연물의 크기는 직경이 10,000분의 1mm이며 공기를 오염시키고 호흡하면 인체에 매우 해롭기 때문에 법적으로 규제하고 있다.

배출 입자의 저감을 위해 세라믹 연소실이나 고압분사 등의 연소개선과 연구가 이루어져 상당한 효과가 이루어지고 있지만, 일반적으로 배출 입자와 NOx의 배출은 상반되는 관계에 있어 양자를 함께 저감하는 것은 곤란하기 때문에 배출 입자를 후처리 시스템으로 저감하는 것이 시도되고 있다.

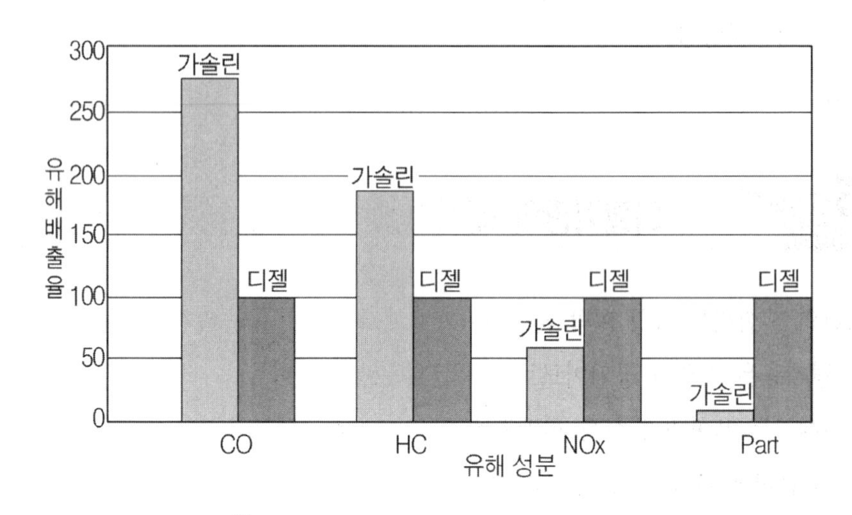


그림11.13 가솔린과 디젤의 배기가스 비교

##  기관에 있어서의 대책

생성된 매연을 재 연소할 수 있는 조건에서는 NO가 생성되기 쉽고 NO를 억제하기 위해서 연소온도를 내리면 매연을 재 연소할 수 없다.

연소실의 형식으로서는 부실식 디젤기관은 원래 NO 배출량이 적으나 더욱 저감시키기 위해 분사시기를 늦추는 것이 유효하며 실용화되고 있다.

직접분사식 디젤기관의 NO와 매연의 저감기술은 아직 확립되어 있지 않으나 자동차용 기관에서 고려되고 있는 대책은 다음과 같은 항목이다.

① 연소온도를 내리기 위해서 가솔린 기관과 동일하게 EGR을 행한다.

② 흡입공기 온도를 내려서 출력을 향상시키기 위해서 인터쿨러 붙인 터보과급으로 한다.

③ 초기연소(예혼합 연소)에서 유해혼합을 감소시키는 연료 분사율로서 고온의 연소가스를 적게 한다.

④ 초고압 분사를 한다.

⑤ 저유황 경유를 사용한다.

## 기관 외에서의 배기가스 처리

EGR 시스템을 적용시켜 산소의 농도를 낮추어 연소실의 온도를 낮추어 NOx의 수치를 낮추며, 미 연소된 매연을 재 연소시키기 위해 매연 연소 필터를 장착하여 연소 필터 내의 온도를 550℃ 이상의 상승시켜 매연을 완전히 태워 버린다. 원천적으로 온도상승은 1200℃까지 가능하므로 필터의 내구성을 위해 일반 필터보다는 특수한 재료를 사용해야 하는데 세라믹 필터를 가장 많이 사용한다.

촉매장치로 일산화탄소와 탄화수소를 현저하게 줄일 수 있으나 디젤기관에서 문제가 되는 것은 NOx와 매연의 문제이므로 이를 줄이기 위한 방법이 연구되고 있으며 현재 고압 분사 방식을 적용하여 매연 발생을 억제하고 있다. 미립자 저감으로서의 산화촉매는 유효하지만 매연의 저감에는 효과가 없다.

배출된 매연을 배기관에서 포집하는 장치가 매연의 저감에 좋기는 하지만 포집된 매연을 제거하는 방법이 문제이다.

# 부록 SI단위

PART TWELVE

## 01 일에 관한 단위

**(1) 일과 일률**

N · m로 표시되며, 줄(J)이란 고유 명사를 사용하며 J을 기본 단위로 유도하면 $kg \cdot m^2/s^2$ 이다.

**(2) 일 률**

일률은 단위 시간에 한일로서 그 단위는 J/s로 표시되며, 이것은 와트(W)가 된다.

$1J/s = 1W = 1N \cdot m/s = 1kg \cdot m^2/s^2$

종래 일의 단위는 kgf · m이며, 일률의 단위는 kgf · m/s, PS 등이 사용되었다.

## 02 열에 관한 단위

열역학 온도의 켈빈(K)와 섭씨온도의 셀시어스도(℃)이며 물의 삼중점은, 액체(물), 기체(수증기), 고체(얼음)가 공존하는 온도로서, 273.16K이다.

### 열에 관한 용어 및 온도의 정의

① 온 도

$$t_c = \frac{5}{9}(t_f - 32)℃ \qquad t_c = \frac{5}{9}(t_c + 32)°F$$

② **열 량** : 열량이 가해지거나 나가는 것은 열량의 이동과 열 이동 과정에서 외부에 대하여 한 일량으로부터 주어지며, 열량의 단위와 일의 단위는 모두 줄(J)을 사용한다.

1cal=4.18605J

③ **열전도계수 및 열 흐름** : 열전도 계수는 단면에 수직 방향의 길이1m당 1K의 온도 구배가 있는 1㎡의 단면을 통과하고, 1s당 1J의 열량이 전도되는 것이며 W/(m·K), W/(m·℃)이고, 열 흐름은 W로 표시하고 1W의 열 흐름은 1초간에 1J의 열량이 흐르는 것이다.

④ **열용량** : J/K 또는 J℃로 표시, 1J/K(J/℃)는 물체의 온도를 화학변화, 상변화없이 1K(℃)올리는 것에 필요로 하는 열량

⑤ **비 열** : J/(kg · K) 또는 J/(kg · ℃)로 표현하고 1J/(kg · K)는 질량 1kg의 온도를 1K 올리기 위하여 필요한 열량비이다.

⑥ **열전달계수** : W/(kg · K) 또는 W/(kg · ℃)로 표시하며, W/(kg · K)는 1W의 열흐름이 1㎡의 전열면을 통과 할 때, 평균 온도차 1K를 나타내는 계수이다.

⑦ **용해 잠열** : J/(kg · K) 또는 J/(kg · ℃)로 표시, 온도상승 없이 물체의 상변화만을 고체에서 액체로 변화하는데 필요한 열량

⑧ **질량 에너지** : 비내부 에너지라고도 말하고, J/kg로 표시한다. 1J/kg은, 질량 1kg의 물체가 1J의 내부 에너지를 갖는 상태

⑨ **엔탈피** : 에너지의 단위 J로 표시하고 계에 가해진 압력과 그것에 의하여 변화한 체적의 곱과, 계의 내부 에너지와의 합이다.

⑩ **엔트로피** : 열역학계의 가역 과정에 따른 상태함수로, 외부에서 그 계에 흡수된 열량을 말하며, kJ/K로 표시

## 2 열에 관한 단위 환산상의 유의 사항

① **열량 및 에너지** : 열량이나 에너지의 SI단위는 일의 단위와 같은 줄(J)을 사용하며 1J=0.24cal로 계산하고 에너지의 단위 와트초(W · s)로, W · s=(J/s)×s=J을 사용한다.

② **비열의 SI 단위** : SI에서는 1kg의 순수한 물을 101.325kPa의 압력(=1atm)하에 14.5℃에서 15.5℃까지 상승시키는 경우의 비열로 하여 4.1868kJ/(kg · K)이다.

## 주요 단위

| 양 | SI 단위기호 | 병용할 수 있는 단위 | 종래 단위 | SI로부터의 환산계수 |
|---|---|---|---|---|
| 질 량 | kg | t(톤) | | $10^{-3}$ |
| | mg | | car(캐럿) | $5\times10^{-3}$ |
| 힘 | N | | kgf | $1.01972\times10^{-3}$ |
| | | | dyn | $1\times10^{5}$ |
| 토 크<br>모 멘 트 | N・cm | | kgf・cm | $1.01972\times10^{-1}$ |
| | N・m | | kgf・m | $1.01972\times10^{-1}$ |
| 밀도・농도 | kg/m³, kg/L, kg/l | | kgf・s² /m⁴ | $1.01972\times10^{-1}$ |
| 운 동 량 | kg・m/s | | kgf・s | $1.01972\times10^{-1}$ |
| 관성모멘트 | kg・m² | | kgf・m・s² | $1.01972\times10^{-1}$ |
| 응 력 | MPa,<br>MN/m², N/mm² | | kgf/mm² | $1.01972\times10^{-1}$ |
| | MPa, kN/m² | | kgf/cm² | $1.01972\times10^{-1}$ |
| 압 력 | Pa | | kgf/m²<br>mmHG,Torr<br>mmH₂O<br>atm(기압) | $1.01972\times10^{-1}$<br>$7.50064\times10^{-3}$<br>$1.01972\times10^{-1}$<br>$9.86923\times10^{-6}$ |
| | kPa | bar | kgf/cm²<br>mH₂O | $1.01972\times10^{-1}$<br>$1.01972\times10^{-1}$<br>$1\times10^{7}$ |
| | hPa | mbar | | 1 |
| 표면 장력 | N/cm | | kgf/cm | $1.01972\times10^{-1}$ |
| 일・에너지 | J | | kgf・m<br>erg | $1.01972\times10^{-1}$<br>$1\times10^{7}$ |
| 일률・동력<br>공 률 | kW | | PS | 1.35962 |
| | W | | kgf・m/s<br>kcal/h | $1.01972\times10^{-1}$<br>$8.60000\times10^{-1}$ |
| 점 도 | mPa・s | cP | | 1 |
| | Pa・s | P | | 10 |
| 동 점 도 | m²/s<br>m²/s | cSt<br>St | | $1\times10^{6}$<br>$1\times10^{4}$ |

## 그리스문자와 표시사항

| 소문자 | 명 칭 | 사용되고 있는 표시사항 |
|---|---|---|
| $\alpha$ | alpha | 각도, 면적, 계수, 감쇠 상수, 흡수율 |
| $\beta$ | beta | 각도 |
| $\gamma$ | gamma | 각도, 비중량 |
| $\delta$ | delta | 각도 |
| $\varepsilon$ | epsilon | 압축비 |
| $\zeta$ | zeta | 계수, 좌표 |
| $\eta$ | eta | 효율 |
| $\theta$ | theta | 위상각 |
| $\iota$ | jota | 단위 벡터 |
| $\kappa$ | kappa | 계수 |
| $\lambda$ | lambda | 파장, 감쇠 상수 |
| $\mu$ | mu | 점도 |
| $\nu$ | nu | 동점도 |
| $\xi$ | xi | 좌표 |
| $o$ | omicron | |
| $\pi$ | pi | 원주율 |
| $\rho$ | rho | 밀도 |
| $\sigma$ | sigma | 인장 응력, 압축 응력 |
| $\tau$ | tau | 전단 응력 |
| $\upsilon$ | upsilon | 각도 |
| $\varphi$ | phi | |
| $\chi$ | chi | |
| $\psi$ | psi | |
| $\omega$ | omega | 각속도 |

## SI 접두사

| 인자 | 접두사 | 기호 | 인자 | 접두사 | 기호 |
|---|---|---|---|---|---|
| $10^{18}$ | exa | E | $10^{-1}$ | deci | d |
| $10^{15}$ | peta | P | $10^{-2}$ | centi | c |
| $10^{12}$ | tera | T | $10^{-3}$ | mili | m |
| $10^{9}$ | giga | G | $10^{-6}$ | micro | $\mu$ |
| $10^{6}$ | mega | M | $10^{-9}$ | nano | n |
| $10^{3}$ | kilo | k | $10^{-12}$ | pico | p |
| $10^{2}$ | hecto | h | $10^{-15}$ | femto | f |
| $10^{1}$ | deca | da | $10^{-18}$ | atto | a |

## 03 SI 주요 물리량의 단위

### (1) 밀도(density), 비질량(specific mass)

$\rho = m/V$ [$kg/m^3$, $kgf \cdot s^2/m^4$]

$\rho w = 1000 kg/m^3 = 1000/9.8\ kgf \cdot s^2/m^4$

### (2) 비중량(specific weight)

$\gamma = G/V$ [$N/m^3$, $kgf/m^3$]

$\gamma w = 9.8 \cdot 1000 N/m^3 = 1000/9.8\ kgf/m^3$

$\gamma = \rho g$

### (3) 비체적(specific volume)

$v = 1/\rho$ [$m^3/kg$],

$v = 1/\gamma$ [$kgf/m^3$]

### (4) 비중(specific gravity)

$S = \rho/\rho W = \gamma/\gamma W$

### (5) 힘(force)

$F = m \cdot a$ [kgf, N]

$1kg \cdot 1m/s^2 = 1kg \cdot m/s^2 = 1N$

$1kgf = 1kg \cdot 9.8m/s^2 = 9.8N$

1J : 1N의 힘 작용으로 그 힘의 방향에 놓인 물체를 1m만큼 움직이는데 필요한 힘

$1\ J = 1\ N \cdot m$

: 1Ω의 저항에 1A의 전류가 흐를 때의 1초 동안의 발열량

$1\ J = 1\Omega 2 \cdot A \cdot s = 1\ V \cdot A \cdot s = 1\ W \cdot s$

### (6) 압력(pressure)

$p = F / A$ [kgf/㎡, N/㎡ = Pa]

1 N/㎡ = 1 kg·m/s$^2$ = 1 Pa

1 kgf/㎡ = 9.8 kg·8m/s$^2$ = 9.8 Pa

### (7) 일, 에너지, 열량

$W = F \cdot r$ [kgf·m, N/m = J]

1 N·m = 1 kg·m$^2$/s$^2$ = 1 J

1 kgf·m =9.8 kg·m$^2$/s$^2$ = 9.8 J

### (8) 일률, 동력

$L = W/t = F \cdot v$ [kgf·m/s, J/s =W]

1 J/s = 1N·m/s=1kg·m$^2$/s$^3$ = 1W

1 kgf·m/s = 9.8 N·m/s = 9.8 W

1 PS = 75 kgf·m/s

1 KW = 10$^2$ kgf·m/s

## 내연기관의 측정시험항목과 사용되는 단위

| 제 원 | 측정 항목과 단위 | |
|---|---|---|
| 시험 전 측정 | 대 기 상 태 | 기후, 습도, 실온, 대기압 |
| | 재 료 의 상 태 | 밀도 [kg/m³] , 저발열량 [kJ/kg] |
| | 윤 활 유 성 질 | 윤활유의 성질, 밀도, 동점도 |
| 실험 중 측정 | 반드시 측정할 것 | 회전 속도 [rpm]<br>동력계 하중 [N]<br>연로 소비율 [kg/m³]<br>윤활유 온도 [℃]<br>윤활유 압력 [Pa]<br>냉각수 입·출구 온도 [℃]<br>스로틀 개도<br>분사 펌프의 개도<br>흡기 압력 [Pa] 또는 [mmHg] |
| | 참고로 하거나 또는 필요가 있으면 측정하는 것 | 냉각수 유량 [l/h] , [kg/h]<br>흡기 공기유량 [Nm³/h] , [kg/h]<br>흡기 및 배기 온도 ℃<br>윤활유 소비량 [l/h] , [kg/h]<br>점화 또는 분사 시기 [deg]<br>배기 성분 측정<br>지압선도의 폐지 |
| | 기록하여 둘 것 | 노크 상태, 진동음, 가스 누설,<br>오일 누설<br>물 누설, 충전 상태<br>그 밖의 이상 현상 |
| 종료 후 측정 | 윤활유 소비량<br>각부의 점검 | |

## 주간집필

◆ **김 관 권**
(現) 정수기능대학 카 일렉트로닉스과 교수

## 편성 및 교열

◆ **조 성 철**
(現) 경문대학 자동차과 교수

◆ **최 두 석**
(現) 천안공업대학 자동차과 교수

◆ **최 선 순**
(現) 삼육의명대 자동차과 교수

## ◈ 내연기관

정가 19,000원

2004년 3월 25일 초판발행
2020년 8월 10일 재판발행

주간집필 : 김 관 권
편성및교열 : 조성철, 최두석, 최선순
발 행 인 : 김 길 현
발 행 처 : (주)골든벨
등 록 : 제 1987-000018호
ⓒ 2004 *Golden Bell*
I S B N : 89-7971-515-3-93550

㊐ 04316 서울특별시 용산구 원효로 245(원효로 1가 53-1)골든벨 빌딩 5~6F
TEL : 영업전략본부 (02) 713-4135／편집디자인본부 (02) 713-7452 • FAX : (02) 718-5510
E-mail : 7134135@naver.com • http : // www.gbbook.co.kr

※ 파본은 구입하신 서점에서 교환해 드립니다.